مصائر

كونشرتو الهولوكوست والنكبة

الطبعة الثالثة

مصائر: كونشرتو الهولوكوست والنكبة/ رواية عربيّة
ربعي المدهون / مؤلّف من فلسطين
الطبعة الثالثة، 2016

info@kol-shee.com
www.kol-shee.com
مكتبة كلّ شيء/ حيفا

المؤسسة العربيّة للدراسات والنشر
المركز الرئيسي:
المصيطبة - شارع ميشال أبي شهلا - متفرع من جسر سليم سلام
مفرق الجامعة اللبنانية الدولية LIU - بناية النجوم - مقابل أبراج بيروت
ص.ب.: 11/5460 الرمز البريدي 1107-2190
تلفاكس: 707892 1 00961 - 707891 1 00961
بـيـروت - لبـنـان
E-mail: mkpublishing@terra.net.lb
موقع الدار الألكترونيّ: www.airpbooks.com

التوزيع في الأردن :
دار الفارس للنشر والتوزيع
ص. ب.9157، عمّان، 11191 الأردنّ،
هاتف: 5605432 6 00962، هاتفاكس: 5685501 6 00962
E-mail : info@airpbooks.com

تصميم الغلاف والإشراف الفنّيّ:
محمد سيب ® عمّان، هاتف 95297109 7 962+
لوحة الغلاف: أجيم صولاج/ البانيا
الصفّ الضوئيّ: المؤسسة العربيّة للدراسات والنشر/ بيروت، لبنان
التنفيذ الطباعيّ : ديمو برس / بيروت، لبنان

ISBN: 978-614-419-576-5

رواية
NOVEL

ربعي المدهون

مصائر

كونشرتو الهولوكوست والنكبة

القائمة القصيرة للجائزة العالميّة للرواية العربيّة 2016

الطبعة الثالثة
3

مكتبة كلّ شيء

إلى أم ربعي وراسم ورحاب
والدتي التي رحلت وأسكنتُها الرواية حيث الحياة أبدية .

قبل القراءة

هذه رواية عن فلسطينيين بقوا في وطنهم بعــد حــرب 1948 ، وأصبحوا ، بحكم واقع جديد نشأ ، مواطنين في دولة إسرائيل ويحملون «جنسيتها» ، في عملية ظلم تاريخية نتج عنها «انتماء» مزدوج ، غريب ومتناقض لا مثيل له . وهي رواية عن آخرين أيضــا ، هاجروا تحت وطأة الحرب ويحاولون العودة بطرق فردية .

الرواية ، وهي الثانية في مشروعي بعد «السيدة من تل أبيب» ، التي قدّمت مشهدا بانوراميا لقطاع غزة في مرحلة زمنية محددة ، تقدّم بدورها ، بانوراما لوضع فلسطيني آخر .

في الرواية شخصيات حقيقية من بيئة واقعية ، غادرت ملامحها ، متخلية عن أسمائها وعن بعض سماتها ، لتتمكن من العيش في فضاء متخيل تشبه تفاصيله الحقيقة ، وقد تتقاطع بعض أحداثها معها أو تلتقي بها لتعزز صدقيّتها .

قمتُ بـ«توليف» النص في قالب الكونشرتو الموسيقي المكون من أربع حركات ، تشغل كل منها حكاية تنهض على بطلين إثنين ، يتحركان في فضائهما الخاص ، قبل أن يتحولا إلى شخصيتين ثانويتين في الحركة التالية ، حين يظهر بطلان رئيسان آخران لحكاية أخرى . هكذا نمضي مع الحركة الثالثة ، وحين نصل إلى الحركة اربع والأخيرة ، تبدأ الحكايات الأربع في التكامل . وتتوالف شخصياتها وأحداثها ومكوناتها الأخرى . وتكون ثيمات العمل التي حكمت كل واحدة من الحكايات ، قد التقت حول أسئلة الرواية حول النكبة ، والهلوكست ، والعودة .

7

ولا يعني هذا التركيب التجريبي «توريط» القارئ في قواعد التأليف الموسيقي وتعقيداته . بل يعني اصطحابه لتذوّق عمل أدبي يستعير لبنائه شكلا موسيقيا ، تنتظم حكاياته على إيقاعاته الحسية ، خارجة من التجريد الموسيقى إلى فضاء السرد البسيط الواضح .

استغرق إنجاز الرواية أربع سنوات ، زرت خلالها فلسطين أربع مرات ، وعقدت لقاءات ، وأجريت حوارات ، وقمت بجولات ميدانية في كل الأماكن التي جرت فيها أحداث الرواية ، وأجريت أبحاثا ، وجمعت الكثير من المعلومات الضرورية للعديد من المشاهد .

لم يكن العمل على النص سهلا أو هينا ، على الرغم من الحجم المتوسط للرواية . فالأحداث تجري في ست مدن فلسطينية لم أقم في أي منها ، (وفي مدينة أوروبية وأخرى أميركية وثالثة كندية) . لكن جهود آخرين جعلت ذلك ممكنا . والآخرون هم من ساعدوني خلال جولاتي في فلسطين ، أو اطّلعوا على مخطوط الرواية ، أو صوّبوا خطأ ، أو صحّحوا معلومة ، أو دققوا ترجمة ، أو قدّموا ملاحظة أو رأيا ، أو اكتفوا بالتشجيع .

فشكرا مع باقة ورد ، لناشريّ المخلصين لمهنتهما ، ماهر كيالي مدير عام «المؤسسة العربية للدراسات والنشر» في بيروت وعمان ، وصالح عباسي مدير عام «مكتبة كل شي» في حيفا ، وزوجته لبنى . شكرا لزوجتي وصديقة عمري سناء ، وللصديقة الفنانة ميساء الخطيب في رام الله . شكرا لزملائي في العمل في لندن : الكاتب الإيراني الأصل ، أمير طاهري ، والسوري المصطفى نجار ، والكردي مسعود لاوه ، والعراقي د . أسامة نعمان . والأستاذ نظير الشمالي في عكا . والكاتب الصديق نظير مجلي ، والدكتور محمود شواهدة في الناصرة . والدكتور ماجد خمرة ، والمحامية نائلة عطية في حيفا . والدكتور داود الخطيب وزوجته الدكتورة أمل في القدس . وأتقدم بشكر خاص جدا للسيدتين الغاليتين ، إنعام وكريمة المدهون في اللد ، على تعاونهما الكبير خلال زياراتي المتكررة

للبلاد ، وكل ما قدمتاه لي من معلومات وحكايات .

وأعتذر للقارئ قبل الناقد ، عن أي خطأ أو سهو من أي نوع كان ،

طامحا في أن أكون قد قدمت عملاً يليق بالقارىء والقراءة .

ربعي المدهون

almadhoun2000@hotmail.com

الحركة الأولى

إيفانا أردكيان

ما إن لامست قدم جولي الدرجة الأولى لسلم الحديد الصدئ الصاعد حتى باب البيت الأزرق الشاحب مثل سماء حائرة بين الشتاء والصيف ، حتى انطلقت أجراس كنائس عكا القديمة ، تعلن عن جنازة شُيّعت من قبل . خفتت أصوات الباعة الراكضة وراء المتسوقين في سوق عكا القديم . أطلّت وداد عصفور من الشرفة المعلقة على أربعة أعمدة خشبية في الطابق الثاني من البناء المجاور : «أبصر مين مات اليوم!» ، ودلقت صدرها على حافة حديد الشرفة ، وراحت تلمّ غسيلها الناشف من على الحبال الكالحة ، الممددة بين حاملين معدنيين قديمين على طرفيها ، وتلقي به في طست معدني . لمحت جولي تصعد درجات السلم وبين يديها تمثال خزفي لم تتبيّن تفاصيله . «كِنْها هالمَرَه غريبة . . إيش بتسوي في حارتنا!» تمتمت ، ومطّت شفتيها . حملت الطست وانكفأت عائدة إلى الداخل هي وغسيلها . أغلقت باب الشرفة الزجاجي وترحّمت قليلاً على راحل مفترض .

ارتعشت جولي وتلعثمت مشاعرها . اليوم تقيم لوالدتها جنازة ثالثة ، لا يشاركها فيها أحد ، ولا تتوقّع أن يعزّيها أحد . حتى إنها رفضت مشاركة زوجها وليد دهمان حين عرض عليها ذلك بينما كانت تستعد لمغادرة فندق «عكوتيل» ، في شارع صلاح الدين حيث ينزلان . ادّعت لحظتها ، أن إيفانا أسرّت لها برغبتها في أن تكون وحدها ، حين تضع نصف رماد جسدها المحفوظ في داخل التمثال الخزفي ، في البيت الذي

سيكون مثواها الأخير . مشت نحو الباب الخارجي ، وراقبها وليد حيث يقف في البهو الصغير ، تصعد الدرجات الثلاث التي تسبق الباب . قلق لها وعليها . تبعها . وقبل أن تدفع بيدها باب الفندق المعدني الأسود الثقيل المحتفظ بزخارف من الماضي ، أحاط وليد كتفيها بذراعه اليمنى ، ودفع بالأخرى الباب إلى الخارج ، وسألها بالإنجليزية ، في محاولة أخيرة لتغيير رأيها :

«قد تحتاجينني؟»

هزت جولي رأسها نفيا . وودّعته للمرة الثانية وخرجت ، وكانت فاطمة تنتظرها بسيارتها الروفر الفضية اللون ، عند زاوية الشارع . أغلق وليد الباب على همس لم يسمعه أحد : «بس لو ما كنتِ إنجليزية بنت إنجليزي ، لقلت إنك عنيدة وراسك أنشف من روس الخلايلة» . واستدار عائدا . في الخارج ، انطلق ضحك كثير تلاشى مبتعدا نحو بوابة السور الشرقية .

واصلت مشاعر جولي تلعثمها . انطلقت في الحارة أغنية :

هدّي يا بحر هدي
طوّلنا في غيبتنا
ودّي سلامي ودّي
ع الأرض اللي ربّتنا

توقّفت جولي . لم تفهم الكلام . داهمتها قشعريرة . قرّبت التمثال الخزفي الملفوف بأصابعها العشرة من صدرها . رفعت رأسها إلى أعلى قليلا نحو خاصرة السماء : «Ten more Jolie» . فكّرت في التراجع والاكتفاء بوضع التمثال أسفل السلم ، ترددت : «ستكون روح إيفانا مهملة مثل أشياء قديمة كثيرة تم الاستغناء عنها» . أخجلها ما فكّرت به ، ولم تحتمله .

لملمت انفعالاتها وتابعت الصعود بخطوات تليق بجنازة . حين بلغت الدرجة الأخيرة ، أنزلت لهاثها المتقطع عن أنفاسها ووقفت فوق قدمين من مخاوف وقلق . رسمت على صدرها صليبا من مشاعر . توقّف رنين أجراس الكنائس . استسلمت ساحة عبود لقيلولتها التي لا يهتم لها سياح المدينة . عادت نداءات الباعة في السوق القديم ، تتردد واهنة وتتكسر على أطراف الحارة مثل موج يصل إلى شاطئه منهكا .

تلفّتت جولي خلفها . رأت فاطمة النصراوي حيث تركتها قبل دقائق أسفل السلم قرب زاوية البيت ، وقد شبكت أصابع كفيها فوق بطنها ، أدنى حزام بنطالها الجينز الواسع بقليل ، تتدلى منها مفاتيح سيارتها .

رفعت فاطمة رأسها نحو جولي . ضبطتها معلقة بين رغبتها في إنجاز مهمتها ومخاوفها من أسوأ الاحتمالات . قلقت لأجلها ، وقد تكون تظاهرت بالقلق . حاولت أن تقول شيئا ، ترددّت . ارتاحت لترددها الذي أعفاها مما كانت ستقول . فلو قالت ، لكانت الأحداث اللاحقة ، جرت بطريقة مختلفة عما روته جولي لوليد بعد عودتها إلى فندق «عكوتيل» . في النهاية التي جاءت على عجل ، أشارت فاطمة بيدها لجولي أن تدق الباب . استدارت خلف زاوية البيت ومشت . ولم تنتظر لتعرف ما جرى بعد ذلك .

كانت فاطمة هي من دلّت جولي على ما كان بيتا لجدّها لأمّها ، مانويل اردكيان وأخذتها إليه . يلقّبونها في عكا بـ«فاطمة معارف» . ينادونها ، احيانا ، «ست معارف» . البعض يشير إليها في غيابها ، بالـ«ست معلومات» ، ولا يخطئون في تعريف مهنتها : مرشدة شعبية . ويتردد على ألسنة بعضهم ، إنها تحفظ ملامح عكا وتفاصيلها أكثر من كتب التاريخ والجغرافيا . ويمتدح آخرون نظريتها في توزيع الحقائق التاريخية على السياح الأجانب مجّانا . ويحتفظون بقولها الشهير مثلها ، على أطراف ألسنتهم ، «بنعطيهم معلومات صحيحة ابّلاش . . أحسن ما يشتروا

15

الكذب من اليهود ابمصاري» ويستخدم العكاويون قولها عند الحاجة ، ثم يعيدونه إلى أطراف ألسنتهم .

يا لها من عكاوية نادرة ، مرّت في حياة جولي ووليد مثل نسمة خفيفة ، مع أن عاصفة هوجاء لا تقوى على حملها . تعرّف إليها وليد ، قبل زيارة جولي لبيت جدها بيوم واحد فقط . قدمتها إليه نصيحة من جميل حمدان ، صديقه القديم العائد من زمن يساري النكهة ، كانا فيه طالبين في مدرسة لتخريج كوادر الأحزاب الشيوعية في موسكو ، وفيها اقتسما معا ، عشق اليهودية الروسية لودميلا بافلوفا .

«ما في حدن بقدر يساعدك عزيزي وليد غير الست معلومات ، هذا رقم تليفونها احفظو في جوّالك» .

قال جميل .

ضحك الثلاثة الآخرون ، جولي ولودا ووليد ، بينما تطوي سيارة جميل بعض خريطة البلاد تحت عجلاتها ، تسبقها لهفة الجميع في الوصول إلى حيفا .

وضع جميل فاصلا آخر للضحك ، وتابع :

«فاطمة رح تِعِجبك يا وليد ، عكاوية سمرة زي القهوة لمِحَمّصة ع الفحم . . بتجنن وبتوخذ العقل . . هيَّ صحيح مدوّرة مثل دولاب سيارة الشحن ، بس انسايكلوبيديا عزيزي . . لسانها أسرع م الفيراري .»

عاد كل من في السيارة وجدّد ضحكه .

عندما وصل وليد وجولي إلى فندق «عكوتيل» قادمين من حيفا ، بعد ليلة أمضياها في بيت جميل في منطقة الكبابير ، هاتف وليد فاطمة . استقل بعدها ، سيارة أجرة أخذته إلى الرشادية في عكا الجديدة ، حيث تقيم فاطمة في شقة في بناية خارج أسوار المدينة . وحين هبط من السيارة ، وجد فاطمة تنتظره هي وابتسامتها أسفل البناية . لم يكن صعبا عليه التعرف عليها . كان وصف جميل لفاطمة يكفي . وكانت ابتسامتها

الودود تصادق على وصفها .

رحّبت فاطمة بوليد بتشوق من ترغب في احتضانه بذراعيها القصيرتين اللتين بالكاد تضمّان نصف خاصرته لو راقصته . لكنها لم تتردّد وقبلته على وجنتيه ، وهمست في أذنه قبل أن تسحب شفتيها الرفيعتين الشبيهتين بحواجب منتوفة : «بوسه من بنت بلدك بتحبسك في عكا العمر كله .»

حاصرته دهشة . قال لها : «بدّك تحبسيني في سجن عكا القديم؟» . ضحكت . و همس لنفسه لكي لا تسمع العكاوية المحمّصة ما قال : «أغلب ازلام عكا رحلو عن المدينة سنة الثمانية وأربعين ، واتغربو وما نفعهم كل البوس اللي باسوه ، ولا حتى حفلات الجنس الهستيرية التي سبقت الرحيل» .

وابتسم حزنا وُسعه المساحة التي باعدت بينهما لاحقا .

شرح وليد لفاطمة سبب زيارته وزوجته لعكا . قال إن نصف جولي إنجليزي ، ونصفها الآخر عكاوي .

«وأيَّ نص فيها عكاوي . . اللي فوق واللا اللي تحت؟» سألته .

ضحك وليد : «أكيد اتْفَرّجتي على (مدرسة المشاغبين)؟ على كل حال أنا اللي شايفه النُص الأصلي .»

«دبلوماسي .» علّقت ، ورقّصت حاجبيها .

حدّثها قليلا عن حماته الراحلة ، الأرمنية العكّاوية الفلسطينية البريطانية ، إيفانا اردكيان ليتل هاوس . عن وصيّتها التي ستزور جولي بيت جدها لأجلها . رتّبا تفاصيل الزيارة في الشارع على عجل ، واستغنى وليد عن فنجان قهوة عكاوية دعته فاطمة إلى تناوله في شقتها .

عرف وليد من فاطمة ، أن بيت اردكيان ظل مغلقا على أثاثه ومحتوياته سنوات عدة ، بعد رحيل مانويل وزوجته أليس عن المدينة ، في السادس عشر من مايو 1948 ، أي قبل يومين من سقوطها بأيدي المنظمات

اليهودية . كان البيت من بين ألف ومائة وخمسة وعشرين بيتا آخر ، ظلّ سليما بعد انتهاء الحرب . نصفها أصبح اليوم بحاجة إلى ترميم ، والقليل منها آيل للسقوط . سقط أحدها العام الماضي على رأس سكانه وقتل خمسة . وعرف منها أيضا ، أن عائلة يهودية تدعى لاؤور ، تضمّ خمسة أفراد ، تسلّمت البيت من شركة «عميدار» الإسرائيلية للاسكان ، التي تولّت و«شركة تطوير عكا» ، إدارة خمسة وثمانين في المائة من بيوت المدينة ، في ما عدّته الدولة أملاك غائبين . وما تزال تسيطر على ستمائة بيت ، وتغلق مائتين وخمسين بيتا آخر ، وتمنع الفلسطينيين من السكن فيها . كانت عائلة لاؤور إحدى عائلات يهودية عدة ، من لاجئي الإبادة النازية ، سكنت المدينة القديمة التي هجرها سكانها آنذاك ، تحت ضغط القصف المدفعي للمنظمات اليهودية الذي سبق احتلالها . وكان للعائلة ولدان وبنت ، تربّى ثلاثتهم ، وكبروا في بيت اردكيان . لكنهم تركوا البيت والمدينة تباعا ، بعد أداء كل منهم خدمته العسكرية الإلزامية ، وانتقاله ، بعدها ، إلى خدمة الاحتياط التي ترافقه ، في العادة ، ولا تتخلى عنه قبل بلوغه الخامسة والأربعين . وهكذا خرج اللاؤريون الشباب ، أو «هالأوريم هتسعيريم» ، كما عبرنتهم فاطمة ، من سجل المعلومات الشفوية المتداولة في عكا . وتظنُ «الست معارف» ، أن الوالدين العجوزين ، بقيا في بيت أردكيان إلى أواخر ثمانينات القرن الماضي ، ولم تشاهدهما بعد ذلك . ولم يذكر أحد من الفلسطينيين من سكان المدينة القديمة شيئا عنهما . ولم يدّع أحد أنه رأى أيا منهما ، معا أو منفردين ، في المدينة أو خارجها ، بعد ذلك .

سأل وليد فاطمة عمّن يقيم في البيت حاليا ، فأطلقت ضحكة تغطي حرجا خفيفا ، وردت : «أنا بعْرِف إنه البيت انسكن قبل سنة تقريبا ، بس الصراحة ما حدن م اللي بعرفهم جاب سيرة اللي سكنوه .» وسكتت . مدّد وليد بدوره سكوته لعلّها تضيف شيئا مفيدا إلى ما قالته ، فاستغلت

فاطمة تواطؤهما على الصمت ، وخرجت عن الموضوع ومنه :

«بالمناسبة سيد وليد ، بدّي أعتذر منّك واعتذر لي من زوجتك كمان بخصوص مشوار بكرة . أصْلي مضطرة أوصل جولي ع بيت اردكيان وأرجع ، عندي وفد سياحي سويدي بدّي آخذه في جولة ع البلد ، قبل ما يقع فِ ايدين مرشدين اليهود .»

لم يعلّق وليد . وبدا أنه فوجئ بموقفها . وحين لاحظت هي دهشة اضطرارية على ملامحه ، سارعت تقترح عليه أن يؤجل الزيارة ثلاث ساعات فقط ، تكون بعدها قد انتهت من جولتها مع الوفد السويدي . أبلغها وليد بأن الوقت قد لا يسمح . أسفت فاطمة لذلك وجدّدت اعتذارها . شكرها وليد : «لِسْويديين ولِسكندنافيين بحبوا الفلسطينيين كثير .» قال مبددا صدمته . ورجاها ألا تقلق بشأن جولي ، وأن تهتم بالوفد السويدي كثيرا . ثم ودّعها بعبارات مازحة تطالبها بتجديد معلوماتها المتعلقة بعكا القديمة ، «عشان ما يسحبو منّك لقب الست معارف ،» قال ، وراقبها تبتعد وتختفي في الداخل .

تقدمت جولي خطوة واحدة . حدّق فيها باب البيت الموشّح بغموض ثقيل . رفعت رأسها إلى السماء . رأت زرقة فاتحة تسكنها غيوم صيف هادئ وشمس تغتسل منذ الصباح بنسمات البحر .

تذكّرت ما قالته لها «الست معارف» في طريقهما إلى البيت . تذكّرت أيضا ، تعليقها على ما قالته : «إنتَ بِهبو أكا كتير ست مآرف!» وتذكرت رد فاطمة الساخر على تعليقها : «ومين ما بهبو أكّا يا روهي؟! ان شالله بِنْطس في عينيه الثنتين اللي بيكرهها . عكا حبيبتي هيّ الدنيا والآخرة . عكاوي بيطلع بره سور بصير غريب . . Stranger darling . . stranger . . وبيحلف ابْغربته كمان .»

تأثّرت جولي بكلمات فاطمة . ومع أنها لم تفهم «بنطس في عينيه الثنتين» ، فقد تلمّست غربة أهل عكا . تعجّبت لها في البداية ، ثمّ تألمت

بقدر ما تلمست : «أوه!» . ثمّ تحسّرت ، همسا ، على والدتها : «مسكين ماما إيفانا . . هو كمان أكاوي مات سترينجر .» وتذكّرت بعدها ، كيف لملمت فاطمة ما همست به من بين شفتيها واستهجنته : «ايش حبيبتي؟ إمك مات في لندن عكاوي غريب؟! إِحمدي ربّك واشكريه . . تعي شوفينا هون ، غُربا في بلادنا ولاجئين . ما في فرق بين المِيتين مِنا واللي عايشين» .

وتذكرت جولي مع ما تذكّرته ، كيف بكت لنفسها حين صافحت قدمها اليمنى أول درجات سلم بيت العائلة . وكيف بكت لوالدتها ، وأعطتها من دموعها حصة أكبر مما ذرفته يوم وفاتها .

2

في صباح متأخر كسول تباطأ في طريقه إلى الظهيرة ، هاتفتْ إيفانا ابنتها جولي ، وطلبت إليها الحضور ، مساء ، إلى منزلها في منطقة «إيرلز كورت» وسط لندن ، برفقة وليد ، لتناول عشاء تعدّه بنفسها ، لمناسبة قالت إنها خاصة جدا وحميمة ، ستقول فيها كلاما لا ينبغي أن يسمعه أي منهما في غياب الآخر .

وصل الزوجان إلى منزل إيفانا قبل السابعة بقليل . أوقف وليد سيارته الـ«بيجو» ، خلف سيارة إيفانا «المرسيدس» السوداء القديمة ، وترجّلا منها معا . وبينما كانا يستديران ويتجهان نحو مدخل البيت ، لاحظت جولي وجود سيارة «جاغوار» فضية اللون ، إلى جوار سيارة إيفانا :

«يبدو أن مستر باير سبقنا إلى هنا وليد!» قالت .

«معنى ذلك أنه مدعو مثلنا .»

عقب .

«ألا يثير الأمر لديك تساؤلات؟»

«ربما . سنعرف الأمر بعد قليل .»

أجاب وليد بينما يضع إصبعه على زر جرس الباب .

«لديّ إحساس بأن ماما قررّت بيع منزلها والانتقال للعيش في شقة صغيرة . لا يمكن أن يكون وجود باير مصادفة . لعلِ إيفانا بدأت تعاني من الوحدة فعلا . كان وجود مدبّرة منزلها ، أماندا الجمايكية ، مهما بالنسبة لها . إيملتني ، الاسبوع الماضي ، تقول ساخرة ، إن البيت الذي كانت حرارته تغنيه عن التدفئة المركزية ، صار يرتعش من البرد . عاتبتُها على

منحها أماندا إجازة من دون أن تخبرني ، مع أن للمرأة أسبابها المقنعة . ولو فعلت ، كنت رتبت لها بديلا ، أو زُرتها خلال هذه الفترة على الأقل .»

«لا تنسي أننا . . .»

فتحت إيفانا الباب . لم يكمل جملته . فردَت إيفانا ذراعيها . احتضنت ابنتها وقبّلتها باشتياق يفوق حاجتها إلى حنانها . ثم عانقت وليد ، وقبّلته بطريقة تؤكد أن رضاها عنه يزيد قليلا عما يطمح إليه ، ودعت كليهما إلى الدخول والالتحاق بالآخرين .

كان هناك آخرون فعلا : السيد باير الذي دلّت سيارته على وجوده ، وزوجته السيدة لين . لم يستغرب وليد وجودهما ، وإن استعاد ، بلا تركيز ، تساؤل جولي عن مغزى دعوتهما إلى لقاء قالت إيفانا نفسها إنه خاص وحميم .

كان وليم باير ، الذي اشتهر كمحام لعدد كبير من مشاهير الطبقة الوسطى المتربّعين على سطح طبقتهم الأعلى ، يتنفسون وحدهم هواءها ، صديقا حميما لوالد جولي ، الراحل جون ليتل هاوس . خدم الرجلان في شبابهما ، في صفوف القوات البريطانية في فلسطين ، ووصل كل منهما إلى رتبة ميجور . قاربت بينهما الرتبة العسكرية وكذلك الموت الذي نجا كلاهما منه في لحظة واحدة ، حين أقدمت منظمة «إرغون» اليهودية ، ورئيسها مناحم بيغن ، في 22 يوليو 1946 ، على تفجير فندق الملك داود في القدس ، الذي اتّخذت منه حكومة الانتداب البريطاني على فلسطين ، مركزا رئيسا لها . حينذاك ، قُتل واحد وأربعون فلسطينيا ، وثمانية وعشرون من الإنجليز ، وسبعة عشر يهوديا ، وخمسة من جنسيات أخرى ، وأصيب خمسة وأربعون بجروح مختلفة . نجا الضابطان البريطانيان من الحادث ، وظهرت ملامح جديدة لعلاقتهما بعد سكون غبار الموت . فيما بعد ، صار جون ووليم صديقين حميمين . لكن الدهر الذي أنقذ جون من الموت خلال التفجير الكبير ، عاد وأسقطه من حسابات العمر على حافة حلمه

الأكبر ، إذ توفي جون قبل زواج ابنته من وليد ، وورثت إيفانا عن جون أملاكه ، وبضمنها البيت الذي تقيم فيه ، وسيارته المرسيدس السوداء ، التي احتفظت بها ، ومبلغ من المال ، وصداقة باير الذي تعرّفت إليه إيفانا في أحد لقاءاتها الغرامية السرية مع جون ، قبل رحيلها عن فلسطين ، وظلّ يذكّرها بأجمل أيام عمرها المسروقة من زمن الانتداب البريطاني ، فأبقته إلى جانبها ، فيما بعد ، وأوكلت إليه شؤونها المالية والقانونية .

صافح الزوجان ، وليد وجولي ، تباعا ، الرجل قصير القامة ، ذا النظارتين الطبيتين الكلاسيكيتين ، ثم صافحا زوجته بطريقة روتينية . فلم تكن جولي من المعجبين بلين ، ولم تفهم يوما سر علاقتها بوالدتها إيفانا – باستثناء كونها زوجة باير . كانت لين بخيلة ، مدعية ، ونمّامة أكثر من صحيفة تابلويد . أما وليد فلم يكن يهتم لأمرها ، وهو لم يقابلها إلا نادرا في بيت حماته إيفانا .

كتمت جولي صدمتها بوجود لين ، ولم تبد ما من شأنه أن يضايق إيفانا ؛ إذ قدّرت أن تكون والدتها تعمّدت ذلك رغبة منها في تعميم ما سيدور في ذلك المساء ، على المجتمع البريطاني كله ، بما فيه سكان الجزر الصغيرة المتناثرة على الشواطئ .

ثم تقدم وليد ، ومن بعده جولي ، وصافحا ليا بورتمان ، صديقة إيفانا ، الشاعرة اليهودية التي عرفتهما عليها قبل أكثر من عشر سنوات ، وأظهرا وقتها ، ارتياحا لمعرفتها تطاله شكوك ، وتوترا محسوبا لوجود صديقها كواكو الذي يقيم معها منذ سنوات . فكلاهما كان حذرا في تطوير علاقة صداقة كاملة معه لأسباب لها منطقها . فكواكو شخصية غريبة ، ويمكن القول ، بشيء من المجازفة ، إنه ظريف أيضا ، مع أنه يبدو ، في كثير من الأحيان ، غامضا ككلمة سر ، ومحيّرا كلغز ، ويثير تساؤلات غير تقليدية . وكان ذلك يقلق وليد أحيانا . أما جولي فقد كانت ترى في موقف وليد بعض المبالغة ، وتميل إلى استظراف كواكو ، وتقول إن الجلسة معه مرة او اثنتين

في العام ، يضيفان تشويقا إلى وقائع حياتهما .

يتحدث كواكو عن نفسه بلغة أنيقة ، لها نبرة سكان قصر باكنغهام الملكي . تتجول على ملامحه ، من وقت لآخر ، تلاوين لانفعالات أرستقراطية ، حتى وهو يعترف أمام آخرين ، بأن لا أصل له . يتذكر وليد كيف روى له ولجولي ، خلال عشاء جمعهم في مطعم «سوق» المغربي في منطقة «كوفنت غاردن» ، وسط لندن ، حكاية غائمة عن والديه يصعب الإمساك بأي من تفاصيلها . قال إنه ولد لأب نيجيري لم يُعرف عنه تدينه أو ذهابه إلى مسجد أو كنيسة ذات يوم ، ولأم مسيحية أرجنتينية ، وإن أباه طلق أمه حين كان هو في الخامسة من عمره ، فرحلت به إلى ذويها في بيونس آيريس . لكنها لم تتقبل وحدتها طويلا ، وتزوجت من مكسيكي مهاجر ، هاجر بكليهما إلى نيويورك . لكن زوج الأم لم يحتمل وجود كواكو طويلا ، وطرده من بيته ولم يكن قد تجاوز العاشرة من عمره . فتشرد سنوات قبل أن يستقر عاملا في محطة للوقود . وروى كواكو الكثير من التفاصيل عن شخصه مما لم يكن مضطرا أبدا لسرده ، كاعترافه أمام وليد وجولي ، في مناسبة أخرى ، بأنه ولد بخصية واحدة . وقوله بأن هذه الحقيقة لم تقلق ليا إطلاقا ، لأنها لا تحتاج إلى خصية ثانية لممارسة الحب ، وإنجاب أطفال لا ترغب هي في إنجابهم أصلا . ضحكت ليا وقتها ومدحت خصيته الوحيدة ، وقالت إنه رجل نادر ، فكل الرجال بخصيتين الا كواكو . وصادقت ليا على قول كواكو إنها لا تهتم للإنجاب ، وإنها لو كانت راغبة في ذلك فعلا لأنجبت منه كتيبة أطفال .

وطبقا لما كشف عنه كواكو في ذلك اللقاء ، فقد سبق له أن أنجب – وهذا ما أكده هو لإيفانا التي لم تعتبره سرا ونقلته إلى وليد وجولي – ستة أبناء طبيعيين من زوجة واحدة ، قال إنه لم يعد يذكر متى تزوجها ، وأين هجرها ومتى ، ولا حتى أسباب ذلك ، أو لعله لم يكن راغبا في الحديث ، في أي وقت ، عن عائلة لم تعد تنتمي إليه عمليا ، وربما لم تنتم إليه أصلا .

لكن ليا أحبت كواكو كثيرا ، بغموضه والتباساته التي يصعب فض تشابكاتها ، منذ أسقطته في قلبها صدفة ، وسقطت هي في قلبه في لحظة ملتبسة مثل شخصيته . كانا يقفان في طابور أمام بائعة شابة في متجر «سانزبوري» في شارع «كينغز واي» في منطقة هولبورن . هي أمامه وهو خلفها ، يشكر طابور المتسوقين على ما أنعمه عليه من صدفة ويحمده ، بينما يتأمل شعرها الأصفر الناعم الطويل . يحتوي بنظراته كتفيها المنسدلتين على ذراعين يليقان براقصة . اهتزت ليا في وقفتها فجأة . ترنحت قليلا إلى الخلف . امتدت ذراعا كواكو بعفوية أسفل إبطيها . وخلال ثوان ، كانت في غيبوبة على ساعدين عاجيين قويين . لم تحدث إغماءتها جلبة أو ضوضاء ، فقط وزعت همسا على الموجودين لا يسمعه هامسوه . طلب كواكو من البائعة ، زجاجة عطر وماء . تركت الشابة مكانها خلف الحاسوب . وركضت عاملة أخرى في المتجر الشهير لإحضار قنينة مياه بلاستيكية . وأخرجت سيدة تقف في الطابور ، زجاجة عطر . فتحتها وهزّتها قليلا فتساقطت قطرات منها على كف كواكو الممدودة ، مسح بها وجه ليا ، فبدأت تخرج من غيبوبتها القصيرة . فتحت عينيها بين ذراعي الرجل . رأت وجهه يتصفح وجهها ويوزع على تفاصيله ابتسامة . وحين استعادت وعيها كاملا ، واستقامت ، كانت ذراعاه ما تزالان تحتويانها . استدارت ليا بينما ذراعاه تنسحبان بعيدا عنها . تناولت جرعة ماء أطلقت بعدها آهة ارتياح . صفق الزبائن للمشهد المثير . وتمنّت ليا لو بقيت فترة أطول بين ذراعي كواكو حتى لو طال إغماؤها . خجلت مما تمنّته . رفعت رأسها تتأمله :

«أشكرك كثيرا . . أنقذتني من السقوط . . لا أعرف ما حدث لي!»

«المهم ، كيف تشعرين الآن؟

«أنا بخير ، دوار خفيف من أثر الغيبوبة؟»

«عادة ما يخلف زلزال المشاعر نوبة ارتدادية فعلا ، بحكم قوانينه الداخلية . »

عقب كواكو .

ابتسمت ليا ، وارتعشت قليلا . أعادها كواكو إلى حضنه . اعتذرت له عن هزتها الارتدادية . وانسحبت من بين ذراعيه بهدوء نحو البائعة .

ابتاع كل منهما ما جمعه في سلة بلاستيكية ودفع الحساب . سبقته ليا إلى الباب وتوقفت عنده من الداخل . التفتت خلفها ونظرت إليه من فوق كتفها . رأته يبتسم . أيقظت ابتسامته عمرها كله ، وغسلته من هواجس حاصرتها منذ الطفولة ، حين كانت والدتها جينيفر تلحّ عليها : «لا تخالطي الغرباء يا ليا . ابتعدي عن السود والعرب والمسلمين حبيبتي .»

مدّ يده . لم تتردّد ليا في التقاطها . كانت كمن تستعيده واعية . تعيد إنتاج لحظات ضاعت أثناء إغماءتها على ساعديه . أحست لحظتها بانهيار جدار مخاوفها :

«اسمي كواكو . . كواكو وول .»

«أنا ليا . . ليا بورتمان . . شاعرة تعبيرية .»

«أوووه . . هذا مثير . . أنا عازف غيتار نصف مدهش . . يمكن أن نعمل معا إذن . . سنكون زوجا فنيا رائعا .»

دعته إلى فنجان قهوة في «كافيه روج» القريب من المتجر . رحّب . سارا معا يحملان أكياس المشتريات البلاستيكية إلى المقهى مثل صديقين قديمين .

أمسكت بفنجانه الذي انتهى من تناوله وقلّبته وهي تقول : «لو كان في فنجانك قهوة عربية لقرأت لك بختك!»

ضحك كواكو وسألها :

«هل تعلمت ذلك فعلا؟»

«نعم . علمتني عجوز فلسطينية تعرّفت عليها خلال زيارتي للقدس قبل عامين . أنها مجرد تسلية لإخراج ما في الصدور .»

منذ اللقاء ذاك ، فتحت ليا لكواكو ممرا طويلا فرشته بمشاعرها ، مشى عبره كواكو إلى قلبها مطمئنا . صارا كلما التقيا ، اتسع الممر ، إلى أن صار طريق حياة محا كل ما علّقته جينيفر على طفولة ليا من كراهية للسود والعرب وبقية الغرباء «الغوييم» .

أدهشت ليا نفسها حقا . لم تكن تتصور أبدا ، أو يخطر ببالها ، أن تصادق بريطانيا مثل وليد ، زرع فلسطين في خلاياه وجعلها أحواض نعناع . أو أن تعيش قصة حب حقيقية ، هي الوحيدة الصادقة في حياتها ، مع رجل أسود مثل كواكو ، أحبته فعلا ، ولم تسأله يوما عن أصله أو ديانته ، ولا عن خصيته التي لا تهمّها ، ولا عن أيّ من التفاصيل التي سمعتها منه وتناقلها آخرون ، من حكايات لا تنتمي إلى بعضها . على الأقل ، هذا ما قالته هي ، مرارا أمام وليد وجولي .

لم يطل بقاء المدعوين في صالة الجلوس كثيرا ، حتى طلبت صاحبة البيت من الجميع ، الانتقال إلى صالة الطعام . جلس المدعوون الستة حول الطاولة المستطيلة التي تتوسط الصالة ، ثلاثة مقابل ثلاثة ، بينما احتلت إيفانا ، كعادتها ، رأس الطاولة جهة النافذة المطلة على الشارع ، في مواجهة مقعد جون الذي بقي فارغا منذ رحيله ، وراحت تتأمله لبعض الوقت .

«أين كؤوس النبيذ ماما؟»

سألت جولي إيفانا . فاعتذرت عن تقصيرها غير المقصود ، وطلبت منها إحضار سبع كؤوس . استأذنت جولي الجميع ومشت إلى المطبخ ، ولحق بها وليد متظاهرا بالرغبة في مساعدتها .

في المطبخ همست له بظنون لملمتها على عجل :

«ماما تخطط لعمل كبير وليد .»

استفسرها همسا : «ماذا تقصدين؟»

« يبدو أن الأمر أكثر من بيع منزل؟»

«آه ، فهمت .»

27

ثم أضاف بحدّة مهموس بها : «اسمعي يا عزيزتي ، إن كان الأمر يتعلق بتركة والدتك وأملاكها فدعيها تفعل بهما ما تشاء .»

«لم أفكر في هذا أصلا وليد!»

عقّبت . ثم استدركت بشيء من الجدية ، بينما تراقب نفسها تضع كؤوس الكريستال المعرّق على صينية فضية : «آآآآه تذكرت . . .»

وترددت قليلا ، قبل أن تكمل عبارتها ، وهي ترفع الصينية بين يديها ، وترفع عينيها إليه :

«ماما تفكر في . . .»

قاطعها صوت إيفانا يتعجّل الجميع : «Come on guys»

حملتْ جولي الصينية وخرجتْ وبين شفتيها ما تبقى من جملتها . تناول وليد زجاجة نبيذ من على رف في البار ولحق بها .

رحّبت إيفانا بضيوفها بعبارات أنيقة ، وطلبت منهم أن ينصتوا إليها ولا يقاطعوها . هزّ المحامي رأسه تفهّما . ابتسمت زوجته لين لوجبة كلام متوقعة ، تكفي لنميمة ما تبقى من أشهر السنة . تركتْ ليا على شفتيها ابتسامة متردّدة . وضع كواكو ذقنه ، الذي يصعب التأكد إن كان حليقاً ، على قبضة يده ، تاركا عينيه تترقبان ، بحياد غامض ، ما ستقوله إيفانا . أما جولي ، فتعلقت عيناها الخضراوان بشفتي والدتها ، متأهبتين لالتقاط الكلام لحظة تشكله . واكتفى وليد بمتابعة انعكاس ترقّب الآخرين على وجوههم .

فاجأت إيفانا الجميع بقفزة خارج سياق توقعاتهم . راحت تستحضر ماضيها البعيد ، تسرد حكاياته وعيناها مثبتتان على مقعد الراحل جون . أسمعتهم الكثير مما يعرفونه ، وبعض ما لم يكونوا على علم به ، وأغلقت قلبها على الكثير مما يعرفونه أيضا . تحدّثت عن شبابها الأول . قالت إنها كانت مراهقة حين أحبت الضابط الطبيب الشاب ، جون ليتل هاوس ، الذي منح ابنته جولي ثلثي اسمه ، وأورثها لون عينيه الخضراوين ،

وتفاصيل أخرى يمكن لمن عرفه في حياته ، أن يلمّها من على ملامحها ، حتى بعد أن تجاوزت الستين . والتفتت إلى جولي ، كأنما لتتأكد من أن ملامح جون لم تزل تقيم على وجه ابنتها . وقالت وكأنها تتأمل الراحل في مقعده قبالتها ، إنه كان شابا وسيما يصعب على فتاة في مثل سنها ، وقتذاك ، مقاومته . ثم تنهّدت بعمق افتقادها له ، وقالت كلاما يتمشى بين تفاصيل ذكرى جميلة . قالت إن نظرة من عيني جون كانت تعوضها زرقة سماء عكا كلها . وإنها لم تفكر لحظة في جنون علاقتها به حتى لا يفقدها تعقلها أجمل حكاية حب عاشتها . وإنها منذ عشقته ، لم يعد جون ، في نظرها ، بريطانيا مستعمرا كريها ، ولا طبيبا ضابطا . بل الشاب الوحيد الذي أوقعها من أول ابتسامة ، هي التي كان شبان ساحة عبود ، وحارة الشيخ عبد الله والفاخورة ، وزملاؤها في مدرسة «تراسنطا» ، ينثرون ابتساماتهم الصباحية تحت قدميها ، وهي تمضي بدلال مراهقة تكتشف سلطة جمالها على الآخرين ، ولا تنحني لتلتقط أيا منها . كانت مستعدة لأن تفعل أي شيء لكي ترتبط بجون إلى الأبد ، حتى لو اندلعت حرب كبرى بين بريطانيا العظمى وساحة عبود ، وتورط فيها أرمن عكا كلهم .

قالت هذا كله وأكثر . لكنّها تكتّمت على تفاصيل الحرب الحقيقية التي اشتعلت ، آنذاك ، داخل كنيسة سان جورج ، وبين أفراد عائلة اردكيان وسكان الساحة ، وحرقت مشاعرهم وفحّمت نفوسهم . لم تحدّثهم عن لحظاتها الأخيرة في عكا ، التي ما يزال بعض سكان الساحة يحفظون تفاصيل منها ، تتناقلها الألسن منذ عشرات السنين .

صبيحة يوم تموزي هادئ ، وصل الضابط جون ليتل هاوس إلى عكا ، في سيارة جيب عسكرية ، أقلّته ورفيقاً له إلى عكا القديمة ، حيث أوقفها السائق في شارع الفاخورة على مقربة من برج الحديد . هبط جون من السيارة ، ومشى باتجاه حارة الفاخورة ، واجتاز سريعا الأزقة الكثيرة المتعرجة الضيقة إلى حارة المعاليق ، ومن ثم إلى ساحة عبود ، حيث تقدم إلى

29

مسافة قريبة جدا من النافورة التي تتوسط الساحة ، ووضع قدمه على حافتها الرخامية . كانت إيفانا تستعد للخروج من منزل والديها اللذين غادراه صباحا إلى الكنيسة . في تلك اللحظة ، سمعت صوت باب دكان ثقيل يغلق بعصبية . فتحت باب البيت . سمعت متري ، صاحب محل الأحذية ، يصرخ : «بدّي أفهم مين اللي جاب لإنجليزي لعِنّا هون؟ ايش جاي يعمل حضرته في حارتنا؟» أدركت إيفانا أن جون تهوّر ودخل الساحة ، ولابد أن وجوده استفزّ متري وأصحاب المحلات الأخرى التي كانت مُفتوحة في ذلك الوقت . أغلقت باب البيت ، وهبطت درجات السلم العشرين ركضا . أطلت من خلف زاوية البيت على الحارة . رأت متري يقف أمام دكانه مبعثر الملامح كالخارج من خناقة لم تنته . لكنها لم تر جون في الساحة كما توقّعت ، بل رأت عطا الصغير ، ابن وداد عصفور ، يركل بقدمه حجرا صغيرا ويلاحقه . كان جون قد غادر الساحة سريعا إثر سماعه صراخ متري وإحساسه بغضب الرجل ونظراته التي لاحقته ، ولجأ إلى الزقاق المفضي إلى حارة الشيخ عبد الله وانتظر هناك . ابتعدت إيفانا عن البيت ، ومرّت من أمام متري ، الذي سارع يستعرض انفعالاته أمامها ، ويحذرها : «قولي للِي امْرَبّيكي في بيته ، سكان ساحة عبود ما بجَوزوش بناتهم لَلِنجليز ، بِكَفّيهم ثلاثين سنة راكبين البلد ومِتْشَعبطين على كْتافنا وامْدّندلين رجليهم . ناقص يركبو نسوانّا كمان .»

أسرعت إيفانا صامتة واختفت في الزقاق حيث كان جون وصاحت به :

«Hurry up John, let us go darling»

التقط الشاب كفّ إيفانا قبل أن تصله ، وغادرا الحارة مسرعيْن عبر أزقة حارة المعاليق والفاخورة باتجاه سيارة الجيب التي تنتظرهما ، تاركين ساحة عبود تفك وحدها اشتباك ألسنتها .

تزوج جون وإيفانا بعيدا عن عكا وأهلها . وأقيم لهما حفل صغير غير

تقليدي ، في قاعدة بريطانية قريبة من حيفا ، حيث زف العروسان وسط ضباط القاعدة وجنودها .

وحملت إيفانا . وأنجبت ، في موعدها ، طفلة جميلة تشبه والدها سمياها جولي . وفي مارس 1948 ، غادرت إيفانا البلاد وبين يديها طفلتها وعمرها شهران . واختفت من حياة والديها ، ومن ساحة عبود التي تربت فيها . صارت سرابا يزور الساحة في مناسبات تذكّر بالفضيحة ، ريحا تهب في مكان آخر ولا يسمع صوتها أحد . قيل إن «إيفانا صارت في عهدة لإنجليز» . وقيل : «ما كفّتهم فلسطين ولاحقينها ع بناتها؟!» . أما والدها مانويل ووالدتها أليس ، فأعلنا تبرؤهما من ابنتهما الوحيدة ، بعد يوم واحد من هروبها من الحارة .

بحلول الخامس عشر من مايو 1948 ، كانت بريطانيا ، قد أنهت تفكيك معسكراتها ، ورحل جنودها تاركين فلسطين للمجموعات العسكرية اليهودية التي أعلنت قيام دولة إسرائيل . وعاد جون إلى بريطانيا مع العائدين من بقايا جنود الإمبراطورية التي كانت تنسحب من عظمتها .

في الثامن عشر من مايو سقطت عكا بأيدي المنظمات اليهودية . وقتل أنترانيك اردكيان ، شقيق مانويل وعم إيفانا ، في المعركة الأخيرة للدفاع عن عكا ، مع عدد من المتطوعين المسلحين ببنادق قديمة ، تجمعوا في مركز الشرطة بقيادة أحمد شكري منّاع . وكان مانويل وزوجته أليس قد هاجرا إلى لبنان عن طريق البحر ، قبل سقوط المدينة بيومين . وأقاما في حرش قريب من منطقة فرن الشباك ، بيع الحرش ، لاحقا ، فاستأجرت الحكومة اللبنانية ووكالة غوث وتشغيل اللاجئين الفسطينيين «أونروا» ، عام 1952 ، قطعة أرض في منطقة جسر الباشا ، أقامتا عليها مخيما يجمعهم حمل اسم المنطقة . انتقل مانويل وزوجته إلى المخيم مع ما يزيد على ثلاثة آلاف فلسطيني ، هم خليط من المسيحيين الأرثوذوكس

والكاثوليك الذين هُجّروا من حيفا وعكا ويافا .

عاش مانويل حياة بائسة في مخيم جسر الباشا ، انتهت بوفاته قبل اندلاع الحرب الأهلية في نيسان 1975 بشهرين . مات مهموما مقهورا على نفسه وعلى شقيقه انترانيك ، وعلى ابنته التي رفض كل محاولاتها للمصالحة . ولم يرد على رسائلها التي ظلت تصله في السنوات الخمس الأولى التي أعقبت الهجرة ، وكتبت له إيفانا مرارا ترجوه أن يستقبل حفيدته جولي على الأقل ، ويتعرف عليها ، ولم تتلق منه ردا . وفي 29 يونيو 1976 ، قُتلت زوجته أليس ، خلال اجتياح قوات «الكتائب اللبنانية» لمخيم جسر الباشا ، الذي أجبر من تبقى من سكانه على مغادرته .

سكتت إيفانا مستسلمة لموجة حزن عالية تكسّرت على ملامحها . أرعشت شفتاها قشعريرة حزن ارتدادية ، تجادلت كفاها بتوتر . تساقط من عينيها دمع كثير كأنما اختزنته في سنوات وحدتها منذ رحيل جون . وظلّ باير وزوجته ، وليا وكواكو ، ووليد وجولي ، صامتين يتأمّلون أحزانها ، متواطئين مع رغباتها ، ومع فهمهم لحاجتها الملحة إلى غسل أوجاع قديمة تسلسلت عبر تفاصيل حكايتها التي لم تروَ بتلك الطريقة من قبل ، مع أنها ظلت ناقصة حين روتها .

في النهاية ، مسحت إيفانا وجهها بكفيها تجفّفه من وجع ماضيها الذي استحضرت بعضه بنفسها ، وحضر بعضه الآخر على الرغم منها . وقالت بصوت خارج من متاعبها : «لو قلت إن والديَّ رحلا من دون أن أراهما طيلة أكثر من خمسين عاما ، فلن يصدّقني أحد»

«أووو ماما . . . .»

أوأوت جولي متعاطفة مع والدتها . نهضت عن مقعدها واستدارت ومعها بقايا أوأوتها ، ووقفت خلف إيفانا مباشرة . احتضنت رأسها بين كفيها ، ثم انحنت عليه برفق وقبّلته . وقالت مازحة وهي ترفع رأسها بعيدا وتعود إلى مكانها : «يكفيك أنك كنت وأبي عاشقين كبيرين!»

انفرجت شفتا إيفانا عن ابتسامة لم تستخدمها منذ وقت طويل . وقالت باعتذار تقليدي لا لزوم له : «آسفة يا أصدقائي ، لقد أوجعتكم معي . . لعله ماضيّ الذي حضر ليودّعني .» ثمّ اعتدلت في جلستها ، غيّرت لهجتها وطريقتها في مخاطبة الجميع :

«دعوتكم اليوم أصدقائي لأقول لكم كلاما آخر ، لا علاقة له بماضيّ ولا بتركتي .»

ثم التفتت إلى باير وخاطبته بلهجة وظيفية : «مستر باير ، سنضع سوية تفاصيل أخرى جديدة لوصيتي . سأحضر إلى مكتبك لهذا الغرض في موعد نتفق عليه فيما بعد .»

هز باير رأسه متفهما . وتابعت إيفانا بهدوئها الذي يشبه إيقاع آخر العمر قائلة : «قد لا أعيش طويلا ، وأريد لجثتي أن تُحرق بعد وفاتي . وأن تجرى مراسم تأبيني على وقع أغنية جون لينون «Imagine» . أريد لهذه الأغنية التي لا تموت كما يموت البشر ، أن تكون آخر ما تسمعه أذناي قبل أن تلتهمهما النار وتتفحمان . أتمنى على كل من يرغب في رثائي ، أن لا يطيل الكلام ، حتى لا يُكثر من تعداد ما ليس من صفاتي . التأبين أعزائي ، ليس أكثر من حفل استغابة معلن ومتفق بشأنه ، يستغلُّه المؤبنون لغسل إساءاتهم للميت خلال حياته . لو كنت أعرف موعدا محددا لرحيلي ، لطلبت من كل من سيرثيني ، أن يكتب لي ما سيقوله على ورقة ، حتى أتمكن من مراجعته قبل غيابي الأبدي ، حيث لا مساءلة بعده ولا إمكانية لإدخال تعديلات . بعد الانتهاء من مراسم الحرق ، تنثرون حفنة من رماد جسدي فوق نهر التايمز ، يأخذه من هناك غبارا ويوزعه على مياه المحيط . أنت حبيبتي جولي وأنت وليد ، تتوليان ذلك» .

لم يعلق وليد ، أصابع جولي فعلت . امتدت إلى كف إيفانا الممدودة على الطاولة واستراحت فوقها . وضعت إيفانا كفها الأخرى فوق كف جولي ، واكتفتا بتبادل النظرات .

تابعت إيفانا حديثها ، فأوصت بوضع حفنة أخرى من رماد جسدها في قارورة زجاجية بطول ثلاثين سنتمترا ، يكون لها لون البحر صيفا ، وشكل قوامها هي في كل الفصول : عنق من شموخ (رفعت رأسها) ، صدر من كبرياء (شدّت جذعها إلى أعلى ، وتأنق أنفها الأرستقراطي المظهر فوق ملامحها) ، وخاصرة تحتويها كفا عاشق ، هكذا (وجمعت إبهاميها وسبابتيها إلى بعضهما فشكلا دائرة صغيرة) وبطن عذراء ، ومؤخرة بدوية . وطلبت نقل القارورة إلى بيت والديها في ساحة عبود في عكا القديمة . قالت : «خذوا بعضي وكل روحي إلى عكا يعتذران لها حارة حارة . خذوا ما تبقى مني وشيعوني حيث ولدت ، مثلما ستشيعني لندن حيث أموت . يا أصدقائي وأحبتي ، يوما ما ، ولا أظنه بعيدا ، سأموت . أريد أن أدفن هنا وأن أدفن هناك .»

ثم صمتت قليلا ، وشاركها الجميع صمتها لدقيقة أو أكثر ، قطعته بعدها لتوجه كلاما آخر لجولي ووليد : «إن تعذّر الأمر لسبب ما ، أكون سعيدة لو أخذتما هذا النصف من بقاياي ، إلى القدس القديمة . أعرف أن لوليد أصدقاء هناك ، وقد تروقكم زيارتهم وترتيب وضع التمثال عندهم ، أو عند أي عائلة فلسطينية يمكن أن تقبل بذلك .»

أومأ وليد وجولي لها موافقين ، فأضافت إيفانا وطيف من الارتياح يظلل ملامحها : أتمنى أن تزورا كنيسة القيامة إن زرتما القدس ، وأظنكما ستفعلان حتما . صلّيا لي فقد يطهّر ذلك روحي . وإن سارت الأمور على ما يرام ، أقيموا والمشيعون المحتملون ، حفلا صغيرا في المنزل الذي سيستقبل ما تبقى منّي . أحرقوا بخورا مقدسا ، وانصتوا جيدا إلى فيروز ترفع زهرة المدائن إلى أعالي السماء ، ولتملأ صرختها المدينة . . أنا متأكدة أنني سأسمعها أيضا ، لأنني سأكون هناك ، في السماء .»

أدرك الجميع رغبة إيفانا . وأظهروا ، كل بطريقته ، تفهما عميقا لما قالته ، وترحّموا عليها في حضورها المميّز : مستر باير كان يفكر في دوره

34

القانوني في توثيق وصيتها المتعلقة بالثروة والممتلكات المتبقية لديها . لين ، انشغلت في البحث عن أفضل طريقة لحفظ تفاصيل وصية إيفانا ووضعها على كل لسان . ليا فكرت في خسارتها التي قد تحدث في أي وقت ، لصديقة عزيزة . أما كواكو فكان ينتظر المشهد التالي . وفيما كان وليد يفكر في دقة تنظيم حماته لطقوس ما بعد وفاتها ، وصِدق رغبتها في السير في جنازتها وهي على قيد الحياة ، كانت جولي تتنقل بين خياري إيفانا ، وقد أدركت بحسها ، أن والدتها خشيت أن تلعنها عكا في مماتها كما لعنتها في حياتها حين هربت منها ، ففتحت لروحها نافذة أخرى في القدس ، طلبا لمزيد من الرحمة .

سكب وليد النبيذ في الكؤوس . وقبل أن ترفع إيفانا كأسها عاليا معلنة انتهاء وصيتها الخاصة بالجنازة ، وبدء الاحتفال الذي وعدت به ، مازحها وليد ، بينما كؤوس الجميع معلقة في الهواء : «أتعرفين أن اليهود يعتقدون بأن من تدفن جثته في تلك البلاد ، يكون أول من يبعث حيا ، ويكون في مقدمة طابور المنتظرين على باب الجنة يوم القيامة .»

«إذن امنحوني الفرصة لأن أحجز لي مكانا في الطابور بحفنة من رماد ، قبل أن تمتلئ السماء بالمستوطنين الذين يزاحمون الفلسطينيين في الدنيا ويريدون الاستيلاء على حصصهم في الآخرة .»

ضحك الجميع ، وتبادلوا أنخابهم وسط رنين الكؤوس ، وهتفوا بصوت واحد : God bless Ivana . وتمنّوا لها عمرا طويلا . ثم انهمكوا في تناول الطعام ، ولم يخطر ببال أي منهم ، أن تلك السهرة ستكون آخر لقاء يجمعه بإيفانا ، فقد توفيت بعدها بأسبوع واحد فقط .

3

رحلت إيفانا في يوم صيفي دافئ استوردت بريطانيا شمسه من الهند . مُدّ جسدها في التابوت الخشبي ، وكانت في ثوب زفافها الذي لبسته في حفل ثان لزواجها ، أقيم بعد وصول جون إلى لندن في مايو 1948 ، عائدا من فلسطين وقد أصبحت إسرائيل . وقد احتفظت إيفانا بثوبها طيلة تلك السنين ، مثلما احتفظت له بمقاييس جسدها ، لكي ترحل وهي عروس للمرّة الثالثة والأخيرة .

ألقى المشيّعون تباعا ، نظرات أخيرة على وجه إيفانا . وحين انتهوا ، تقدّمت جولي – الكيان الوحيد المتبقي من تلك العلاقة الملتبسة بين الضابط الإنجليزي والأرمنية الشقية إيفانا ، الفلسطينية ابنة ساحة عبود – وراحت تتأمل وجه والدتها . كانت ملامح إيفانا مسترخية على ما تبقى من مشاعر لحظاتها الأخيرة . على شفتيها ابتسامة طفل غاف يحلم للمرة الأولى ، الابتسامة نفسها التي ظلّت تضيء آخر صورة التقطت لها في عكا قبل هربها من بيت والديها . أغلقت جولي عينيها على المشهد الأخير . أغلق القس فتحة التابوت الخشبي . تحرك التابوت ببطء فوق شريط معدني آلي . ارتفع صوت جون لينون عاليا :

تخيّل أن لا وجود لبلدان
ليس صعبا أن تفعل
لا شيء تقتُل من أجله أو تُقتَل
ولا وجود أيضا لأديان

36

تخيل الناس جميعا يعيشون حياتهم بسلام

حين فتحت جولي عينيها ، كان جثمان إيفانا قد توارى خلف ستائر بنية اللون سميكة ، لينتهي في الغرفة الخاصة بإعداد الجثث ، قبل إدخالها إلى فرن المحرقة .

في المساء ، عاد وليد وجولي إلي البيت مثقلين ببقايا انفعالاتهما . دخل هو غرفة مكتبه مباشرة . وضع مشاعره جانبا ، واستسلم للكتابة . كان عليه أن ينجز فصلا في رواية جديدة ، وعد قريبته جنين دهمان ، بإطلاعها على تفاصيلها حين يلتقيها وجولي في يافا . بينما راحت زوجته تتابع ترتيب أولويات ما تبقى من وصية والدتها .

بعد يومين من مراسم حرق جثتها ، تسلّمت جولي رماد إيفانا في وعاءين خزفيين صغيرين كما أوصت . أخذت أحدهما ، وذهبت إلى شركة «آشِز إنتو غلاس» في منطقة «إيسكس» في جنوب لندن . وطلبت تصميم وعاء آخر من الخزف أيضا ، لكن على شكل هيكل له تفاصيل ما أوصت به إيفانا ، لوضع ما في الوعاء من رماد في داخله .

بعد أيام ، عادت إلى الشركة نفسها ، في موعد حدد من قبل . وقدم لها بيتر هوبكنز ، المصمم البارع في الشركة ، الوعاء الخزفي المطلوب وقد صار تمثالا ، نُقشت على بطنه عبارة «توفيت هنا . . توفيت هناك» . وأسفلها ، نُقش بخط أصغر : لندن - عكا 2012 .

شهقت جولي : «هاه» ، وفرحت بدمعتين . تناولت التمثال الخزفي الجميل من يدي بيتر وتأملته للحظات : «كأنها أمي حين كانت تخرج لسهرة مع أبي تستمر لوقت متأخر في المساء» .

رفعت رأسها نحو بيتر تشكره . صادر الشاب الارتجالي النظرة فرصتها ، إذ سارع يقدم لها سوارا صنعه بنفسه ، من مزيج من رماد جسد

إيفانا والبلور الملوّن المصهور ، ينتهي عند طرفيه بجناحي فراشة منقطين بحبيبات قرمزية . على الجناحين من الداخل ، حُفر تاريخ ميلاد إيفانا وتاريخ وفاتها .

«هذه لك سيدتي .»

قال بيتر .

ضاعفت جولي شهقتها : «هاااااه!» .

أمسك الشاب بمعصم يد جولي اليمنى وألبسها السوار . ارتعشت يدها بين أصابعه ، لكن شعورا غامضا أراحها : «ستكون أمي حاضرة معي على الدوام . . شكرا كثيرا لك مستر هوبكنز .»

ومدّت يدها اليسرى إلى معصم يدها ، وراحت تتأمل بأصابعها بعض والدتها .

عادت جولي إلى البيت ، تتزاحم على وجهها انفعالات متناقضة . وضعت التمثال على حامل مرآة الزينة في غرفة النوم . سحبت درج الشوفونيرة الأيسر . تناولت سلسالا فضيّا يتوسطه صليب صغير بحجم إيمانها ، تركته لها إيفانا قبل وفاتها . انحنت على التمثال الخزفي ، ولفّت السلسال مرات عدة حول عنقه ، تاركة الصليب يتدلى على صدره الذي يشبه صدرها . لفّت حول خاصرة التمثال شريطا رفيعا من وشاح حريري ملوّن أهدته إليها إيفانا . حين انتهت ، جلست على مقعد الشوفينيرة المغطى بساتان زهري . نظرت في المرآة . رأت امرأتين تشبهان امرأة واحدة في مرحلتين من عمرها .

بعد أسبوع على رحيل إيفانا ، حملت جولي الوعاء الخزفي الثاني – ما تبقى من رماد إيفانا– وذهبت بصحبة وليد إلى «ووترلو بريدج» وسط لندن . وهناك توقفا قبل بلوغ وسط الجسر بأمتار قليلة ، أقرب إلى الجهة المطلة على مبنى «رويال ناشيونال ثياتر» . كان المساء يقترب من ليله هادئا كسولا مثل نهر التايمز ، لم يضايقه مطر ولم تغضبه رياح ، وقد نعست على

جانبيه زوارق كثيرة وغفت . وكانت منطقة «ساوث بانك» ، أسفل الجسر ، وعلى امتداد النهر حتى «ويستمِنْستر بريدج» خلفهما ، مشغولة بتجوال كثيف متخالط ، لرجال ونساء من جنسيات وأعمار مختلفة ، يتبادلون سعادتهم أو أحزانهم الخاصة على ضفة النهر العريضة . بعضهم منفعل ، وآخرون يطلقون ضحكا قصيرا خفيفا يشبه أزياءهم وله ألوان رغباتهم ، بينما يمضون إلى سهرة تظللها مشاعر هادئة ، ويمضي غيرهم نحو أوقات عارية من تحفظاتها ، يستيقظون منها ، صباحا ، مندهشين من وجودهم في أسرة غيرهم . أسفل الجسر ، خارج المبنى الكبير الضخم ، كانت ثمة فرقة موسيقية تعزف كونشرتو «دي ارانخويز» ، للإسباني خواكَن رودريغو . انحنت جولي قليلا فوق الحاجز المعدني الأسود للجسر . قلبت الإناء على فوهته وراحت تهزّه بلطف ، فيتناثر رماد إيفانا في الهواء . تصاعدت في الفضاء نغمات Mon amour ، الحركة الثانية من الكونشرتو . لوّحت جولي ووليد بذراعيهما عاليا ، وهما يرددان بصوت خافت : Goodbye sweet Ivana goodbye . . حلّقت سحابة من نغم ورماد عاليا ، قبل أن تختفي في البعيد . استدار الاثنان عائدين ، غير مصدقين أنهما دفنا بعض إيفانا في الريح ، وجعلا فضاء لندن نصف مثواها الأخير .

4

في غياب جولي ، قرر وليد التجوّل في شوارع عكا القديمة . غادر فندق عكوتيل ، وتمشى في شارع صلاح الدين . بعد أربعين مترا تقريبا ، استوقفته يافطة قماشية بيضاء ، علقت على زاوية محل «حلويات الناصرة» ، في الجهة اليسرى من الشارع . قرأ عليها بثلاث لغات :

من عكا مش طالعين

We will not move out

לא זזים מעכו

استحضر ما سمعه من صاحب الفندق ومديره ، قبل دقائق فقط :

«هلأ يا سيدي هاجمين علينا اليهود لفرانساوية . بيجو جماعة ورا الثانية ، الله وكيلك ، جيوبهم مْتلتله مصاري ، بِلفّو وبدوروع البيوت جوات السور . يعرضو على اصحابها أسعار عالية فوق ما تتصوّر . البيت اللي بدّو يقع أغلى م اللي بعده واقف على اساساته . في ناس يا استاز وليد ، قتلها الفقر وباعت بيوتها . وفي ناس باعت من كتر مْدايقات المتدينين اليهود اللي احتلوا بيت هون وبيت هناك . وفي ناس ما هانش عليها اتبيع ، أبدا ما هانش عليها . هدول يا استاز هنّ العكاوية الأصيلين ، الناس اللي متمسكين بأرضهم وبيوتهم وهويّتهم ، اللي ماسكين حجار عكا بأظافرهن . هدول الناس هنّ اللي وقفو في وجوه لفرانساوية وغير لفرانساوية وطردوهن . بقينا نسمع سراخهن هون واحنا في الاوتيل ، طالع مِ الحارات اللي جوّه : «ما عنّاش دور للبيع .» بس في ناس برضو حاطّين

عين ع الوطن وعين ع المصاري اللي زي الحِلِم . ايش بدنا نحكي؟ طب يشتروها العرب اللي متلتلين مصاري! واللا خايفين منّا على مصاريهن؟! ما حدن بدّو يصحى ويفهم يا استاز وليد إنه اليهود ما يدهُم البيوت وبس ، يدهُم يشتروها ويوخدو تاريخها ع البيعة اببّلاش . خلّينا ساكتين أحسن .»

اليافطة التي أعادته إلى ما قاله صاحب الفندق ، ذكّرته بأخرى أعدتها لجنة حي الشونة وعلّقتها على حائط في البلدة القديمة : « לא להשכרה بيتي مش للبيع» . لكنها ذكّرته أيضا ، بيافطة ثالثة ، علّقت على قضبان نافذة مرّ به برفقة جولي من قبل كتب عليها باللغتين أيضا : «دار للبيع למכירה» .

تابع وليد طريقه ، وفي رأسه يافطات تتحدّى يافطات ، وشعارات تحارب شعارات ، بينما بيوت عكا القديمة وسكانها الخمسة آلاف ونصف الألف الذين بقوا فيها ، ينتظرون وبيوتهم في طابور ضحايا التهويد الزاحف ، مثل البنايات الخمسة التي في حي المعاليق التي جرى ترميمها لصالح جمعية «أياليم» ، وأسكن فيها طلاب جامعيون يهود متدينون .

لم يستوقفه «السوق الأبيض» الذي لم يعد له لون اسمه . فقد بدا خاليا إلا من سقفه المقوّس ، وأبواب محلاته المغلقة ، فتجاوزه . عرج يسارا ثم انعطف يمينا ، وخلال أقل من أربع دقائق كان داخل السوق الشعبي يقف أمام «حمص سعيد» . كان ثمة سيّاح يتجمعون أمام المطعم وقد احتلوا الدرجات الأربع التي تسبق مدخله ، ينتظرون دورهم للحصول على طاولة فيه ، مغلقين ثلث طريق السوق ، بينما تغلق صناديق الخضار والفاكهة في الدكان المقابل ، ثلثا آخر ، فلا يتبقى للمتسوقين والسياح الآخرين ، سوى الثلث المتبقي تتنافس عليه أقدام الجميع منذ ساعات الصباح وحتى الثانية والنصف من بعد الظهر ، حين يغلق المطعم أبوابه . راقب بعض الزبائن الواقفين لصق باب أزرق مغلق في الواجهة المطلة على السوق ، يحدّقون عبر زجاجه في الأفواه التي تلتهم وجباتها . ضحك إذ

تذكر أن جولي فعلت مثلهم حين جاءا إلى المطعم أمس . ألصقت وجهها بالزجاج ، ودفعت بفضولها عبره ، حتى كادت تلتهم ما في أطباق من هم في الداخل . وحين جاءهما الحمص الذي طلباه ، يزيّنه التحالف الفلسطيني العريق ، بين النعناع والبصل الأخضر وحبات الزيتون ، مزق كل منهما رغيفه وسارع يتذوق الحمص الذي انتظر نصف ساعة للحصول على طبق منه . وتذكّر وليد أيضا ، كيف صاح بجديته المعروفة قبل أن يبتلع لقمته الأولى كاملة : «هذا حمص حقيقي» . بينما أمأمت جولي إعجابا : أوممممممم . وراحت تجرف بقطع الخبز الساخن كمية من الحمص ، فاتحة مجرى في الصحن يتدفق فيه الزيت صاعدا إلى أطراف أصابعها مثل نهر فاض على ضفتيه . حين انتهت من معركتها ، صاحت مازحة :

Hummus Said is very sexy. It deserves waiting that long

أمس تأبطت جولي ذراع وليد ، ومشيا نحو جامع الجزار . صعدا حين وصلا الدرجات الرخامية الثلاث عشرة التي تسبق المدخل إلى الساحة الأمامية . بلغا سبيل الماء إلى يمين الساحة . تخلّت جولي عن ذراع وليد وخطت مسرعة نحو الجامع . توقفت بالباب . أخرجت من حقيبتها شالا حريريا ملونا غطت به رأسها . خلعت حذاءيها وتركتهما في الخارج . اجتازت عتبة الباب إلى الداخل حافية القدمين . اقترب وليد من الباب . رآها تدور حول نفسها . ترقص مثل صوفي حملته نشوته إلى ما وراء الكون . راقبها صامتا على دهشته . سمعها ترتّل كلاما مغسولا بالبراءة . «من أين لها هذا؟» همس . حين خرجت ، رفعت الشال عن رأسها . كان وجهها متوردا مثل زهرة فتّحت بتلاتها أشعة الشمس الأولى ، وقد سالت قطرات دمع على خدّيها كالندى . وحبّات عرق كثيرة تجمعت حول عنقها .

وقف وليد أعلى درجات المدخل يتأمل ما حدث أمس ولا يصدّقه .

كيف فعلت جولي ذلك؟ جولي التي لم ترث المسيحية عن والديها ، ولم تتحول إلى الإسلام حين تزوّجته ، ولم يطلب منها ذلك ، خرجت من الجامع مثل قديسة بللها إيمانها بالايمان! لم يعثر على إجابة في داخله . وحين سألها عما فعلته ، ابتسمت وردّت : I liked what I did . صلّيت على طريقتي وارتحت لصلاتي . لم يعقب وليد .

اتجه إلى كنيسة الروم الارثوذكس . توقف قليلا في الساحة التي تتقدمها . تأمل البناء البني اللون لبعض الوقت ، ثم عاد أدراجه إلى السوق الشعبي ، وخرج من الجهة الأخرى إلى الميناء ، حيث أمضى بعض الوقت ، عاد ، بعده ، إلى فندق عكوتيل ، الذي بدا في هذا الوقت ، خاليا من النزلاء .

عادت جولي . كان وليد يقف قرب مكتب الاستقبال الخشبي نصف الدائري ، لصق العمود المبني ، شأن الفندق نفسه ، من بقايا حجارة السور الصليبي القديم ، وقد أسند مرفقه إلى سطح المكتب الخشبي اللامع في مواجهة مدخل الفندق مباشرة ، ينصت لمدير الفندق ، يروي له حكاية الفندق الذي مرّ على افتتاحه عشر سنوات ، وأقيم على بقايا مبنى كان مقرا حكوميا رئيسا في العهد العثماني ، ومدرسة للبنين في ظل الانتداب البريطاني على فلسطين .

رفع رأسه يلتقط طلّة جولي ويستقرىء مشوارها ، بينما تهبط الدرجات الثلاث إلى الداخل وتغلق الباب خلفها . رآى كفّيها اللتين خرجت تلفهما حول التمثال الخزفي فارغين . سرت سعادة غامضة في داخله أزهرت ابتسامة ملتبسة . *هل رافقت فاطمة جولي إلى البيت ، أم أوصلتها بسيارتها وغادرت كما أخبرتني أمس معتذرة بانشغالها بالوفد السويدي الذي تحدّثت عنه؟ من فتح الباب لجولي؟ ماذا قال لها؟ ماذا قالت له؟ كيف استقبلها؟ وهل تقبّل ما جاءت من أجله فعلا؟ هل حقا فعل وسهّل لها مهمتها فوضعت التمثال الخزفي حيث أوصتها إيفانا؟ أم*

طردها وأغلق في وجهها باب بيت كان لجدها؟

وقفت جولي أمام وليد . أخذت كفّيه بين كفّيها ، وشدّته إليها : «يا اللا وليدو يلا . . أنا بموت من جوء(ع) هبيبي . . . أبو خريستو ناترنا . . يلا يلا .»

أربكته دعوتها وأجّلت أسئلته المستعجلة : «طيب . . .»

«بأدين هبيبي بأدين أحكي لك .»

قاطعته . استأذن مدير الفندق ، وغادر وجولي الفندق مسرعين باتجاه الميناء الذي لا يبعد أكثر من خمس دقائق مشيا على الأقدام .

في «مطعم أبو خريستو» الذي يسند ظهره إلى سور المدينة ، ويمتدّ خارجه مثل لسان يثرثر مع أمواج البحر ، اختارت جولي طاولة في نهاية صف من مقاعد بلاستيكية بيضاء كالحة تجاور الماء . حيّت النادل . رحب بها الشاب الملوّحة بشرته بسمرة صيادي عكا بها ، بطريقة سياحية . تقدّمت جولي نحو الطاولة ، وتبع وليد خيارها مصحوبا بترحيب خصّه به النادل ، وانحناءات رأس محسوبة مما يوزّع عادة على الزبائن .

وقفت جولي في مواجهة السور . وضعت كفّها اليمنى على حجر ضخم ، فبدت كمن تستعد لأداء قسم .

سألت وليد قبل أن يسألها ، وكان يوشك على ذلك :

«هل تعرف وليد أن حماتك كانت تحفظ تفاصيل عكا؟»

لم تتوقف لسماع إجابته ، ولم يكن هو ينوي الإجابة . بل كان يفكر في ما كان سيسألها ولم يفعل . تابعت جولي من دون أن تترك فاصلا زمنيا له : «ربما لم تحدثك إيفانا كثيرا عن عكا وعن ماضيها فيها ، وربما لم تحدّثك على الإطلاق ، لكنها أشبعتني أنا ابنتها ، بما تبقى في ذاكرتها عن عكا .» وربّتت على الحائط الملون بالزمن ، بكفها المخضبة بمشاعر طيبة ، وتابعت : «حدثتني كثيرا عن هذا السور .»

تنهّدت ، وفاحت من أنفاسها حسرة عتيقة . وتابعت : «كانت أمي

تقول ، لم يحم عكا ويدافع عنها ، في لحظات قوة رجالها وضعفهم ، سوى سورها .»

استدارت نحو وليد . نظرت في عينيه مباشرة كمن تبحث عن أسرار قديمة . قالت له كلاما بنكهة الأماني ، «أريد لهذا السور أن يحمي ظهرنا يا وليـد .» لم يعلق . جلستْ على الكرسي الذي يسند ظهره إلى السور . جلس قبالتها صامتا بلا ظهر يحميه ، سوى ظهر كرسي بلاستيكي ، وأصوات موسيقى يونانية تتمشى في المكان وتوزع إيقاعاتها على الشط .

كانت جولي تحكي وكان وليد ينصت لأفكاره هو . يعيـد تقليب أسئلته التي حملها معه من فندق «عكوتيل» ولم يستطع طرحها حتى اللحظة . أخيرا ، قرّر أن يختزلها في سؤال : «كيف كانت زيارتك لبيت جدك؟»

«أووه . . لن تصدق!»

«هل سار كل شيء على ما يرام؟»

«وأفضل مما توقعت .»

قالت ذلك ، ووضعت كفّها فوق كفه على الطاولة . وروت :

بعد أن أوصلتني فاطمة إلى البيت وعادت ، صعدت السلم مربكة خائفة ، بصراحـة لم أكن أتوقع أن أكـون جبانة إلى هذا الحـد ، أنا التي رفضتُ اصطحابك معي . المهم ، وصلت نهاية السلم والقلق والخوف من مفاجأة غير سارة يسيطران عليّ ، أرتعش ويرتعش التمثال الخزفي بين يديّ . بحثت عن مفتاح جرس قديم أو زر جرس كهربائي حديث فلم أجد . كان الباب الذي يعود طلاؤه إلى عشرات السنين ، كـما بدا لي ، قديما كالحا ومليئا بالشقوق . فطرقته بكفي مترددة خوفا من خلعه من مكانه وانتظرت . فتح الباب ، ووجدتني أمام سيدة جميلة تبدو في العقد الثالث من عمرها ، تلبس ثوبا أسود طويلا مطرزا بالحرير ، بدت فيه تحفة فنيـة . لا تسخـر مني يا وليـد ، هي فعـلا تحـفـة . المهم ، ابتسـمت لي

45

وابتسمت لها ، وعرّفتني على نفسها : «أنا سمية .» وقبل أن أخبرها سبب زيارتي للبيت ، سارعت ترحب بي باسمي : «فاطمة حكت لي كل إشي .» ودعتني إلى الدخول ، فدخلت .

كان ديكور البيت من الداخل عربيا تقليديا : بضع كنبات قديمة حمراء يشبه قماشها السجاد ، كالحة ومغبرة ألقي عليها بضعة مساند مطرزة . وقد سارعت المرأة التي تتحدث الإنجليزية بشكل مقبول ، إلى الاعتذار عن ذلك ، قائلة بأنها ستباشر ، بعد أسبوع فقط ، في تجديد البيت وتغيير أثاثه كله ، لأنها قررت أن تحوله إلى نُزل صغير للسياح . لكنها ستبقي على طابعه الشرقي ، وديكوراته التي تروق للسياح وخصوصا الأوروبيين المولعين بسحر الشرق ، حتى أنها سوف تبقي على بعض ما كان فيه من مقتنيات .»

«تعنين أن أثاث بيت جدك لم يزل في البيت؟»

«ليس هذا وحسب ، بل فاجأتني المرأة بما لا يخطر على بال أي منا . . آه ليت إيفانا عرفت ذلك قبل وفاتها . . . .»

«عم تتحدثين .» قاطعها .

«سمية ستسمي النزل باسم أمي يا وليد . . هل تصدّق؟»

«هاه . . . . أنت تمزحين!»

«أبدا ، هي أخبرتني بذلك . ستسميه (نُزل إيفانا)»

«اسمع . . .» قاطعت نفسها وقطعت على وليد ما تبقى من دهشته ، وأكملت بالعربية :

«أُتلب لي غدا . . أنا آكل زي انت .»

«ليس قبل أن أعرف التفاصيل كلها .»

قال بالإنجليزية .

«طبعا طبعا يلا أطلب .»

قالت بالعربية .

التفتُ إلى النادل . طلب لكليهما ، تشكيلة من مقبلات يونانية تقليدية وأخرى شامية ، وقريدس مشوياً مع السمسم وصلصة الثوم . كان يتحدث إلى النادل ، وكانت جولي تتأمل البحر كمن تبحث عن نوارس تقيم للنهار وداعا يستمر حتى مغيب الشمس . أو عن روح تحوم فوق سطح الماء تستشعر وحدها وجودها . بينما كانت ، تلملم في داخلها ، شتات مشاعر خلّفتها زيارتها لبيت جدها ، وملابساتها التي تخفيها عن وليد ، خلف حكاية اخترعتها وصدّقتها لكي لا تصدم زوجها ، أو تنهار أمامه إن هي روتها . جفّفّت جولي دمعا في عينيها قبل أن يبتعد النادل ، ويضبط وليد قطرات دمع على خديها . وعادت لتكمل الحكاية ، بصوت لم يخل من ارتباك يخفيه فرح خفيف هذه المرّة :

«أخذتني سمية من يدي ، ومضت بي نحو سلم حديد يتوسط البيت . وأشارت إليّ أن أصعد ، قائلة ، «ما دامت والدتك حدثتك عن التفاصيل ، اصعدي إلى أعلى . استديري يسارا ، وعليك بعدها أن تتابعي التفاصيل التي تعرفينها .

«صعدت سلم حديد من تسع درجات وحدي . استدرت يسارا . وقع نظري على الساعة الخشبية القديمة مسندة إلى الجدار ، ساعة جدي . لم أصدق وكدت أنهار وأبكي . رفعت التمثال أعلى من رأسي قليلا ، ووضعته فوق الساعة . تأملته كما كنت أتأمل أمي بعد أن تكمل زينتها قبيل خروجها من البيت ، وعدت أنظر إلى الساعة أتأمل زمنها الذي توقف عند فجر 18 مايو 1948 ، بعد مغادرة جدّي البيت للمرة الأخيرة بيومين ، مسرعين نحو البحر ، مع كثيرين من سكان عكا الذين لاحقتهم القذائف والجوع والعطش في ذلك الوقت ، وابتلعهم البحر ولفظهم في الغربة . وفيما كنت غارقة في تأملي ، أستعيد بعض ما قرأته عن تلك الأيام ، خيّل إلي أنني أسمع آذان الفجر في مساجد المدينة ، ولا أرى من يذهب للصلاة .»

5

على مـدخل الرصـيف رقم 3 في مطار «بن غـوريون» في اللد ، توقف أربعـتـهم ، وليـد وجولـي ، وجـمـيل ولودا ، فوق لحظات مشـحـونة بالقلق والتوتر . دقائق ويترك وليد وجولي خلفهما ، صديقيهما وأصدقاء كثيرين التقياهم خلال رحلتهما التي استمرت عشرة أيام ، والمدن التي عشقاها كأنها مساقط رأس لكليهما . وسط صمت مؤقت ، تبادل الجميع نظرات شـاردة رسَمت شكلا أوليا لفراق اخترقته جولي وأوقفته على رأسه ، باقتراح فاجأ وليد :

«وليدو حبيبي ، ما رأيك في أن نبيع بيتنا في لندن وننتقل للإقامة في عكا؟»

لوّنت وجه وليد دهشة محايدة . أضاف إليها جميل ولودا دهشتين أخريين مختلفتين ، ومن دون أن يتخلى أي منهم عن صمته . ولم يكن لدى وليـد المعني مـباشـرة بالاقـتـراح ، جواب يكسـر الصـمت أو يوقف دهشته . استغلت جولي انفعالات الثلاثة بما اقترحته ، وأوضحت بأنها تفضّل أن تقضي ما تبقى من عمرها في عكا . وألحّت على أن الوقت قد حان ليستعيد رأسُها مسقطه . مع أن رأسها «سقط» في قاعدة عسكرية بريطانية ، ولم تهبط من رحم أمها في ساحة عبّود . لكنها قرأت ، بطريقة ما ، ما دار في رأس وليد . فسارعت تقول بأنها راغبة في إضافة بعض الرتوش إلى صورة ابنة الإنجليزي التي قدمتـهـا للآخرين ، صـورة الرجل الذي كـان ، في شـبـابه ، مسـتعـمِرا أحب والدتها الأرمنية الفلسطينية ،

وأحبته في لحظة ضعف بشري ، أي أن تعيد كتابة ماضيها بطريقة تليق به وبها .

قالت جولي ذلك ، وراحت تمشط أفكارها أمام الآخرين بأناقة . تنسّق مشاعرها . ترتب انفعالاتها وتجمعها في فرح صغير عاجل : وضعتْ على شفتيها تفاؤلا يشبهها . علّقت حقيبة يدها الرمادية الصّغيرة على كتفها بحركة مراهقة تجاوزت الستين . دسّتْ ذراعها اليمنى تحت ذراع وليد اليسرى وشدّتها إليها برفق ، كما كانت تفعل أيام خطوبتهما . احتضنتْ يده بين كفّيها . استسلمتْ يده لأصابعها العشرة . مالت برأسها على كتفيه ، تاركة نفسها لنعاس افتراضي يريح زوجها . ثم تنفّستْ عميقا ، حتى كادت تأخذ في صدرها هواء البلاد كله قبل أن يغادراها عائدين إلى لندن .

أنصت وليد لانفعالات جولي باهتمام . أدهشه اختيارها تلك اللحظة بالذات لتقديم اقتراحها ، وترك شلال رغباتها التي احتجزتها خلف سد من الصمت الطويل ، يتدفق بلا رقابة ، لحظة مشحونة بالتوتر ، يقف فيها الوطن على حافة المنفى ، يتذوقان فيها معا ، طعم فراقه في جرعات متتالية ، سريعة وعاصفة وقاسية .

وفيما كان وليد يغربل ما سمعه ، ويحمحم ويهمهم باحثا عن كلام يليق بفرح زوجته وتحمّسها للإقامة في البلاد ، سارعت هي تستدرك بعض ما قالته وتصححه بطريقة فاجأته . قالت إنها لن تعارض شراء قطعة أرض في المجدل عسقلان ، مسقط رأس وليد ، يقيمان عليها بيتا لهما ، إذا كانت هذه رغبته . ورفعت رأسها عن كتفه بهدوء تاركة نعاسها الافتراضي عليه ، وراحت تبحث بين ملامحه عما تظن أنها رغبته .

سألها إن كان ما اقترحتْهُ وتعديله اللاحق جدّيين . أجابته بثقة :
«Of course darling of course»
ما الذي فجّر تلك الرغبة لدى جولي ، الإنجليزية الأب ، الأرمنية

49

الأم ، الفلسطينية المولد؟ ما الذي جعلها تفكّر ، فجأة ، في العودة للإقامة في بلاد لا تعرفها ، ولم يخطر ببال وليد نفسه أن يعود إليها بصورة نهائية ، حتى حين أصبحت عودته إليها وإقامته فيها ممكنة ، بطريقة ما ، هو الذي أوجعت المنافي والغربة ومحطّات اللجوء فلسطينيته منذ الطفولة؟ أهو ما حدث خلال الأيام العشرة التي قضياها في البلاد ، يقعان في عشق مدينة فتغار منها مدينة أخرى وتعاتبهما ثالثة؟ ما إن يهتف أحدهما ، أو كلاهما هذه أجمل مدن فلسطين حتى يعشقان مدينة غيرها ، بما فيها مدن لم يتبق منها حجر يستأنس بحجر ويحدثه عما جرى ؟ أم هي زيارة جولي إلى بيت جدها الذي هربت منه والدتها قبل ما يقارب سبعة عقود؟ أم أن وصية إيفانا غيّرت ابنتها؟ أو لعل عكا نفسها أثرت على جولي . عكاها هي التي ولدت خارج أسوارها ، ولم تأخذ معها من ملامحها ما يعوِّض نصف غربتها على الأقل . عكا إيفانا التي تخلّت عنها في لحظة نزق عاطفي . عكا بسحرها الخاص وتاريخها المعلّق بعضه على حيطان الشوارع ، يتمشى أكثره في أزقة حاراتها وساحاتها القديمة . تاريخها المحفور على الحجارة ، يهدر به موج البحر ليل نهار؟ عكا بكنائسها ، بدير الفرنسيسكان ، بمساجدها ، بمينائها ، بأسواقها القديمة ، بظاهر العمر ، بالجزار أحمد باشا ، بنابليون مذلا مهانا تحت أسوارها ، بالست معارف مرشدتها الشعبية ، بحمّص سعيد فيها ، بحمام الباشا .

استوقفه الحمام وأوّهه فتأوه : «آه يا لحمام الباشا هذا وما فعله بجولي .» واستعاد وليد تلك الزيارة المدهشة التي وقعت في أول يوم لهما في عكا ، حين تركت جولي عمرها على الباب الإلكتروني بعد أن اجتازته إلى الداخل ، وخلعت ملابسها في «الغرفة الصيفية» . كوّمتها على الأرض ، وراحت تتأمل جسدها كما كانت تفعل في سنوات مراهقتها . وراح وليد يتأملها تلفّ منشفة قطنية حول جسدها ، تطوي طرفيها العلويين وتشدهما تحت إبطها . انتعلت قبقابا خشبيا ، ومشت تلحق بها «طرقعات»

القبقاب كأنها «غوار الطوشة» الذي لم تشاهده ولم تتعرف إليه . تردد صدى صوت القبقاب في الغرفة ذات السقف العالي . خلعته من قدميها ، وما زال صدى «طرقعته» الأخيرة يتردد في المكان . تمددت على وجهها على البلاط المبلل في «الغرفة الساخنة» واختفت في البخار ، تاركة خلفها صرخة ناعمة لم يسمعها وليد : «دلّك لي جسمي كله يا وليد» . كان غارقا في متابعة فيديو يعرض مشاهد تمثيلية مصورة لما كان عليه الحمام وطقوسه حتى وقوع النكبة . يصاحبها تعليق يتحدث عن «ما قبل الاستقلال وبعده» ، صحَتْ جولي من شرودها المؤقت الجميل ، وراحت تتأمل الرسوم التوضيحية التي وضعتها السلطات على ستائر خفيفة لشرح بعض جوانب الحياة القديمة داخل الحمام . وهي من أعمال الفنانة الإسرائيلية ، تانيا سلونسكي .

ثم صحا وليد على لقائه الأول بفاطمة معارف . قدّر كم هي عظيمة تلك المرأة التي يشبه جسدها دولاب شاحنة على حد وصف صديقه جميل . المرشدة الشعبية التي تحفظ الحقائق من التزوير . وتذكّر قولها : «بنَعْطي السياح معلومات صحيحة ابّلاش . . أحسن ما يشتروا كذب الإسرائيليين اليهود ابمصاري .» وعاد ليتابع أسئلته : هل أقنعَت عكا جولي باستعادة نصفها الذي ضاع في زمن نشأتها نصف غريبة؟ هل أقنعتها باستعادة فلسطين التي ورِثتها عن أمها صورا من ماض أضاعته ، ومشاهد من أحلام ظلّت تحلمها حتى صارت وصية؟ عكا التي تخشى جولي أن يكونا قد غادراها ، ويغادران البلاد كلها ، بعد قليل ، مثلما جاءا إليها ، بريطانيين أنهيا جولة سياحية في إسرائيل؟!

لم تكتف جولي بالزيارة إذن . فكّر وليد . ولم تكتف بتفاصيل عودتها إلى بيت الجد الذي عرفته للمرة الأولى ولم تعرّف وليد عليه . ولم تكفها حفنة التراب التي غرفها وليد بكفّيه من رمل الشط ، أول من أمس ، ووضعها في كيس صغير من النايلون سلمه لها هامسا : «من ريحة لِبلاد» ،

فحملته بقدسية حملها نصف رماد جسد إيفانا من لندن حتى نصف مثواها الأخير . لم يكفها الحجر الكلسي الصغير الذي التقطته هي من أسفل صخرة جلسا عليها معا على مقربة من مطعم «أبو خريستو» بعد مغادرتهما له . فرِحت جولي بقطعة الحجر الصغير وقتها . لفّتها بفرحتها ووضعتها في حقيبة يدها ، بينما زوارق صغيرة كثيرة ، لا أصل لها راسية في الميناء ، تحدّق فيهما بقسوة إسرائيلية محليّة . جولي أرادت للحظات عكا كلها ، وفي لحظات تالية أعقبتها ، استبدلتها .

6

حيّرت انفعالات جولي التي تلاحقت وليد ولاحقته . استوقفه كثيرا ما تغيّر في زوجته : سعادة لم تبد عليها خلال سنوات زواجهما الطويل . حديث متزايد باللغة العربية واستخدام الكثير من المفردات بعد تهشيمها بلسانها الأجنبي . تحسّسها بأصابعها العشرة حيطان البيوت والأماكن العامة والأثرية القديمة التي زاراها كمن يزور أماكن مقدسة ، واستنشاق جولي روائح كل ما هو قديم في البلاد وانتشاؤها بها . يتذكر وليد كيف تشمّمت أسوار عكا في أول صباح خرجا فيه من فندق عكوتيل إلى الميناء عبر البوابة الشرقية . وكيف استوقفته في يافا ، لتتذوق ملوحة البحر . وحين تجولا في المدينة ، أبدت جولي رغبة عجيبة في تدخين سيجارة حشيش . ثم قالت مازحة ، إنها تشعر بأعراض وحام . وطلبت من وليد أن يدبّر لها «تسطيلة» وإلا ظهر وحامها على الطفل الذي لن تخلفه ، بعد أن دخلت أنوثتها مرحلة يأسها قبل سنوات طويلة . ضحكا معا . وحين قال لها ، بقليل من مشاكسة تواطآ عليها ضمنا ، إن ما تطلبه يحتاج إلى مغامرة قد تنتهي بهما في السجن ، ردت قائلة : «لو كانت قطعة حشيش ستدخلنا السجن ، لكان نصف سكان يافا العرب سجناء فقد سمعت أن الحشيش منتشر هنا .»

لكن وليد لم ينتبه لما جرى قبل ذلك . ولم يلتفت لسلوك جولي في اليوم الثاني لوصولهما ، أي قبل أن تتجول في البلاد وتتعرف على الكثير من تفاصيلها ، حين التقيا وبرفقتهما جميل ولودا ، رومة العروسي ، في البيت الوحيد المتبقي من حارة دهمان في المجدل عسقلان . لكنه يستذكره الآن .

7

أوقف جميل سيارته الـ«سوبارو» ، فضية اللون ، خلف جدار من بقايا سوق الخضار القديم في المجدل عسقلان . تناثرنا أربعتنا ، أنا وجولي وجميل ولودا ، خارج السيارة في اتجاهات نجهلها . رحتُ أبحث عنّي ، تاركا الآخرين يبحثون لي عنّي أيضا ، عن بيت له طعم الماضي ، بيت والديّ الذي شهد ولادتي واحتفى بها هنا ، أو هناك ، أو لعلّه هناك ، أو في أي هنا أو هناك . فتّشت بعينين دامعتين بين خراب المدينة عن طفولتي الأولى فلم أجدها . بكيت لي ولطفولتي ، عليّ وعليها . أوقفت مشاعري على رأسها لبعض الوقت . أخرجت هاتفي الجوال من جيبي وهاتفت أمي . حدّثتها بكلام غسلتُه بدموعي ، وزينته بمفرداتها ، ورششت عليه نكهتها التي تربّيتُ عليها :

«مرحبا يمّه!»

«السلام عليكم . . مين معايا . . كإنك وليد! وليد؟ مرحبتين يمّه وألف حمد الله ع السلامة يا حبيبي وين انت؟»

«كيف حالك يمه . . أني في المِجدل .»

«هيييييييييه ، أمانة الله؟ وإيمتن اوصلت يمه؟ معناتو الله راظي عليك يمّه . والله الرّوحَهْ ع المِجْدل مثل الحِجّة ع بيت الله عشر مرّات . طب وين في المجدل وايش بتعمل؟»

«في الساحة يمّه . . اقبال الجامع ع حَفّتْ السوق القديم .»

«بصلاة محمد سيد الأنبياء والمرسلين ، إذا انت يا وليد ابني وأني إمك ، تبوس لي حيطان الجامع ، وإذا ما القيت حيط دوّر ع حجر وبوسه .

وما تنساش تُعبُرع الجامع جوّه إذا بعدو موجود ، وتصلي ركعتين . أني عارفاك بتصلّيش . . بدكيش اتصلي إلك بلاش ، إنت حر منّك لربّك ، بس صلي لإمّك بينوبك ثواب . الركعة في فلسطين بألف ركعة في الدار يمّه ، وحتى في جامع المخيم . . ايش امفكّر انتَ!»

«بتتذكّري يمّه وين كنتِ ساكنة قبل الهجرة؟ بتتذكري بيتنا؟»

«ها يمه ايش بدو ينسّيني؟ يا وَرَديه عليّ يمّه هو اني بِنسى البيت اللي اتجوّزت فيه وخلّفتَكْ فيه! قطيعة تقطع اليهود اللي حرمونا منّه .»

«وين بقى بيتنا؟»

«إذا إنتَ واقف اقبال الجامع زي ما بتقول وبتطلّع عليه ، بيتنا بكون وراك دُغري ، فوق ، فوق شوية في راس الطلعة ، لقدام شوية . إفتِل حالك ودير ظهرك بتشوفه . الله وكيلك أول بيت في راس الطلَعه .»

«فَتلتْ حالي» . خلفي أرض نظّفتها جرافات «كاتَربِلر» الأميركية من ملامحها . بضع مكبّات نفايات وضعت عند طرفها القريب من السوق القديم . لسعت سخونة دمعي مشاعر جميل الذي تظاهر بالانشغال في البحث عما أعرف أنه لا يعرفه . لم يكن ما وصفته أمي سوى أرض جرداء يصعب التأكد من أن بيوتا كانت قائمة عليها ذات يوم .

عدت أتأمل ، بمرارة ، ما تبقى من الجامع الكبير الذي بناه الأمير المملوكي ، سيف الدين سلار ، عام 1300 : مئذنة ترتفع قليلا عند زاويته اليسرى مثل منارة قديمة هجرتها السفن . بضع قباب بدت مثل طاقيات من الصوف شاحبة اللون وقد تآكل وبرها . قطعت الشارع قفزا إلى الرصيف الآخر . وقفت قبالة مدخل يعلوه اسمه الغريب : «خان أشكلون موزيم» . على جانبيه محلات صغيرة و«مسعداه» (مطعم) ، تسبقه ساحة من بضع مظلات قماشية خضراء سميكة وكراسيّ . يا إلهي . .كيف أصلي ركعتين أنذرهما لأمي في مسجد أصبح متحفا وحانة؟!

صرخت في أعماقي التي لا يسمعها أحد غيري ، واستدرت لأزيح

المشهد كله بعيدا عن عيني . وتجولت بنظري في شارع طويل ينتهي بمنازل كانت من طابقين ، ما زال أسفلها يحمل بقايا بعض ما كان يعلوه . في خلفية الشارع إلى اليسار ، ثلاث نخلات . عمتي كانت هناك ، تنتظرني قرب نخلتها ، تحملني وتأخذ يدي الصغيرة بيدها وتقطف البلح . كان للبيت «علّيّة» ، طابق ثان أخذتني أمي إليه ذات مرة ، حملتني على كتفيها حين كانت لها كتفان تحملان ، وصعدت بي سلالم رخامية تنتهي بفسحة مبلطة تسبق غرفتين . داعبت رأسي عناقيد بلح أحمر . عمتي ليست هنا . عمتي هناك . عمتي ليست هناك . عمتي ماتت في خان يونس ، هناك في بيت على حافة مخيم لاجئين . لم أجد أثرا لها حين زرت المقابر القديمة في المدينة قبل سنوات ، ولا حتى حرفا من اسمها انفصل عن شاهد قبرها وانتظرني ليدلّني عليها .

صاحت لودا بعربية مكسرة :

«في واخد يافتة أزرأ خناك . . يلا «بَشْلي» (إمشو) نشوف شو مكتوب أليه .»

للمتنا صيحة لودا أمام بيت تشبه واجهته الملتصقة به على الرغم منه ، نصف نعل حذاء مهترئ . وقفت لودا تتأمل اليافطة كما تتأمل نفسها في مرآة قديمة كالحة تقشّر زئبقها . حاولت أن تترجم لنا ما كتب عليها بالعبرية ، فخذلتها عربيتها . وعندما حاولت بالإنجليزية ، لم يدعها جميل تكمل . طلب منها مازحا ، أن توفر لسانها لكلام آخر ، ففعلت واعتذرت بالعربية والإنجليزية والروسية ، وتقدم هو من اليافطة ، وأخذنا ننصت إلى ما ينقله لسانه العربي الفصيح :

منزل عروسي

هذا البيت هو آخر البيوت الخاصة الرئيسة في حارة دهمان ، التي سميت باسم العائلة التي كانت تقيم فيها . يعدّ البيت نموذجا

للبيوت العربية المميزة . وقد بني بحيث تتوسطه ساحة تسمى «الحوش» ، ويعد أساسيا في البيوت العربية ، تحيط به غرف النوم عادة ، وتنفّذ فيه غالبية الأعمال المنزلية اليومية . ميزة هذا البيت ، أنه لم يزل يحتفظ بالوسائل التقنية التقليدية الأساسية البسيطة التي اعتمد عليها السكان العرب في حياتهم .

في مطلع خمسينات القرن العشرين ، أقام في البيت مهاجرون جدد من الجالية اليمنية ، ومنهم أيضا عائلة «عروسي» التي ما تزال تقيم في البيت ، وتستعمل ما فيه من أدوات في حياتها اليومية ، مثل معصرة الزيتون ، وجاروشة القمح والحبوب ، وطابون الخبز ، ومخزن الحبوب والغلة الواقع في طابق أرضي .

تسلل من داخل البيت همس متخالط . تطفّلتْ عيناي على الهمس عبر ثقب كبير في الباب . ندمت على تطفلي . خجلت من تسلّل نظراتي إلى بيت غريب والتلصص على سكانه . لكنه قد يكون بيت والديّ ، أو بيت أحد أقاربي . فكّرت . سأطرق الباب بقبضة يدي . طرقت . من الداخل ارتفعت أصوات قالت كلاما عائليا : « «بسيدر إما . . اني بو .» (حسنا يا أمي . . أنا آتية)

«البيت في ناس يا جماعة .»

هتفت فرحا بوجود غرباء في بيتنا . «في بيتنا يهود!»

« هئِم يِش مي شهوو بَبايتْ؟»

سألت لودا إن كان في البيت أحد .

«مي؟»

سأل صوت نسائي متوجّس «مَن؟» .

«أني روتساه لِدَبير عِم مي شِبَبايتْ .»

ردت قائلة إنها تريد أن تتحدث مع من في البيت .

فتحت لنا الباب امرأة ، سبقتها إلينا ابتسامة تخلّت عن تردد سابق ، ورحّبت بنا : «أهلا ، اتفدلو .» قالت بالعربية ، ولم نكن قد عرفنا اسمها بعد ، ولا سبب ابتسامتها التي تشبه ذنبا تعلّق بضمير صاحبه . قبلنا الدعوة التي طرقنا الباب من أجلها بفرح طارئ وتفضّلنا . دخلنا البيت الذي كان لنا قبل سقوط المجدل عسقلان في أيدي القوات الإسرائيلية بتاريخ 4 نوفمبر 1948 ، تتقدمنا جولي .

« أنا كان اربعه سنين لما غيت (جئت) . . كان صغير .»

قالت بعربية تستعين بماض بعيد ، وفّرت على لودا ترجمة ما كان يمكن أن تقوله بعبرية سليمة ، ونقله إلينا بعربية غير سليمة .

تساقطنا إلى الداخل مثل قطرات دمع ساخن . في الزاوية اليمنى ، أنبوبتا غاز قديمتان كالحتان ، وجردل ماء بلاستيكي زهري اللون . وثمة باب خشبي قديم تسكنه ثقوب عدة لأقفال وزرافيل ، تشير إلى أنه استعير من واجهة دكان قديم في السوق القريبة بعد أن هُجِّر أصحابه ، وصار مشاعا لمن يسرقه بمبادرة شخصية ، أو تسرقه له الوكالة اليهودية التي وزعت الغنائم من أملاكنا ، بعد احتلال المدينة ، على بعض العائلات اليهودية المهاجرة . على مسافة مترين ، تقريبا ، من الباب ، نافذة خشبية صغيرة ذات لون أخضر كالح . على بعد نصف متر منه ، باب خشبي آخر بني اللون ، تعلوه واجهة زجاجية فوق نافذة مستطيلة خضراء أيضا .

أتأمل غرفة نومنا . هل هي غرفة نومنا حقا؟! أنظر إلى أسفل ، تسقط نظراتي من عيني . أتلقفها وأتقدم خطوتين . تتعثر قدماي الصغيرتان في العتبة التي تشبه درجتي سلم رفيعتين واطئتين . تلتقطني أمي وتصرخ : «اسم الله عليك يمة . اسم الله وجيرة الله عليك» . أخفي دمعتين أطلقهما سرا في بيت والديّ . أحقا هو بيت والدي؟ أم هي مراوغة ذاكرة أثقلتها نوستالجيا بنتها حكايات تشبه الوصايا وراكمتها على مر السنين؟

استأذنتنا المرأة للحظات واختفت في الغرفة الأولى .

في نهاية ساحة مكسوّة أرضها ببلاط مربع صغير مضى عليه سنوات ، ثمة حذاء رجّالي أسود مهترئ ، وكرسي لمعوّق ، سنعرف ، لاحقا ، أنه لوالدة السيدة التي خرجت من الغرفة بعد دقائق لتقدم نفسها :

«اسمي رومه . . نادوني رومه مثل الآخرين .»

دعتنا رومه إلى الغرفة الثانية التي غادرتها قبل لحظات ، تاركة لنا اسما نناديها به . في الغرفة بقايا امرأة ، كتلة عظام كوّمها الزمن وسط سرير . لابد أنها تجاوزت التسعين . لم نلفت نظرها ، ولم تستشعر وجودنا ، ولم تفهم شيئا مما قلنا . ظلّت تتمتم كل الوقت ، ولم يكن أي منّا قادرا على فهم تمتماتها ، أو تجميع حروفها المتآكلة .

تجوّلت بنا رومه داخل البيت . بدت سعيدة بنا وهي تفرّجنا على أنفسنا . وبدونا نحن راضين بإنصاتنا لكلام يهودية تعرّفنا على ما كان لنا . إلى اليسار مطبخ بلا باب . «هذا طابون .» قالت رومه . «أمي كانت تستخدمه .» وأشارت بيدها إلى صورة قديمة لها ولوالدتها داخل إطار خشبي مسند فوق طابون ، قالت إنهما تتعاونان على خبز عجينهما فيه . أردت أن أقول لها إن أمي هي التي كانت تستخدمه ، فلم أقو . «وهذه جاروشة حَب» . قالت ، وأشارت إلى رحا حجرية دائرية تفتت بعض حوافها . تناولت قبضة يد من بذور الشوفان من كيس قريب ، وألقت بها في مجرى الدقيق الناعم لترينا كيف يُطحن الحبّ . ضحكت من جهل رومه ، لكنني تجنّبت إحراجها . فالحبّ يوضع في الفتحة الدائرية الصغيرة التي تتوسط القسم العلوي من حجر الرحا . ثمة حجر رخامي إلى جوار الرحا ، هو جزء من معصرة زيتون قديمة لم تهاجر مثلنا . معصرة بيت عمتي رقيّة زوجة عبد الفتاح دهمان إذن . كان عند عبد الفتاح بغل ، على ظهره وضع نير خشبي يمتد إلى رحا ، هي عبارة عن حجر أسطواني صلب يطحن ثمار الزيتون ، ما إن يتحرّك البغل المعصوب العينين ، ويدور في

طريق لا ينتهي إلا مع انتهاء العمل .

هذا هو الحجر . هذه هي المعصرة . توفي عبد الفتاح ورقيّة في مخيم جباليا في غزة قبل سنوات طويلة . خلفا العديد من الصبيان الذين لم يعودوا صبيانا ، والبنات اللواتي صرن نساء . خلف هؤلاء ، بنين وبنات ، لم يجدوا من يقاتلهم ويقاتلونه ، فقاتلوا بعضهم بعضا دفاعا عن انتماءاتهم الحزبية . صاروا «فتحاويي الدهامنة» ، و«حمساويي الدهامنة» . أما البغل ، فقد تركوه خلفهم قبل أكثر من خمسة وستين عاما ، يشحج فلا يستمتع بشحيجه أحد ، حتى أنهم لم يفكروا في أخذه معهم وسيلة نقل لبعض أمتعتهم ، لأنهم عائدون بعد شهرين كما قيل لهم . حملوا معهم ما خف وخف ، ومضوا تاركين البغل يواجه مصيرا لم يقو البشر ، على مواجهته . لابد أنه كان هنا ، يدور مغمض العينين عن كل ما جرى حوله . هذا بيت عمتي رقيّة إذن؟ هذا ليس بيتها . هذه ليست معصرتها . لا بغل في عسقلان كلها . المعصرة نقلت إلى هذا البيت ، إذ لا مكان لبغل يدور ، ولا حتى مساحة تكفي لأن يدير حجر الرحا آدميون .

كان بيت الدهامنة الذي صار بيت رومه العروسي ، نموذجا لبيت عادي ، صورة من ذاكرة كل بيوت عائلة دهمان وربما المجدل كلها . جمع الإسرائيليون فيه ملامحنا القديمة مثل مقتنيات تراثية من ماض لا يعود . ماض جعلوه حاضرا ، ووضعوا فيه ملامحهم التي جاءوا بها من كل بقاع الأرض مثلما جاءت رومه والآخرون .

في غرفة العجوز الصامتة ، التي لم تتخل عن غطاء رأس بدا وكأنه من بقايا ماضيها اليمني ، لوحة كبيرة علِّقت على الحائط قبالة سريرها ، تتوسطها ساعة كبيرة دائرية الشكل ، تشير عقاربها إلى الواحدة وإحدى وأربعين دقيقة ، تحيط بها صور بالأبيض والأسود ، وأخرى ملوّنة تروي سيرة عائلة عروسي اليمنية : هذه والدة رومه ، وهؤلاء هم أقاربها أيام كانت بنتا يهودية يمنية وحسب . هذه صورة زفاف ، وتلك صور حفلات

عائلية . وفي طرف قصي من السيرة المصورة ، مجند يقف حاملا سلاحه على كتفه . لم أسأل رومه عن حياتها الخاصة ، ولا يبدو أنها كانت مستعدّة لقول الكثير على أية حال .

ودّعتُ بيتنا الذي كان بيتنا . ودّعت قطعة من ذاكرتي استبدلت بلوحة علقت على جدار ، وساعة حائط لا تحسب أوقاتنا . لململت اضطرابي وحملته معي ، وخرجت والآخرون ، كأني والدي لحظة غادر مسقط رأسه وعاش غريبا أورثني غربته إلى اليوم .

التفتّ إلى رومه . بدت بدورها غريبة عن نفسها ، كأنما اعتادت على تطبيع حياتها في غيابنا . في عينيها الغائرتين خلف نظارتيها السميكتين رعشة ضمير طارئة ، هائمة بين مجدلها التي لم تكن مجدلها ، ويمنها الذي أضاعته . كنا نتقلّب على ملامحها مثل أسئلة حائرة ، تريد أن تسألها وتخشى الإجابة .

ودَّعتنا رومة عند عتبة الباب من الداخل . استدرنا تباعا ومشينا مبتعدين . ولم نسمع صوت غلق الباب خلفنا ، لكننا سمعنا وقع أقدام . كانت رومة قد تخلت عن فراقنا المتعجّل ولحقت بنا . عرضت علينا اصطحابنا في جولة على بعض ما بقي حيا في المجدل عسقلان . رحّبنا بدعوة رومه كل بلسانه وبطريقته .

مشيتُ بمحاذاة رومه . وزّعتُ كل مجدلي عرفته في خان يونس أو سمعت به ، على التفاصيل التي كانت تلمّها عيناي من الأزقة ، وتتحسسّها قدماي . كنا جميعا نمشي صامتين ، تصاحبنا أصوات احتكاك أقدامنا بالحصيّ الصغيرة المنتشرة في الأزقة الترابية . توقفت رومه فجأة فتوقفنا . «هذه صيدلية زخاريا .» قالت .

«يا إلهي .»

كنت الوحيد الذي أطلق صرخة لا صوت لها ولا صدى . كنت الوحيد الذي قال إن أمه ستفرح كثيرا إن هاتفها مرة أخرى . ماذا لو

هاتفتها فعلا؟ لو قلت لها : «يمّه أني هلقيت واقف قدّام صيدلية زخاريا؟» سترد وتقول : «سبحان الله يمّه . . قديش حكيت لك عنها . مين عمره اتصور أو إجا في باله انه ييجي يوم وتروح ع المجدل وتشوف الصيدلية بعينيك الثنتين!» ثم تذهب إلى ماضيها ، وتنسى أنها على الهاتف : «بقينا نشتري منها المكروكروم لِحْمر ، وشَرْبةْ الملح لِنجليزي اللي بتنظّف البطن وبِنزّل الدود . وكنا نشتري كَمان ، بودرة للولاد الزغار ، ودوا الكّحة ، الله يقطع الكحة وسنينها ، والله يمه بعدي بَكُح من وقت لوقت . وما تنساش الشاش كمان ، والمراهم ، وأبو فاس . . مش الفاس اللي بنكشو فيها الارظ ، لأ يمه . . أبو فاس اللي بيدهنو فيه رجليهم . . الله يقطع وجع الرجلين وسنينه . . رجع لي من اجديد . . .»

تشغل صيدلية زخاريا الطابق الأرضي في بيت من طابقين من الحجر الكلسي . لم يزل البيت جميلا كأنه لم ينتكب أو يشهد نكبة مثل ما حوله من بقايا أبنية صغيرة لا يبدو أنها تجاوزت الطابقين في يوم من الأيام . أعلى واجهة الصيدلية ، يافطة مكتوب عليها : «ش . ر . م» . أسفلها בית מרקחת מגדל «بيت مركاحت» وبالإنجليزية : Pharmacy megdal ، أو صيدلية مجدل . خلف الصيدلية صالون تجميل صغير للنساء ، مجدليات الزمن الإسرائيلي! قبل أن نغادر المكان ، ومن بعده المدينة التي يحلم بالعودة إليها آلاف المجدليين ، سمعت لودا تنقل عن رومه قولها إنه جرى تغيير نوافذ الطابق العلوي ، قبل أن ينتقل الحاكم العسكري الإسرائيلي إلى المدينة ويقيم فيه . رفعنا رؤوسنا جميعا إلى الطابق العلوي نتفقد نوافذه . ولم تنقل لودا عن رومه قولها ، إن ذلك جرى بعد احتلال المدينة وإصابة الطابق العلوي وتدمير جانب منه ، خلال القصف الذي تعرّضت له المجدل من جانب طائرات الهوكر هنتر الحربية الإسرائيلية . لم تترجم لودا ذلك ، لأن رومه لم تقله .

ودّعنا رومه وودعتنا .

«مأ سلامة» قالت .

سارعت لودا إلى دسّ ورقة نقدية في يد رومه . رومه كانت أسرع منها في سحب يدها بعيدا . ألحت لودا عليها أن تأخذها . كرّرت رومه رفضها ، ودفعت يد لودا التي ظلّت ممدودة للحظات بعيدا . تحت المزيد من إلحاح لودا ، قالت رومه ، بحسرة خجولة :

«سْلخا غْفرتي . . هيوم شبات .»

كرّرت لودا المحاولة على الرغم مما بدا على رومه من حرج . وفهمتُ أنا ، أن دفع نقود أو تلقيها في عطلة السبت ، يعدان خطيئة عند المتدينين اليهود .

لم أسأل لودا بعدها ، إن كانت رومه قد أخذت الورقة النقدية في نهاية الأمر أم لا . فقد مشينا بعيدا عن ما تبقى من جدل بين المرأتين . ولم أعرف من انتصر في النهاية ، حاجة رومه أم قدسية يوم السبت!

استشعرت كلاما بعيدا قالته رومه . التفتُّ خلفي . رأيتها تلوّح بذراعها القصيرة عاليا . توقفت للحظات ، وتابعتها وهي تستدير عائدة تحت ملاحظة عينيّ . ولا أعرف إن كان قد سقط من عينيها دمع وهي تبتعد ، أم تخيّلته . لكنّي فكّرت : هل كانت رومه تبحث عن طفولتها اليمنية فينا؟ عن سنواتها الأربع التي ضيّعتها في الطريق إلى هنا؟ أم كانت سعيدة بدور المرشدة السياحية لأمثالنا ممن يدفعون نقودا لقاء التفرج على ماضيهم ، وتمنّت لو جئنا في يوم آخر؟!

8

في المجدل عسقلان ، تآلفت جولي مع رومه ، سرا وعلانية ، منذ لحظة (اتفدلو) حتى (مأ سلامه) . تصرّفت كأنها في زيارة لجارة قديمة . لم تتوقف طيلة وجود أربعتهم في البيت الذي كان لعائلة دهمان ذات يوم ، عن التحدث مع رومه بشيء من مودّة ظاهرة ، إلى أن أعلن لهاث لودا ، عن تعبها من استمرار نقل ثرثرة المرأتين مترجمة في اتجاهين .

الآن لا يستبعد وليد أن تكون جولي حاولت اختبار المرأة التي تتوقع أن تكون جارتها اليهودية الأقرب إليهم في المجدل عسقلان ، والتعرّف على مشاعرها ، لو وافق على اقتراحها المعدّل ، وانتقلا للعيش هناك . حدّث نفسه الساكتة على حيرته طويلا ، وقال لها : «ربما أرادت زوجتي إقناع نفسها بأن الإقامة في البلاد ممكنة ، ولو بنسخة إسرائيلية . ألم تقض أياما في بيت جميل ولودا في حيفا ، في عمارة من ثلاثة طوابق ، تضم ست شقق ، يسكن خمسا منها يهود؟! هناك ، لم تستيقظ جولي فزعة كما يحدث لي حين يقلقني نومي ، ويعيد عليّ إنتاج مأساة عشتها في شكل كابوس . بل بدت مرتاحة لأحاديث جميل عن العلاقات الودّية بين جيران وصفهم بالعاديين؟! وعن عضويته في لجنة سكان العمارة التي تشرف على حل خلافاتهم ومشاكلهم اليومية ، وتنظم كل ما هو مشترك في ما بينهم . ولم أعلّق أنا ، في أي وقت على ما كان يقول . وأقنعت نفسي ، بأن جولي ستكتشف حتما ، أن لجنة سكان العمارة ليست الحكومة ، أو الكنيست الإسرائيلي المتخصص في سن قوانين تعذيب

الفلسطينيين ، وأن جميل ما إن يغادر البناية ، المحكومة بديمقراطية الجوار ، وعادية الناس العاديين ، حتى يفقد نصف حقوقه في المواطنة . بينما يتابع جيرانه اليهود في العمارة نفسها وخارجها ، استمتاعهم بكامل حقوق المواطنة ، داخل بيوتهم وخارجها ، بما فيها اختيار قبور موتاهم . ولا بد أن جولي ، ستدرك فور مغادرتنا البلاد كلها بعد قليل ، أننا تجولنا فيها مثل سياح جاؤوا يبحثون عن حصة لهم مما على أرضها من جمال نادر وما فيها من قداسة .»

في النهاية ، كان على وليد أن يقول شيئا ينهي مشهدا لم يفتتحه . أن يعطي الجواب الذي تحاول جولي اختطافه من بين شفتيه ، في لحظة يصارع فيها الواقع الذاكرة ويحاول هزيمتها . قال لجولي ، «هذه ليست عودة جيجي . أنا لن أعود إلى البلاد لكي أعيش فيها غريبا . عندما نصل إلى لندن نناقش الموضوع بعيدا عن ضغط لحظة الفراق هذه» . والتفت إلى الجهة الأخرى يخفي انفعالاته ، فرأى صبية سوداء أثيوبية الملامح ، تحرك بيدها مكنسة كسولة في الممر الطويل المفضي إلى قاعة المسافرين في المطار . كانت تنظف البلاط ببطء يعادل ما يدفع لها من شاقل . التقت أعينهما للحظات . تبادلا خلالها ، صامتين ، أحاسيس غامضة .

خرجت لودا عن صمتها ، تاركة جميل يقلب صمته وحده ، وتدخّلتْ بانفعال محسوب : «مأكول ونص وليد . . وليش لأ . كل فلسطيني بِكدر يرجأ أبلده لازم يرجأ . بس توسلوا بالسلامة ناكشو موضوء سوا زي انت ما كلت . الموضوء بِدّو جلسة أ رَواء . هاي خطفة (خطوة) أُمُر (عُمُر) .»

قالت ذلك ، وحثّت وليد وجولي بلسانها العجيب وعينيها الرائعتين ، وبقلبها الذي كان نبض فرحه يدق في صدر وليد ذات يوم ، على ترك لندن للعيش في البلاد . واختارت لهما حيفا مكان إقامة يعيشون فيها جيرانا : «تآلو أ خيفا؟» . وحلفت يمينا لا لزوم له ، بأن المدينة «بتجنّن وبتاخد أكِل (عقل)؟» .

سارع جميل يؤيّد دعوة زوجته ويمنحها شرعية التفاصيل : «تعو اسكنو في حارتنا ، بتنورو حيفا ومنطقة حيفا وقراها اللي دمرها اليهود واللي باقي فيها حيطان بتتنفس ، وبِتْشَرْفو الكرمل من راسه لشط البحر . هُوّي في أحلا من قعدة ع راس الجبل والفُرْجَه ع موج البحر بِغْسِل له رِجليه!»

قبّلتْ جولي لودا مودّعة .

جولي قالت : «طبْأن . . لازم إيجي . . انا بيهب هيفا كتير .»

ضحك جميل . وانحنى على قامته التي لا تنحني : «حبيبتي . . حيفا ، ح ، ح ، حيفا . . احنا ما عِنّاش هيفا . مالكِن اليوم وحده خيفا والثانية هيفا؟»

جولي أكّدت : تيّب . . انا أُلتو هـ هـ هيفا ، بأدين أنا بؤولو زي لودا كمان!»

لودا ردّت ضاحكة بعربية مغشوشة بالروسية : «خرشو (حسنا) خبيبتي ، المهم تِرجأو ألا ناشَم خيفا (ترجعوع حيفانا) .»

«جولي لـمّا بتطبّش بالعربي بتلعن أبو اللغة وفاطس اللغة .»

علق وليد ، وقد تناثر ضحك كثير حولهم .

لودا قالت : «أيفا (أيوه) أنا كمان بتبّش .»

جولي أطالت ضحكها ، تجاهلت أبو اللغة ، وسألت عن معنى «فاتس» التي أعجبتها .

جميل عقب : «ابتعرف يا وليد ، إذا مضّينا بقيْة العمر مع هالنسوان الثنتين رح ننسى العربي اللي اتعلمناه .»

ثم رجاه بجدية : «اسمع منّي ومن مَرتَك يا عزيزي وبيع بيتكم . ما رح تخسرو غير هِجِرْتَكم وغُربِتكم . هلِبْلاد ما في منها يا عزيزي لا فِ الدنيا ولا فِ الآخرة .»

وودعه ولودا عناقا .

سحب وليد وجولي حقيبتيهما وأسرعا نحو قاعة المسافرين .

قبل تسعة أيام

الحركة الثانية

فلسطيني تيس

جلست جنين إلى مكتبها في غرفة البيت الوحيدة المطلّة على ميناء يافا القديم، تتابع مراجعة فصول روايتها الجديدة، وقد نام باسم باكرا متلحِّفا نكده. هاتفها قبل الثانية ظهرا بقليل، يتعجل رد «مسراد هبنيم» في تل أبيب، على طلب تمديد إقامته والسماح له بالعمل. استدعت جنين خيبتها كاملة، وكانت لم تزل دافئة. أخبرته بأن وزارة الداخلية الإسرائيلية رفضت الطلب هذه المرّة أيضا. أغلق باسم هاتفه على صدمته. وضعتْ جنين هاتفها جانبا على مكتبها، وتتبّعت انفعالاته. لاحقته مخيّلتها عائدا إلى البيت من شارع البحر كعادته، يجرّ حصته من الخيبة. يستغلّ انحسار ظِلّه، في مثل هذا الوقت من النهار، ويتطاول عليه، يلعنه ثم يدوسه بقدميه. يلاكم الهواء ويلعن السنة التي عاد فيها إلى البلاد ظانّا أنها وطن، بينما رأسه يجادل حيطان مسجد البحر.

فُتح باب الحديد الخارجي ثم أُغلق. تردّد في الحارة الصغيرة رنين سلاسل تتشاجر. توقفت جنين عن متابعة باسم في الطريق. «أكيد وِصِل!».

فُتح الباب الداخلي. استبق صوت باسم وقع قدميه: «أولاد الشرموطه، لو كنت مُثلي الجنس لعلّقو راية حقوق الإنسان على قفايَ وخلّوني اشتْغِل!»

أغلق باب البيت وفمه معا. انطلق صوت ارتطام ثقيل في الخارج. انتشر توتر أثقل في الداخل. مشى باسم نحو وسط الصالة. توقف متكئا

على انفعالاته . مسح بكفّيه حبات عرق على جبينه . نظّف بأصابعه ملامحه مما علق بها من نكد . أطلق نفسا طويلا اختزنه منذ أغلق هاتفه . قال بما تبقى من انفعالات تراجعت أخيرا : «طبعا ، لو كنت زي . . .» تردد .

«روء بسومتي . . إهدا . . مش أول مرّة ولا آخر مرّة .»

عقبت جنين على ما لم يكمله . واستغلت تردده الذي تواصل واستفسرته بلؤم :

« زي مين قصدك؟!»

«مين رح ايكون يعني؟!»

«سمير بدران! عارفة إنك ما رح تنسى حكايته .»

عاش سمير بدران ، لبعض الوقت ، مع صديق له إسرائيلي يدعى حاييم عنباري ، عضو فريق «تسفع إحاد» الغنائي الأشهر بين فرق نوادي المثليين في تل أبيب . كانت جنين ، وليس أحدا غيرها من الأدباء الفلسطينيين ، من استعار حكايته لقصة قصيرة نشرتها في موقع صحيفة «قدّيتا» . كانت من أوائل المتصفحين للموقع يوم إشهاره . علّقت حينها لنفسها ، ببرارة وسمع باسم تعليقها : «هذا الموقع وحّد المثليين في لبلاد ، وأهل لبلاد مش لاقيين مين يوحدهم!»

ردد باسم بضع كلمات لم تشكل معنى واضحا يمكن احتسابه تعليقا . ثم استدار ومشى نحو المطبخ . لابد أن يكون قد ذهب إلى النافذة وتأمّل الجارة . قدّرت جنين التي قرأت ارتياحا على ملامحه حين عاد بعد دقائق . كانت تعرف أن باسم يرتاح حين يطلّ برأسه من النافذة ، ويرى جارتهم اليهودية ، بات – تسيون . يغفو على راحته كأنه في قيلولة بعد ظهيرة يوم حار . يتابع بات – تسيون منشغلة في إنجاز لوحة جديدة ، أو متابعة خطوط أخرى بدأتها في وقت ما سابق ، متفيّئة بحائط بيتها القريب من مدخل المجمّع في المساحة الصغيرة بين بيوت القلعة القديمة .

كانت جنين محقة . وقف باسم عند النافذة وترك أنظاره خارجها . لم

يتحدّث إلى جارته التشكيلية اليسارية المسنّة ، واكتفى بمراقبتها للحظات ، تعيد تشكيل عالمها في خطوط وألوان ، وتتأمله بحثا عنها فيه .

عرف باسم بات- تسيون منذ تزوّج بجنين وانتقل إلى بيتها الصغير في القلعة . ذات ضحى صيفي هادئ لا يتعجل منتصف النهار ولا يحسده ، وقف باسم خلف النافذة نفسها كما وقف منذ قليل . وضع ثقل نصفه الأعلى كله على مرفقيه ، المستندين إلى حافتها . وراح يتأمل بت - تسيون التي استشعرت وجوده . رفعت رأسها إلى أعلى وضبطته يتفرّج عليها . لم يزعجها ذلك ، وصبّحت على باسم ودعته بالشاب الجميل :

«بوكِر طوف تسعير يَفيه .»

ثم عرّفته بنفسها :

«أني بات - تسيون .»

«شالوم غْفرَتي . أني باسم .»

رد باسم بأربع كلمات ، ثلاث منها لا تحتاج إلى تعلم العبرية : واحدة هي اسمه ، والثانية (أني) ، مشتركة مع المحكية الفلسطينية ، والثالثة (شالوم) ، لا يحتاج تعريبها سوى قلب حرف الشين الوحيد فيها إلى سين ، وواوها ألف . أما الرابعة «غْفيرتي» ، فجاهد باسم لاختيارها من بين عشر كلمات عبرية هي كل ما عرفه من اللغة .

تردد باسم كثيرا على بيت بات- تسيون المقيمة في الحارة . وفي كل مرّة ، كان يحمل إليها باقة كلام جميل تليق بها . وكثيرا ما عبّر عن إعجابه الصريح بأفكارها ولوحاتها في حضور جنين ، قائلا إن لخطوطها لغة شاعر ، ولألوانها شكل الحقيقة . لكنه لم يكن ينادي العجوز باسمها بات - تسيون . أبدا لم يفعل ذلك ولا لمرّة واحدة منذ تعارفا وصارا صديقين من عمرين مختلفين . بل كان يكتفي بلفظ نصف اسمها ويناديها «بات» ، في ما بدا للعجوز تحببا . حتى جنين ظنّت أن باسم يدلّع جارته . وكان الأمر غير ذلك تماما . فقد كان باسم يكره النصف الآخر من

وضربتْ بقبضة يدها سطح مكتبها ، مكملة بضربتها ثلاثة حروف تحفّظت عليها . وسكتت هي ويدها .

تابع باسم خطوه نحو النافذة الأخرى في الجهة المطلّة على الميناء ، وتوقف . سمعته يعقب على ما قالته بحماسة :

«مُش قلت لِك إنّو راية الديمقراطية في هالبلد ما بتْرَفرِفش إلا على قفا سمير بدران وأَمثاله!»

فتحت درج مكتبها . أخرجت صحيفة «يافا اليوم» العربية وفتحتها على الصفحة الثالثة ، وقالت بانفعال محسوب :

«لا يا عزيزي ، حتى هذي بطّلو عنها . . الراية اللي بتحكي عنها نزّلوها من زمان عن قفا سمير . إسمع!»

وقرأت له :

«عثر مساء الأول من أمس ، على جثة شاب في العشرينات من عمره ، على مشارف مقبرة الكازاخانة في يافا ، قرب شاطئ البحر . وقالت مصادر شرطة تل أبيب-يافا ، إن المجني عليه تعرّض إلى عشرين طعنة من أداة حادة في أنحاء مختلفة من جسمه . وإن وجهه تعرّض للتشويه . وعثر في جيب القتيل على بطاقة هوية صادرة عن السلطة الفلسطينية في رام الله ، باسم سمير بدران ، من سكان بيت لحم في الضفة الغربية . وكشفت التحريات الأولية ، أنه أقام في الفترة الأخيرة ، مع المدعو حاييم عنباري ، في شقته في تل أبيب بصورة غير شرعية . وبيّنت سجلات وزارة الداخلية ، أن المغدور تقدم قبل شهرين ، بطلب تجديد تصريح إقامة ، إلا أن الوزارة رفضت ذلك . من جهته أكد حييم لدى استجوابه في قسم الشرطة ، أنه لم ير صديقه السابق منذ أسابيع ، وأنه عرف مصادفة من أصدقاء آخرين ، أنه لم يغادر تل أبيب ، وأنه تحول إلى العمل سرا ، متنقلا بين بارات ونوادي المثليين في المدينة . وقد تمّ إبلاغ سلطات الأمن الفلسطيني بالحادث . وعلمت «يافا اليوم» من مصادرها الخاصة ، أن عائلة

بدران رفضت تسلُّم جثة ابنها القتيل ، وأنها أبلغت سلطات الأمن الفلسطينية التي يفترض أن تتسلم الجثة من الجانب الإسرائيلي ، أنها تبرأت من ابنها منذ هرب من البيت ، ولم تعد تعترف به . وما تزال الاتصالات جارية بين الجانبين الفلسطيني والإسرائيلي ، لاتخاذ قرار بشأن الجثة التي لا يرغب أحد في استلامها .»

أغلقت جنين الصحيفة . رمت بها على المكتب . التفتت إلى باسم . لمحت على وجنتيه دمعا سال من عينيه . لم تسأله أي جانب من الحكاية الغريبة أسال الدمع منهما . فقد بلغها همس باسم قويا وحادا مثل سكين : «مسكين سمير . . ما حدن بدُّو ايّاه لا طيب ولا ميت .»

وتبادلا الصمت مثلما تبادلا حزنا اقتسماه ، إلى أن قطع باسم صمتهما :

«هذي آخْرة اللي مصيره مش مربوط في عقله .» واستدار عائدا ، وتوقّف في الجهة المقابلة قرب باب الحمام . خلع قميصه ورماه على السرير . أسندت جنين ذقنها إلى كفها المستندة بكوعها إلى ركبة ساقها المعتلية ساقها الأخرى ، وراحت تراقبه . فكَّ حزامه الجلدي . فكّ ازرة بنطاله وأنزله عن خاصرتيه ببطء . أمأمتْ جنين لنفسها : «أُممم . . بعده قفا جوزي مزقلط وقوي وشكله زي قادوس البطيخ البلدي . كيف ما انتبهتش؟!» ، هَفَت نفسها على وجبة حب سريعة ، «تيك أويه .» (وكانا يطلقان على ممارسة الحب نهارا تيك أويه . وكانا يفعلان ذلك قبل خروج جنين إلى العمل أحيانا ، أو يستفيقان عليه من قيلولة ما بعد الظهيرة صيفا) . أخرج باسم ساقيه من ساقي بنطاله تباعا ، ورمى به على السرير . تأمّلت بإعجاب ساقيه المقوستين . رأت فيهما ساقي راعي بقر أميركي ، مع أنه لم يرع في حياته غنما ولا ماعزا ، ولم يركب ظهر جحش ، على الرغم من أن ما تبقى من البيارة التي يملكها والده ، بعد أن صادر الاحتلال الإسرائيلي اكثر من نصفها ، لا يخلو من حمير . تعجّل جسدها رغبته في «تيك أوي» وألحّ في ذلك .

حلق باسم ذقنه . تدشّش وخرج . مطّ ذراعيه على جانبيه تتسلقان الهواء . فتح فمه وتأيه بمتعة استثنائية : «ياآآآآاااااااااااه ، قديش كنت بحاجة لهيك دوش .»

بدا لنفسه نظيفا من متاعبه .

«نعيما حبيبي .»

قالتها بخيبة أصيلة .

أخذ يرتدي ملابسه .

«الله ينعم عليكي .» رد .

مشط شعره . رمى المشط على حافة الشوفينيرة . استدار ودخل المطبخ . سخّن طعاما تناوله على عجل . صنع لنفسه كوبا من النسكافيه . احتسى نصفه في الصالة . كفّت جنين عن ملاحقته بعينيها وتفحّص رغباته . ترك باسم الكوب على حافة مكتبها . قال بنبرة محايدة بينما يتجه إلى الباب : «رايح ع الرملة يِمْكِن أتأخر .»

لم تسأله عن تفاصيل زيارته للرملة ، ولم تطلب منه تبريرا لها . كانت تعرف أنه يبحث عن وثائق ضرورية لموضوع يشتغل عليه . فقط نقلت كفّها من تحت ذقنها ، وأنزلت ساقها عن ساقها ، وتعجلت تبريد مشاعرها :

«الله معك حبيبي ، دير بالك ع حالك وانْتِبِهْ لنفسك .»

اجتاز باسم العتبة صامتا . أغلق الباب خلفه ومضى . سارعت جنين تحتسي نصف كوب النسكافيه الذي تركه خلفه . تذوّقتْ ، بلذة ، بعض ما تبقى فيه من أنفاس زوجها . غابت بعدها ، في تنظيف جنبات البيت وترتيبه بعصبية ، كسرت صحنين قبل أن تنهي عملها . جلست إلى مكتبها مجددا ، وتابعت مراجعة روايتها وقد ودّع الليل نصفه :

تسلل «باقي هناك»- وهذه كنيته التي يتداولها الجميع لأنها تشبه نفسها وتشبهه - إلى حديقة منزله . استسلمت الحديقة لوقع قدميه . مشى متعثرا بأسراره نحو الكوخ الخشبي في زاويتها الجنوبية . فتح بابا

توزّعته ثقوب كما تتوزع المستوطنات اليهودية جغرافيا فلسطين . انحنى على بعض قامته . أضاء المصباح الكهربائي الصغير المعلق على مسمار دق في الجدار الخشبي المواجه للباب . اعتدل . فضح الضوء الساقط على وجهه بعثرة ملامحه . عبرتْ حزم ضوء شقوقا كثيرة في الجدران الخشبية . أضيئت أماكن عدة في الخارج . سُمعت خشخشة مفاتيح صغيرة ، ورنين حلقة معدنية ، واحتكاك دروج خشبية .

تقلّب بعض من في البيت في فراشه . تبادلت غرف النوم صرير أسرتها . رعشة قلق أيقظت فلسطين . قفز الابن الأكبر لـ«باقي هناك» من فراشه متوترا . اندفع نحو الباب الخلفي المفضي إلى الحديقة ووجده مفتوحا . مدّ رأسه إلى الخارج . شمّ رائحة الصيف ولم يكترث لها . سمع صوت دُرج خشبي يغلق بعصبية ، ونحنحة ذكرته بوالده حين ينظف حنجرته تمهيدا لصراخ يفتحها كما يفتح البرق السماء وترعد . «يعني هذا أبوي مش حرامي!» صحح شكوكه معتذرا لنفسه عنها . وتذكّر ما كانت تردده أمه ، حسنية ، منذ طفولته ولم يزل عالقا بذاكرته : «أبوك إن طِلع فِ الليل خَبِط رجليه بِيصَحّي اللد والرملة ، وِنْ سرَّخ بوقِّف الموج فِ عرض البحر .» صار مثل أمه ، يخشى وقع أقدام أبيه ، ويتحسب لنحنحة يعقبها سعال .

«ع إيش بتْدَوِّر يابا؟»

رد عليه الصمت في الجهة الأخرى .

عاد يصرخ بهدوء : «إيش بتعمل يابا في هالليل؟»

. . . .

أعاد سؤاله بوشوشة صاخبة لا توقظ النائمين : «إيش بتعمل يابا في هالليل؟» .

. . .

رجاه : «بدْنا نعرف اننام يا زلمه!» .

. . . .

. . . .

«أحسن . عنّك ما ردّيت . بلا ما تفزِّع الدنيا علينا .»

تمتم فلسطين متخليا عن رجائه . لملم خيبته وأخذها معه إلى السرير : «فش فايدة ، أبويَ تيس وراسه ناشف . . العفريت ما بيعمل عمايله» .

قلق لبعض الوقت ، ثم غفا .

توتر الصمت داخل البيت . تسللت حسنية من غرفة نومها . كشف الممر المفضي إلى الحديقة عن حوار مرتبك بين نعلي حسنية الخفيفين وبلاطه . حين أصبحت في الخارج ، تصالح نعلاها وكفّا عن التحاور . بدت مخططة بشرائح ضوء وعتمة . رجت زوجها بلسان متعثر يقدّم كلمة ويؤخِّر أخرى ، أن يتراجع عما ينوي القيام به : «بَلا مِن ها الروحة يا بو فلسطين . . اليهود ما بيرحموش حدن ، وني قلبي قارصني ومش مطمئنّة . أني خايفة عليك!»

لم يصلها من الكوخ الخشبي رفضا ، قبولا ، تعليقا ، همهمة ، أو حتى نحنحة تنذر بجولة نكد تقليدي محتملة . فجأة ، قطعت المسافة بين سكوتها وانتظارها كلاما لم يصل ، صرخة حادة انطلقت من بيت اليهودية أفيفا : «لو روتسا لَموت شوف .»

«جارتنا بدهاش تموت مرتين . . ابصَر ايش صايرلْها .»

ترجمت حسنية لنفسها ما سمعته ، واستشعرت معاني ما قالته أفيفا مرتين .

سمع «باقي هناك» ما سمعته حسنية . تنهَّد بأسف مألوف يليق بجيران : «مسكينة ربيعة (وكان يعرِّب اسم جارته ويناديها ، أحيانا ، ربيعة) ، ما حدّش سائل عنها أو عليها ، لا جوزها ولا اولادها لِثنين ، وِالدولة بتْبيع مأساتها ومأساة غيرها بالجملة وبالمفرّق .»

لم تسمع حسنية ما قاله زوجها ، لكنها أحسّت وقعه ، فهامست

نفسها : «عفيفة ، (وكان لحسنية طريقتها في تعريب اسم جارتها ، بتقريبه من اللفظ العربي لا من المعنى) ، زارها كابوس ألماني مستعجل صحّاها من عز النوم . الله يتوب علينا ويِفْرِجْها ، الألمان حرقو قلوب اليهود واليهود بيحرقو قلوبنا . إحنا إيش دَخلنا ، الله يحرق قلوب الجهتين .»

حدّقتْ حسنية في العتمة المخططة بشرائح ضوء . صاحتْ بـ«باقي هناك» بتحد خفيف : «هذا اللي بتعملوا هَبَل وِجْنان ، وما رح اتْجيب لحالك غير البهدلة ولْمسَبّه ووجع الراس . . فِكرَك اليهود رح يسَقْفولَك يا بو فلسطين! والا مْفكّرَهُم رح يغنّولك ويرقصو حواليك؟ روح يا زلمه نام واسكت بلا قلّة عقل . . بكره إن ضلّيت ع اللي فِ راسك اليهود رح يطخّوك .»

2

عاد باسم من جولته في اللد بينما الليل يستعد للسهر مع جنين . بدا مرتاحا ، كمن ترك متاعب كثيرة هناك :

«مرّيت ع مقهى دينا في شارع الملك فيصل .»

قال من دون أن تسأله جنين . وتابع : «كان عندي معاد مع الدكتور إبراهيم الزعبي . هذا باحث اجتماعي . حكينا شويِ ، واعملت معه مقابلة ممتازة كلها معلومات . بعدين رحت ع الرملة ، ومرّيت ع حارة الجواريش . شفت الست نوال عيساوي ، رئيسة منظمة (نساء ضد العنف) .»

ظلّت جنين صامتة ولم تعقب . سألها هو إن كانت تعرف السيدة نوال .

«لأ . بس ساعات بقرا أخبارها في جريدة (يافا اليوم) .»

ردت ، وسألته :

«حكت لك إشي مفيد؟»

«حكت عن نشاط منظمتهم ، وأعطتني معلومات عن الموضوع ، وعملت لي فوتو كوبي عن بيانات ومقالات وتحليلات كانت محضرالي اياهم . وخبّرتني عن شغلات ما كنت اتصوّر ابدا اتصير في بلادنا . اللي صاير في حارة الجواريش ما بِسَدْقُه عقل . كنت احسِّب الناس بتبالغ!»

«بعرف . . أصلا اليهود بسَمّو الحارة مَخبيسِت هكفود شل هَعَرَفيم!»

«ايش يعني؟!»

«يعني غسالة عار العرب .»

«للاسف المعلومات اللي حصلت عليها بتخلّي اللي بيحكوه قليل علينا!»

تمتم بأسف .

سألته : «ما بدّك تتعشى؟!» .

«بصراحة أكلت فطيرة جبنة ع الطريق ونا راجع ، اشتريت ثنتين من مخبز أبو العافية وخلّيت لك وحده .»

وضع كيسا ورقيا صغيرا كان يحمله بيده على مكتبها . ووضع إلى جانبه ، ملفا يحتوي بضع أوراق كان تحت إبطه . وقال وهو ينسحب بهدوء ، إنه مُتعب من المشي الطويل ، ومن رأسه الذي حشي بمعلومات فوق قدرته على احتمالها ، ويريد أن ينام . انحنى على جنين وقبّلها ومضى إلى السرير .

«يعني هذا هوّ التيك أويه اللي صار لي ناطراه من الظهر!»

همست متحسرة .

أبدل باسم ملابسه . تمدّد على السرير . أطفأ المصباح القريب منه ، وغفا أمام عيني جنين المفتوحتين على خيبتها الجسدية ، وعلى فطيرة جبنة ، وملف على مكتبها يغري بتقليب صفحاته .

3

أغمضت جنين عينيها لدقائق ، تنصتُ لأنفاس باسم تتردد من حولها هادئة مثل موج أتعبه صخب النهار ، وصار يزحف كسولا على الشاطئ قبل أن ينسحب مطويًا على نفسه في إيقاع متكرر يشجع على النعاس . أراحها ذلك . أنهضتها مخيّلتها ، وتمشّتْ بها بين انفعالاتها بما تراجع من صفحات الرواية وأنفاس باسم . تمشّت على أطراف أصابع قدمين يشبهان قدمي راقصة باليه صغيرة ، تتدرب على حمل جسدها على إصبعين . وجدت نفسها على حافة العتمة قبالة النافذة . هناك حيث الخارج مبقّع بالضوء ، قاربا صيد صغيران غفوا متلاصقين كعاشقين تمددا على سرير مشاعرهما ، في لحظة غابت فيها وزارة الداخلية الإسرائيلية عنهما . وهناك زوارق أخرى تتأرجح عائمة على مياه من ضوء وعتمة . وفي عمق البحر ، ثمة أضواء بعيدة باهتة تتعلق بحافة أفق امتصه الظلام ، خمّنت جنين أنها لسفن تجارية أو سياحية تتجه نحو ميناء أسدود جنوبا . وربما كانت هناك سفن أخرى حربية استغنت عن أضوائها ، تتقاطر نحو مياه بحر غزة الأبعد جنوبا . أرعبها مجرد التفكير في وجود زوارق حربية قد تبحر شمالا أو جنوبا ، أو حتى ترسو في عرض بحر غزة ، تراقب الصيادين وتتلصص على الاتجاهات الأربعة .

فتحت جنين عينيها . أزاحت اللابتوب جانبا . سحبت ملف باسم الذي أخذته متاعبه إلى نوم عميق ، وراحت تقلّب أوراقه . وقعت عيناها على حكايات مطبوعة ، وأخرى دوّنها باسم بخط يده . بين السطور ،

عثرت على الرملاوية نسرين الشاويش ، مغسولة بدمها ، معجونة بالتراب .
قرأت عن نسرين التي تسلقت سنوات عمرها بفرح صبية بأنوثتها ، كانت
على حافة عامها العشرين ، حين سقطت من الدنيا إلى حفرة في الطريق .
تركت خلفها طفلا رضيعا وحلما ببيت صغير يضمهما . لمحت انتصار
طنّوس ، تركض أمام شقيقها يطاردها بسيارته المتسوبيشي ، إلى أن كوّم
سنواتها السبع عشرة عند مفرق الرامة في الجليل . أسفتْ جنين لسذاجة
آلاء الحيفاوية . صدّقتْ المسكينة أنها مواطنة من الدرجة الأولى في
إسرائيل . اقتنعت بأن الشرطة ستؤمن حمايتها من تهديدات والديها
وأبناء عمومتها ، وكل من أوكل من أقاربها ، صيانة شرفها . تقدّمت آلاء
بشكوى رسمية تركتها على مكتب الضابط افيغدور السمين ، كما ينادونه
في مركز شرطة حيفا ، ونامت على عماها . افيغدور السمين ترك آلاء
لغسالة شرف العائلة ، تشطف ساحتها منها قبل أن تشطف ساحات
المدينة .

«فريال يا فريال!»

تمتمت جنين بحسرة أوجعت قلبها ، بينما تقرأ الحكاية الرابعة كما
تقرأ مقطعا في رواية :

فريال الهزيّل . بدوية من النقب . في الثامنة عشر من عمرها . لم
تعرف الخيمة ، ولم تجمع حطبا لنار قهوة رجال القبيلة . لم ترع غنما . لم
تعلّق جرسا في رقبة جدي ، ولا قرطين من ذهب أو فضّة في أذنيها مثل
بدويات الزمان . فريال ابنة هذه الأيام . زيّنت أذنيها ، معظم الوقت ،
بسماعتين صغيرتين متصلتين بـ«آي بود» . لم تجد من يدلعها فدلّعت
نفسها ، ونادتها «فوفو» . رقصت فوفو بسخونة مشاعرها على وقع أغنيات
أحبتها . تمايل جسدها مثل سنبلة حركتها ريح رغباتها . لم يحمل أنفها
قرطاً ، بل كبرياء صبية تعشق أنوثتها . فوفو خرجت على تقاليد القبيلة .
فوفو تمردت على بداوتها . فوفو ودّعت مدينتها رَهط ورحلت . أقامت

84

وحدها بلا محرم أو وصي ، في شقة صغيرة في تل أبيب . ثلاثة رجال اتفقوا على التخلص منها : الأول ، شقيقها الأكبر الذي لم يجد عملا ، فألقى بنفسه في صفوف قوات الجيش الإسرائيلي . لم يجد في مشاركته جيش الاحتلال جرائمه ضد أبناء شعبه وجيرانه العرب عارا ، ووجد العار كله في خروج فريال إلى حياتها التي أرادتها . الثاني ، شقيقها الأصغر ، الذي لم يحتمل التحاقها بعمل في تل أبيب يحررها من رقابته . والثالث ، ابن عمها ، لحمها ودمها ، كما يقولون . نذرتها القبيلة له يوم ولادتها . شارك في قتلها كي لا يسبقه غريب إلى تمزيق بكارتها . ثلاثة أبطال لتراجيديا انتهت بفريال جثّة ملقاة في بئر قديمة مهجورة على مقربة من مدينة الرملة .

ثلاثة رجال اجتمعوا على عبير اللداوية أيضا : الزوج والشقيق وابن الشقيق . حتى هذا الأخير الذي لم يبلغ حافة رجولته ، ولا تناديه أمه إلا بالـ«مسخوط ،» تمرجل على عبير . أخذه الشقيقان معهما لكي يتعلّم كيف يصون حصته من شرف العائلة ويحافظ عليه . تعاون الثلاثة على قتل عبير . أما صفاء ، فقد انفرد بها زوجها . لم يطلب مساعدة أحد من الأقارب أو المقربين ، بل أقام لها محكمة خاصة لم تتأخر في إصدار حكمها . علّقها على مشنقة صنعها بنفسه من حبل غسيل ، كانت صفاء تعلق عليه ملابسه ، بعد أن تزيل عنها عرقه وقذاراته الأخرى . قتلها زوجها وجعل من جثتها غسيلا معلقا يشاهده الجميع .

أما سهير المسكينة ، فخنقها زوجها أيضا . استولى على أطفالها الأربعة . لم يسأله أحد . قالوا «خانته ، والمره اللي بتخون جوزها ابتستحقش تربي اولاده» . لم يعرّفوا الخيانة أو يدلّون عليها ، ولم ينسبوا الأبناء لمن أنجبتهم . وحده موت هالة ، المربية النصراوية الفاضلة ، التي لم يجر التعرف على قاتلها ، ولا يريد أحد أن يبحث عنه أو يتعرف عليه ، أيقظ حيفا كلها ، فمشت في جنازتها يتقدمها أطفال مدرستها .

أغلقت جنين ملف باسم على حكاياته المرعبة . أغلقت عينيها لبعض الوقت ، قبل أن تفتحهما ثانية ، على صفحات روايتها :

في صباح متأخر عن موعده ، عاد «باقي هناك» إلى كوخ الحديقة . تناول صورتين كبيرتين سميكتين من على رف جانبي . وضع الصورتين على طاولة صغيرة أمامه . سحب لوحين خشبيين مربّعين رقيقين ، من بين أشياء كثيرة في الزاوية إلى يمينه ، وضعهما إلى جانب الصورتين . تناول علبة صغيرة مكعّبة من الكرتون من على رف مقابل . فتحها . التقط بضعة دبابيس معدنية صفراء ذات رؤوس دائرية صغيرة . وضع الصورة الأولى على المربع الخشبي الأول وثبّتها بأربعة دبابيس . ثبت الصورة الثانية على المربع الخشبي الثاني بالطريقة عينها . دقّ كلا من اللوحين على طرف خشبة طويلة رفيعة . صار لديه يافطتان حملهما على كتفه . أغلق باب الكوخ وعاد إلى داخل البيت . رَكن اليافطتين على الحائط أمام باب غرفة مكتبه . تجاهل وجود حسنية المستغرقة في قطف أوراق ملوخية خضراء . أحست به هي ولم تعبّر عن احساسها . دخل الغرفة وجلس إلى مكتبه . أخرج من جيبه مفتاحا صغيرا فتح به درجا إلى يمينه . سحب ملفا محشوا بالأوراق . ابتسم . كشّر . ضحك . تنهد من دون حسرة . أطلق آها قصيرة تشبه ندما عابرا . لم يكررها لكنه همهم . كان كمن يقلّب حكايات ويتفرج عليها وحده .

واصلت حسنية قطف أوراق الملوخية عن سيقانها فاتحة اللون . تجمعها في غربال بني قديم وضعته إلى يمينها (سوف تغسلها ، لاحقا ، وتجففها تحت أشعة الشمس) . ترمي بالسيقان الرفيعة فوق صفحة من جريدة «الاتحاد» ، الناطقة بلسان الحزب الشيوعي الإسرائيلي (راكح) ، فردتها على الأرض إلى يسارها . قشّرت رأسي بصل ناشفين ورمت قشرهما عليها . قطّعت البصل بالسكين وفرمته . قشرت سبع حبات من الثوم الناشف وألقت بقشورها على الجريدة أيضا . صار لمقالات الجريدة

التي كانت تلم العرب وبعض اليهود حولها ، رائحة بصل وثوم ، أضيفت إليها رائحة كزبرة خضراء فرمتها حسنية بالسكين . استدركت غياب «باقي هناك» الطويل . أحست بابتعاده عميقا في صمته . صاحت :

«أبو فلسطين! يابو فلسطين! يعني ماحدَّش سامع صوتك يا زلمه؟!»

أغلق «باقي هناك» الملف على عجل ، ودفع به إلى الدرج . أغلق الدرج ووضع مفتاحه الصغير في جيبه . همّ بالخروج ، تردد . شعر بالمفتاح الصغير ثقيلا في جيبه . خاف أن يأخذه معه إلى قبره ذات يوم . فكّر للحظة . غيرته اللحظة ، فغير رأيه . قرر أن يترك الدرج مفتوحا . أن يدع أسراره تتنفس في صدور الآخرين . أعاد المفتاح إلى الدرج . تحرر جيبه من حمل ثقيل . شعر بارتياح . نهض عن كرسيه وغادر الغرفة . حمل اليافطتين واتجه إلى الصالون . مرّ بمحاذاة حسنية . حسنية تسلّقت قامة زوجها بعينين مشككتين . استغرق ذلك ثواني . لملمت شفتيها في زاوية فمها اليسرى . شعر هو برغبة في الخروج وتركها تغربل شكوكها اليوم كله . اعتدلت شفتاها وأطلقتا ما كانتا تكوّرتا عليه من كلام : «يشهد الله ما خَربَط عقلك ورح يخرب بيتك وبيتنا معك غير جارتنا اليهودية اللي مصاحِبها ع كَبر .»

4

تململ باسم في الفراش هاذيا بكلمات تتجادل حروفها . أحزن هذيانه جنين . تركت «باقي هناك» ، وبين يديه يافطتان يستعد للخروج ، تلاحقه كلمات حسنية تلعن اليهودية التي «خربطت عقله» ، وراحت تفكر في باسم ، تقلب لنفسها علاقتهما منذ عادا معا من واشنطن إلى البلاد .

عدت إلى البلاد كعادتي ، بجواز سفري الإسرائيلي ، عبر مطار بن غوريون في اللد . ووصل باسم بجواز سفره الأميركي عن طريق مطار عمان في الأردن . ومن هناك استقلّ سيارة أجرة إلى جسر الملك حسين . أمضى ثلاث ساعات عند الجسر ، سُمح له ، بعدها ، بدخول الضفة الغربية . استقل سيارة أجرة ثانية إلى بيت لحم . قضى يومين في بيت والديه قبل أن يذهب إلى منزل والديّ في الرملة ويخطبني . كانت طريقة العودة تلك ، أول حقائق زواجنا المضطرب ، وستبقى بندا غريبا أدخل على شروطه ، إذ توجّب علينا ، منذ ذلك الحين ، السفر منفصلين في كل مرّة نغادر فيها البلاد ، والعودة إليها منفردين ، نلمّ شملنا من جديد ، كأننا زوجان تراجعا عن طلاق مؤقت أجبرا عليه .

بعد عام من زواجنا ، بدأ باسم يختنق بتفاصيل حياته اليومية التي استحالت مللا مبرمجا . لا حق له في العمل ولا إذن له بذلك أصلا . لا يتمتع بأي شكل من أشكال الضمان الصحي أو الاجتماعي . لا حقوق له في كل ما هو حق للآخرين المقيمين في البلاد ، بمن فيهم الروسيات المستوردات ، أو المهاجرات المتهودات حديثا ، اللواتي ينعشن ليالي تل أبيب والمدن الكبرى ليلا . ينشّطن الحياة السياسية في كل البلاد نهارا .

يدخلن إلى خزينة الدولة ، ملايين الدولارت سنويا ، والبعض يقول مليارات ، تحصدها مصلحة الضرائب .

لكنني لم أتركه لهواجسه ، ولا لقوانين البلاد تعتصره فيقرر بنفسه الرحيل . وبقيت أؤازره في كل خطواته ، وأؤكد له أننا قادران ، معا ، على تحدّي الظروف القاسية التي نعيشها في بلدنا . وأن كل ما نحتاجه ، بعض من عزيمة وكثير من الصبر ، إلى أن تمل وزارة الداخلية منّا وتتركنا لشأننا . ذكّرتُ باسم مرارا بالرائع إميل حبيبي . كنت أعرف أنه يحب «أبو سلام» ، وكل ما كان يقوله ، أو يكتبه حتى السطر الأخير الذي رحل ولم يضع نقطة بعده .

قلت له ذات مرّة : «خلّينا نتعلّم من لِمعلِّم - وكنّا مثل كثيرين في البلاد ، نصف إميل بالمعلم- مات مطمئنا إلى بقائه في حيفا . زيّن قبره بوصيته : (باق في حيفا) . صارت الوصية منارة للتائهين ، ممن لم يتحملوا أعباء البقاء فيها طويلا ، وللراغبين في العودة إليها من أجل البقاء .

قبيل عودتنا الأخيرة ، رويت له ما دار بيني وبين وليد دهمان ، قريبي الروائي المقيم في لندن ، وكان يعجبني كثيرا ما يقوله ، وكنت أقتبس عنه ، حتى إنني لم أخف تأثري بأسلوبه ، ولم أنكر يوما ما تركه وليد من بصمات على كتابات لي طلبت منه مراجعتها . قلت له وقتها : «اسمع حبيبي باسم . ما بخبّيش عليك . حكيت لوليد ع التليفون ، أكثر من مرّة ، عن مشاكلنا بصراحة ، وعن مأساة الفلسطيني أو الفلسطينية اللي عنده جواز سفر إسرائيلي واتجوز من برّة ، أو حتى من الضفة الغربية أو غزة . رد عليّ قبل ما أكمل الحكي وقال لي : «جنين ، بدْكم اتدشْرولهم لبلاد وتُطُفشو . اليوم واللا بكره هاذول الناس رايحين . وِن ما راحو ، إسرائيل ما رح اتظل إسرائيل . إسرائيل اللي شايفاها يا جنين مرحلة عابرة في تاريخ فلسطين .»

ظل باسم صامتا لبعض الوقت يصغي لما أنقله عن لسان وليد ، وفجأة صرخ محتدا :

«وليد حبيبتي عايش برّة ومبسوط . إذا هوّه حابب لبلاد لهالدرجة ومستعد يعيش عيشتنا ، يشرّف ييجي ويسكن هون هوّي ومرته ويجربو . هلأ خلّينا من وليد واسمعيني : ليش ما نروح ع بيت لحم ونعيش هناك؟ واللا بيت لحم مش فلسطين؟»

رددتُ عليه بعصبية مقنّنة :

«روء بسّومتي روء ، وما اتجننّيش معاك . يمكن ترتاح لعيشتك عند أهلك في بيت لحم ، بس اني بخسر عيشتي كلها ومعها كل إشي اتحصلت عليه بعرق جبيني من اسنين : الصحة والطبابة والتأمين الاجتماعي كله . وفوق هذا وهذا ، بخسر صبر ستين سنة من عمر أهلي اتحملو فيها اللي ما بتحملو بشر حتى ما يهاجروا ويتركو البلد لليهود . . والأهم من كل هذا ، إني ما بدّي أخسرك وما بِدّيّاك تخسرني»

«ارجعنا للموال بالمقلوب ، لا تخسريني ولا أخسرك ، بس واحد فينا لازم يتنازل . يا ابنِخسر هون يا ابنخسر هناك . صعب نربح ع الحالتين . .طيب ليش ما نرجع ع أميركا . . مش أرحم النا احنا لِثنين؟ ما هي أميركا كمان جنسية وحقوق أشمل وأكمل من اللي هون واللي هناك .»

لم أيأس . هدّأت نفسي بدلا من المرة ألفا وروضتها . تصدّيت لبوادر تراجع رغبته في البقاء :

«لأ يا باسم لأ ، ما دام رجّعنا الوطن وارجعناله ، ليش لنرجع لأميركا؟ أني احتجت نيويورك ، وإنت احتجت واشنطن لمّا كنا طلاب جامعة ، هلأ مش محتاجين لا هاي ولا هاي حبيبي . خلّينا ف ِيافا . أني ما بدشّرش يافا اللي انْولَدِت فيها . الناس بتصحا وبتنام وهيّ ابْتِحلم ترجع ع يافا . روح إقرا اللي كتبه في الفيس بوك صاحبك خالد عيسى ، الفلسطيني اللي رح يتجمد اللي باقي له من عمره في السويد . الزلمة نِفْسه وحلم عمره يقعد ع شط يافا ويشرب فنجان قهوة ، ولو مرّة واحدة ، يشفط

كإنه بيسحب في صدره العافية كلها ، وهوّ امّدّد رجليه في مية البحر . احنا عنا يافا ، وقلعتها ، وشطها ، وبحرها ، وسماها ، وامّددين رجلينا في زور الحكومة وأصابعنا ف عينيها . طب عنّا مقبرة يا سيدي . . ان واحد فينا مات بدفنوه فيها . عنّا لبلاد كلها يا باسم ، وبدّك إيانا اندشّرها ونروح ع أميركا . خلّينا هان حبيبي ، في الآخر صدّقني وما رح يصير غير اللي بدّك اياه . روح شوف اليهود ، لما واحد منهم بموت برّة ، بيجيبو جثته ، وبيدفنوها في لبلاد اللي عُمُر سيد سيده ما شافها ولا عرفها ، ويمكن ما يكون سمع عنها أصلا . خلّينا هان يا باسم ، بنعيش في بلدنا وبنموت فيها أشرف النا .»

أنصت باسم لي حتى النهاية التي لم تكن ، على ما بدت ، نهاية ، ولم يعلّق . ظلّت تعتصره ، لبعض الوقت ، رغبتان متناقضتان ، لكنه هدأ قليلا ، ولو مؤقتا ، عندما أعدت على مسامعه أجمل همسة لآخر الليل همستها له وحده : «تصبح ع يافا بسومتي .»

غسله حب يافا . لم أكن أدرك لحظتها ، أن كل ما بدر منه كان مجرد حمام مشاعر نظفه لبعض الوقت . ابتسم معبرا عن إعجابه بالاشتقاق . تعلّم كيف يغسل به قلقه ومخاوفه كلما احتاج . صار يهمس به لي بينما يحاول إقناع نفسه بضرورة البقاء : «تصبحي ع يافا جنينتي» . صرت أنقل له همسي على أطراف شفتيّ إلى حافة النوم . أسكنت يافا أحلامه ، تأخذه من وقت إلى آخر في تجوال على بقية البلاد . مع هذا ، ظل يخشى أن يستيقظ ذات صباح ، ويجد يافا وقد ابتلعتها أمواج المتدينين اليهود ، الذين يزحفون على المدينة بالآلاف سنويا ، أو يجد غربته تصبّح عليه ، وترافقه تجواله المتعثر في البلاد أحيانا ، بينما يستجدي حق إقامته في بلده من غرباء استولوا عليه .

5

منذ التوتر ذاك ، الذي ظلل حياتنا لبعض الوقت ، حاول باسم التعامل مع واقعه الجديد بليونة أكبر . راح يقتل البطالة الإجبارية التي فرضتها عليه وزارة الداخلية بطرق مختلفة . انشغل في إعداد بحوث ودراسات اجتماعية واقتصادية يعتبرها مهمة ومفيدة وتوفّر لي وله أيضا ، دخلا إضافيا . شجعته على ذلك . راقني عمله ، وراهنت عليه في إقناعه بالبقاء في البلاد والتخلي عن فكرة الرحيل . أعجبت كثيرا ببحثه الذي أنجزه حول العنف الأسري وجرائم قتل النساء في مناطق اللد والرملة ويافا ، وإن كان ما أورده من حكايات للمها من بيوت غسلت عارها بجرائم أشد عارا ، قد أفزعني . لم أصدّقها ، أنا التي قلت له إن إليهود يسمون حارة الجواريش «غسالة شرف العرب» ، لم أصدّق أن عائلة رملاوية ، تقتل ثلاث عشرة من نسائها الشابات ، خلال أقل من عشر سنوات . لم أصدّق . لكنني حين صدّقت ، وهذا ما أكدته الوثائق التي جمعها باسم ، وشهادات عشرات المهتمين بهذه القضايا ، وحتى بعض الضحايا من نساء تمكنّ من الهرب من مصائر أخريات ، صرت أخاف على أي بنت فلسطينية أصادفها برفقة شاب في الطريق . صرت أتوجّس من أن تتحول المسكينة إلى عار يغسلون شرفهم منها . ومع تصاعد حوادث القتل ، وتخلف أبحاث باسم عن اللحاق بأعداد ضحاياها ، وصلت شكوكي إلى شخصيات روايتي . خفت على شخصياتي من الالتحاق بأقرب غسالة وطنية للشرف .

انزلق قلم الشفاه بين أصابعي . ظهر في المرآة خط أحمر بعرض

شفتي السفلى ، تعرّج على خدي الأيسر . مسحتُه بمنديل ورقي . لملمتُ نفسي وأخرجتها من انفعالاتها بغسالات الشرف المنتشرة في البلاد ، وأكملتُ زينتي . أعدت أدوات الزينة إلى حقيبة يدي الصغيرة . علّقتها على كتفي اليسرى كعادتي . وضعت يدي اليمنى راعشة على مقبض الباب . استوقفني سؤال شغلني منذ ليلة أمس ، قررت التخلص منه حتى لا يرافقني على امتداد النهار . استدرتْ نحو باسم . يدي لم تزل على مقبض الباب ، أنتظر أن تكفّ عن ارتعاشها فأديره . أحس بي باسم . وضع مفك براغيّ على الطاولة أمامه ، وأزاح المروحة التي انشغل في إصلاحها . التفتُ إليه ، لكني لم أجرؤ على طرح السؤال . غيّرت وجهة انفعالاتي ، وطرحت عليه سؤالا أغطي به ارتباكا خلفته ظنوني بحق نفسي وشخصيات روايتي : «بِدَّك إشي من برّة باسم؟»

نظر إليّ مندهشا ، وكان يتوقع أن أسأله عن شيء آخر :

«بدّي تشوفي لي شو صار في وزارة الداخلية .»

«آه صحيح ، منيح اللي فكرتني . .عندي موعد مع أيالا بعد يومين .»

أدرت مقبض الباب بيد لم تزل ترتعش . فتحته وخرجت .

6

وصلت جنين إلى مبنى مسراد هبنيم (وزارة الداخلية الإسرائيلية) ،
في تل أبيب ، الكائن في 125 طريق مناحم بيغن ، قرابة التاسعة صباحا .
استغرقها ذلك أكثر من 25 دقيقة ، بزيادة ثماني دقائق عما توقعته بسبب
ازدحام حركة المرور . كان عدد من الأفارقة ، غالبيتهم من السودان ، من
طالبي اللجوء ، أو من الساعين لتجديد تصاريح العمل ، يتناثرون على
درجات البناء الذي يرتفع أعلى بكثير من آمالهم في البقاء في البلاد .
وهؤلاء يتوافدون إلى وزارة الداخلية فجرا في العادة ، لحجز مواقع لهم بين
التجمع الذي يستمر عدده في التزايد إلى أن تبدأ الوزارة عملها في
المراجعات الأمنية وتجديد الإقامات وأذون العمل . ولا يسمح عادة
للأفارقة بدخول المبنى أسوة بالآخرين من الإسرائيليين ومن جنسيات
اخرى مختلفة . ويتم تجديد ما بين ستين إلى سبعين تأشيرة عمل مؤقتة
في اليوم ، صالحة لثلاثة أشهر فقط ، قابلة للإلغاء في أي وقت من دون
إبداء الأسباب .

وضعت جنين قدمها على الدرجة الأولى . خرج من داخل المبنى
ضابط في العقد الثالث من عمره ، تتمسك الكيباه بمؤخرة رأسه بصعوبة .
يحمل بين يديه وثائق كمن يحمل همّا . انتحى جانبا . هرع قسم كبير
من المتناثرين على الدرج والتف حوله . توقف وراح يقلب وثائق بين يديه .
من بين الجمع ، وقف شاب نحيف خلف الضابط وقد تعلّقت يمناه
بدرابزين الحديد ، خلف الموقف المخصص للدراجات الهوائية ، بينما كان

94

يحاول جاهدا التعرف على وثيقته من بين ما كان يقلبه الضابط ، وسط ترقب عام يشبه إعلان نتائج الامتحانات الثانوية . التفت الشاب فجأة نحو جنين . راقبها لثوان تقترب . لوح لها بيده الطليقة محييا . ابتسمت له مشجعة . كان ذاك موالو ، الشاب السوداني الجنوبي الذي عمل وزوجته تارا ، منظفين لفترة قصيرة ، في جمعية التفاهم «ههفناه» حيث تعمل جنين . تمنّت له التوفيق في مهمته من دون أن تخاطبه .

واصلت جنين صعود الدرجات القليلة التي تسبق البناء ، على ملامحها بعض انفعالات المتحلقين حول الضابط وبعض نكد ترقّبهم . توقّفت أمام المدخل الرئيس . التفتت تراقب خلفها . كان الضابط يلملم بعض الأوراق . وكان بعض السودانيين يغادر سعيدا . وكان آخرون يجرّون معهم يأسهم وإحباطهم . سوف يضطرون لوقفة مذلة أخرى ، ربما أطول قليلا ، لتجديد أوراقهم . سيستيقظون من أجلها فجر اليوم التالي . لم تر جنين موالو . قدّرت أن يكون قد جدّد تصريح إقامته . فرحت له من دون أن تتأكد .

صعدت جنين إلى الطابق الثاني . توجهت ، مباشرة ، إلى مكتب طلبات لم الشمل في الوزارة . استقبلها صوت أيالا – الموظفة التي أحيل إليها طلبها – يتردد متوترا في الداخل . كأنما ينقصها صراخها الذي بقي عالقا في ذاكرتها منذ أول مرة ذهبت فيها للمراجعة وطلبت مقابلتها لتجديد إقامة باسم ، ولم تتحرر منه في المرّات اللاحقة ، حتى صارت تفاصيل حياتها الزوجية من شؤون عمل الموظفة الإسرائيلية . وصار نشرها على أسماع بقية الموظفين في الدائرة من اختصاصها .

خرجتْ أيالا من غرفة مكتبها فجأة . لمحت جنين . توقفت . استدارت نحوها بحدة وصرخت :

«أت جنـ . . .؟»

«كين . .أني جنين .»

قاطعتها جنين . وفّرت عليها نطق حرفين آخرين من اسمها يرفعان ضغطها المرتفع أصلا .

«وماذا تفعلين هنا؟»

«جئت للمراجعة!»

«أعطيتك رقم هاتف تتصلي به . هل فعلت؟»

«سليحا ، اعذريني يا سيدتي ، ولكن الرقم خارج الخدمة .»

لم تعلق أيالا ، وابتعدت مسرعة تاركة جنين لانفعالات إضافية غاضبة . دخلت غرفة المكتب المقابل . مضى بعض الوقت . خرجت منه وعلى ملامحها ابتسامة تخصها . التفتت إلى جنين ودعتها إلى مكتبها :

«تعرفين أن التعديلات الجديدة على قانون لم الشمل لا تسمح بمنح زوجك حق العمل ، لكني سأجدد له إذن الإقامة ، وسأبذل جهدي للحصول على استثناء له بالعمل . عودي بعد ثلاثة أشهر .»

لم تجد جنين ما تقوله . اعتبرت وعد أيالا وثيقة شفوية ، مع أنها لا تثق بها ، وغادرت المبنى .

مضت الشهور الثلاثة التي أطلقت عليها جنين «وعد أيالا» ، وعادت بعدها إلى وزارة الداخلية . انتظرت أمام باب المكتب نفسه ومعها قلقها وتوترها ، وصدى صراخ أيالا السابق ، ونكد متوقع في أية لحظة . لم تجرؤ على طرق الباب والدخول في مواجهة مع المرأة التي تصفها لباسم كلما التقت بها ، بأن ملامحها تشبه القوانين الإسرائيلية الخاصة بالمناطق المحتلة . قررت لملمة نفسها على شيء من الجرأة . جمّدت كراهيتها لأيالا مؤقتا . طرقت الباب وفتحته ودخلت . استقبلتها أيالا بابتسامة غير متوقعة ، وأشارت لها بالجلوس ، قبل أن تفاجئها بهجوم لفظي غير متوقع في المقابل :

«نعم ، ما الأمر؟ هل لديك موعد؟»

«جئت لتحديد موعد .»

«لأي غرض عزيزتي؟»

«كأنها لا تعرف» ، قلت لي . ولها قلت : «لتجديد طلب لم الشمل طبعا . لقد قاربت مدة تصريح زوجي على الانتهاء .»

تناولت أيالا ، بعصبية مسيطر عليها ، بضع أوراق من ملف على مكتبها ، وراحت تساعد جنين في ملء خاناتها ووضعتها في ملف على مكتبها .

«عودي بعد أسبوعين برفقة زوجك ، ومعك وثائق تثبت مكان إقامتك .»

عادت جنين إلى وزارة الداخلية بعد اسبوعين ، برفقة باسم هذه المرة ، ومعهما الوثائق والأوراق المطلوبة : فواتير ماء وفواتير كهرباء ، وكل ما يثبت أنها تقيم في يافا فعلا .

استقبلتهما أيالا بلطف ليس من سماتها . لم تنظر إلى الأوراق . لم تطرح أسئلة على باسم . وفّرت على جنين مشقة ترجمة أسئلتها له ، وترجمة إجاباته عنها . ووفّرت عليه هو ، ما كان سيعانيه لو تفصحن وأجاب بنفسه بالعبرية عن أسئلتها . كان سيلفظ عباراته كمن يلفظ أنفاسا أخيرة .

استلطفت جنين أيالا في ذلك النهار الذي يبتسم لأمثالها بالصدفة ، أو لعلّها رغبت في ذلك . ولعنت نفسها على إساءتها الظن بأيالا ، وراحت تبرر لها تصرفاتها السابقة .

تكررت زيارة جنين لمكتب أيالا . صارتا مثل مواطنتين طيبتين عاقلتين في دولة عاقلة لا تميِّز بين مواطنيها ، إلى أن كانت الزيارة الأخيرة قبل أسبوعين . صادقتْ أيالا على طلب جنين ، تمديد إقامة باسم من دون تردد . قررت جنين أن تهاتف باسم فور خروجها من مكتب أيالا ، لتزف له الخبر . استغلت حال السعادة الطارئة التي مرّت بها ، والابتسامة المهربة على شفتي أيالا ، وسألتها بينما تهم بالانصراف :

«هل يستطيع زوجي العمل الآن بطريقة قانونية؟»

انقلبت سحنتها . صارت مثل صاج قديم مشحبر ساخن . اختفت ابتسامتها بجرة غضب . وارتجفت كمن ركبه عفريت أزرق (مع أن العفاريت لا لون لها وتتجنب ركوب الناس في البلاد بسبب قداستها) . صارت أيالا كتلة انفعالات جالسة على كرسي في مكتب . صرختْ في جنين :

«حمودا . .هائيشور هازي . . هو لو ايشور عفودا .»

لملم صراخها آذان كل من في المكتب وأعينهم . وتفرج الجميع على مشاعر امرأة نسيت مشاعر الأخرى .

رمتْ أيالا بالتصريح ، الذي قالت إنه «ليس تصريح عمل يا حلوة» ، على المكتب . تناولتْه جنين وخرجتْ راكضة ، وفي أذنيها صراخ يسخر من كل ما سبق وسمعته من صراخٍ ، ويعتبره همسا مثل كلام العاشقين .

في الطريق إلى البيت ، تذكّرَتُ صرخة باسم المنفلتة لحظة تجاوزت وقاحة موظفي الداخلية الإسرائيلية قدرته على الاحتمال ، وفَلَتَ لسانه ، وجاراه بها لسانها فلتانا وكررت ما قاله : «فعلا . .هذول اولاد ستة وستين شرموطة .» وتابعت طريقها ، ترافقها فلتة لسانها .

7

في استراحة الظهيرة ، في «جمعية التفاهم» ، جلست جنين في المقصف ، تتناول فطيرة أحضرتها معها . تحاصرها مخاوف من استمرار رفض الداخلية السماح لباسم بالعمل . قالت لباسم مرارا ، إن عملها الناجح في معهد «هبنا» ، وبحوثه هو ودراساته ، ستعينهما على مواجهة ضغط السلطات الإسرائيلية ، ومحاولات وزارة الداخلية دفعهما إلى اليأس ، وحمله هو على مغادرة البلاد طوعا .

«لن يحصل . ذلك أبدا لن يحصل .»

قالت لنفسها . وأكّدت لنفسها أيضا ، أنها ستضطر إلى الرحيل مع باسم ، إن حصل ذلك ، حفاظا على زواجهما ، وأنها مستعدّة للتخلي عن كل ما حققته منذ عودتهما إلى البلاد . ستترك عملها في المعهد الذي يعمل على تشجيع المواطنة المشتركة بين سكان البلاد ، ويؤمن لها توازنا نفسيا في مواجهة التمييز السائد ضد العرب . يساعدها ، ولو بكثير من الوهم ، على مواجهة تعقيدات العيش في البلاد . يؤمن لها ولباسم دخلا معقولا يكفي لأن يعيشا حياة كريمة . وبكت ، إذ تخيّلت نفسها تنفصل عن باسم ، أو يأخذ هو نفسه بعيدا عنها ، وعن البيت الذي لمّ شملهما كأن فلسطين لـمّت شمل جغرافيتها المقطعة . بيتهما الذي يشبه يختا ملكيا قديما فاخرا ، يزينه الموج والصيادون والمراكب ولون الفجر ، وتغسله روائح البحر . يغفو معهما في قيلولاتهما الصيفية ، ويستيقظ قبلهما على نسمات المساء . يتفرّج مثلهما على وداع الشمس حين تسحب شالها

99

البرتقالي على أذيال النهار . يراقب بفرح ، أضواء السفن تتقارب مثل لآلئ عِقد نام على صدر الليل . يؤكد لهما ، حقيقة وجودهما الدائم في البلاد ، إذ يرسو في ذاكرتهما الإقليمية كما يرسو مسجد يافا الكبير ، حارسا لبعض ماضيهما وحاضرهما .

فكّرت للحظات في كل ما هجست به ، في احتمال أن تغادر اليافاوية التي في داخلها ، وتعود إلى منفاها الأميركي وتجدّده ، وتتحول إلى لاجئة في الغربة ، هي التي لم تكف عن القول ، إن كل منفى هو مخيم جميل للاجئين يتوهمونه وطنا . فزعت . صرخت : «لن أرحل . إن قرر باسم الرحيل فليرحل وحده . أنا لن أترك ما لي وما بنيته لمهاجرين يأتون من بلاد لهم إلى بلاد ليست لهم ، يرثونني وأنا على قيد الحياة . سأجادل باسم إن جادلني . سأهجره إن هجرني . سأطلقه إن طلقني .»

وظلّت تصرخ لدقائق ، وتستمع لصراخها .

ضحكت زميلة لها تجلس إلى طاولة مجاورة في المقصف . لمحتها جنين تغلق فمها بكفها كي لا يفلت ضحكها إلى عيون الآخرين ، وتمسح بكفها ما تبقى من انفعال على شفتيها . هدّأت جنين نفسها فهدأت ، إذ أقنعتها بأنّ باسم لن يقدم على هجرها . لن يتركها ويرحل . لن يطلّق وطنا عاد إليه ليستقر . باسم طيب . عنيد وتيس مثل بطل روايتها «باقي هناك» ، لكنه طيب . كلاهما مثل بحر يافا ، ينفعل حين تمسه ريح غريبة ثم يهدأ . قالت هذا كله في ما يشبه الهذيان الإيجابي . ثم تشكّكت في ما قالته . استبعدت أن يهدأ باسم هذه المرّة ويتخذ موقفا عقلانيا ، في ظل ما يمران به من قساوة العيش . في آخر جدال بينهما قال لها :

«حياتي يا جنين صارت لعبة كمبيوتر ، الربح فيها ما بِفْرِق عن الخسارة . عايش في بلدنا كإني مواطن افتراضي . موجود في السجلات الرسمية ، في وزارة الداخلية ، عند الأمن العام ، ويمكن عند الموساد والله أعلم ، وع الحواجز ، وفي مراكز الشرطة . بس مش موجود في المؤسسات

الحقوقية ، ولا مؤسسات الخدمات الصحية والاجتماعية . حتى انتِ يا جنين ، حاضرة غايبة ، زي كل الفلسطينيين في هالبلاد ، بس أنا يا حبيبتي غايب غايب . أنا دعوة لتعذيب الذات . إعلان سيىء بيوزعوه من غير مصاري ع كل فلسطيني بيفكر يرجع للبلاد بطريقتي . أنا موقع زي المواقع الإلكترونية اللي بتصمّميها ، عَمّمو كلمته السرية على كل أجهزة الدولة اللي بتقدر تلغيني من الفضاء الإلكتروني وتمسحني من على وجه الأرض في لمح البصر .»

«ما تزيدِش الهم عليّ يا باسم .»

رجته ، وسكتت مجروحة . تنزُّ مشاعرها حزنا يضعها على حافة الندم . استغل باسم سكوتها وراح يمارس ندمه الخاص تحت غطاء التمني : «يا ريت يا جنين ظلّت علاقتنا مثل ما بلّشت على الانترنت ، أيام ما اتعرفنا ع بعض . سعادة افتراضية اتحوّلت لواقع . اليوم الواقع صار يِتحول شويّ شويّ لافتراضات . يا خوفي ييجي يوم أتلاشى فيه مثل سيرة ذاتية مكتوبة على صفحات في ملف محفوظ ع قرص صلب في كمبيوتر ، بِينمَسَح بنقرة من طرف الاصبع ، خفيفة وسريعة مثل رمشة عين : «Delete» .

في النهاية التي أخذا تفاصيلها معهما إلى السرير ، لملم باسم مشاعره وأطلق حسرة كأنها وجع عمره كله : «آآآآآآآآآآآآه يا جنين آآآآآه . يا ريتنا ظلّينا عايشين حياة افتراضية ، زي أول يوم قعدنا فيه ع الماسنجر .»

تناولت جنين حقيبة يدها . ابتسمت للموظفة الشابة التي التقطت من على وجهها ابتسامة كسولة ، علقت بين شفتيها وحافة كوب العصير التي انتهت من تناوله ، ومضت .

8

حلمت جنين بتصميم مواقع على الانترنت لشركات وأفراد . كبر
حلمها خلال دراستها «وسائط الإعلام المتعدد» ، واكتمل مع تخرجها
وتخصصها في مجال الكمبيوتر وإدارة فحوى المواقع وتحرير الصحف
الإلكترونية .

صممت موقعا خاصا بها ، سمّته Jininmultimedia.com . ضمنته
التفاصيل المطلوبة لموقع جاذب للراغبين في الاستفادة مما يقدمه من
خدمات .

مرّت فترة طويلة ، قبل أن تتلقى جنين رسالة ذات جدوى ، لا تحمل
استفسارات أو أسئلة تدور حول رغبات مرسليها في التسلية . ذات
مساء ، استوقفتها رسالة يطلب فيها صاحبها ، بعبارات بسيطة لكنّها
أنيقة ، أن تصمم له موقعا لشركة خدمات في مجالات الاقتصاد والمحاسبة
والأعمال . قرأت جنين الرسالة قفزا بين سطورها ، تلم منها المعاني على
عجل . ثم أعادت قراءتها ، مفصلة ، عشرات المرات حتى حفظتها .

أرسلت إلى صاحب الرسالة ردا مختصرا ، تطلب منه تزويدها
بتفاصيل ومعلومات حول شركته التي يملكها ، أو التي ينوي تأسيسها ،
والبنود التي يريد إعطاءها أولوية لكي تظهر أولا أمام المتصفح ، وسألته إن
كان لديه شعار خاص بشركته ، أو يرغب في تصميم واحد لها .

ما طلبته جنين دفعة واحدة ، جاءها بالتقسيط ، الكثير منه غامض
وبعضه بحاجة إلى تفصيل . في البداية انزعجتْ . لاحقا ، توجّستْ . ثم

داهمها فضول تقليدي قادها إلى الظن بأن من يقوم بذلك ، هو شخص راغب في مراسلتها ، أكثر من رغبته في تصميم موقع خاص به وبأعماله ، إن كانت لديه أعمال أصلا . وأن ما رأته من أناقة في تعابير رسائله ، يخفي شخصية غير أنيقة النوايا . ارتاحت لتوجسها . استمتعت بفضولها . كلاهما كان يشعرها بمتعة الترقب وانتظار جديد يأتيها بمفاجأة تغير انطباعاتها .

تواصلت الرسائل بينها وبين المجهول الذي استخدم اسم باسم في ملفه الشخصي ، حتى صار لها إيقاع يقلد دقات القلب ، ومواعيد ينتظرانها منفصلين ، كما ينتظر العشاق عند زوايا الشوارع ، وفي المقاهي والنوادي والحدائق ومحطات القطارات . وكان كل منهما ، يترك للآخر ، في ختام كل لقاء افتراضي ، شيئا منه يستحضره بين موعدين . صار للافتراضي في علاقتهما طعم المشاعر . أخذا يبتعدان عن العمل الذي أوجدت موقعها الإلكتروني من أجله ويقتربان من دواخلهما . يفتحان ملفاتهما الحميمة ليلة بعد ليلة . يخلعان عنهما تحفظاتهما كما يخلعان ملابسهما قطعة قطعة ، ويلقيان بها على سرير رغباتهما . في منتصف ذات ليل ، تعرّيا تماما من كل تحفظاتهما ، وناما معا على صفحة «دردشة» على الماسنجر . ناما بلذة عميقة على فراش من لهفة وتغطّيا بالكلام . في الصباح ، استيقظا على فرحِهما يبارك لهما زوجين افتراضيين .

في «صباحية» زواجهما ذاك ، أرسلت جنين لباسم هدية مبتكرة : عنوان موقع إلكتروني أنشأته وأطلقت عليه اسم « Paradise Honeymoon» . وضعت له شعار : «الحب يبدأ افتراضيا» . دوّنت فيه تفاصيل علاقتهما ، في زاوية أطلقت عليها «حكايات عشق افتراضي» . ووضعت شروطا للانتساب إلى الموقع والمشاركة فيه .

رد باسم على جنين ، بأن دعاها إلى لقاء عاجل في واشنطن ، انتهى بالاتفاق على العودة إلى البلاد معا لزيارة كل منهما ذويه أولا ، هو إلى

بيت لحم في الضفة الغربية ، وهي إلى الرملة . يحضر بعدها باسم إلى الرملة ، ويتقدم لخطبتها من والديها . لحظة توقيعهما اتفاقهما بسخونة مشاعرهما ، أدركت جنين ان باسم ، هو الشاب الذي تجاوز أحلامها وما مرّ عبرها من فرسان . لقد أمضت شهورا ترسم له صورا تعجبها وحدها . صورته أمامها كانت أجمل من كل رسوماتها المتخيلة .

في النهاية ، التي صارت بداية لها طعم الحقيقة ، لم تصمم جنين الموقع الذي طلبه باسم . ولم يعد هو يذكّرها بالموضوع ، وربما لم يعد يتذكّره أصلا . لكنها صمّمت لهما موقعا للعيش في يافا ، بدأ بالزواج الذي مر بمتاعب عائلية خفيفة ، وانتهى بهما إلى يختهما الصغير راسيا على شواطئ المدينة عند أقدام قلعتها .

9

بعد سنوات من زواج تراقبه وزارة الداخلية ، وتمدد إقامته أيالا ، من حين لآخر ، تغيّر باسم . لم يعد الافتراضي الذي تعرفت عليه جنين عبر الانترنت . ولم يعد الواقعي الذي تزوجته . أدمن الكلام عن استحالة البقاء في البلاد . صار يتذكر منافيه ويحنّ إليها ، كأنه لم يتعب من هجرته الأميركية التي حرره عشق جنين منها وأعاده إلى الوطن . تصرخ جنين في داخلها أحيانا : «إيش هالحظ يا ربي ، كمان جوزي طالع عنيد وتيس . . بكفّيني تياسة بطل روايتي وبقية عيلتي؟»

استفزته بمودة ذات مساء . كانا يجلسان إلى طاولة عشاء ، مكون من سلطة خضراء بالنعناع ، وصدور الدجاج المشوي في الفرن ، مع شرائح البطاطس والبصل ، يتناولانه قرب النافذة ، بينما يتفرجان على مساء يافاوي لم يتحيّز لأي منهما :

«بعدك معنّد بسّومه حبيبي ، اني ما بتكفّيني تياسة (باقي هناك) وعنادته؟!»

أراح سكين الطعام من تقطيع صدر الدجاجة على طرف طبقه ، والشوكة على حافتها المقابلة . عقّب بمشاعر لا تطيق بعضها :

«مش مسألة عَناده جنين . انتِ بُكره بْتِنهي روايتك وبتْخَلصِي ، وبصير باقي هناك ، حكاية في رواية مثل كل لِحكايات . وبْتُخُلصي من تياسته وعنادته هوّ وبقية التيوس من أبطالك ، وأنا بَضلْ ع حالي معلّق بين السما والارض . أنا لا تيس ولا راكب راسي . الوضع اللي اوْصلناله ما

خلأش عندي ذرة عقل . قولي لي إيش أعمل . عاجبك الحال اللي أنا فيه؟»

صمت لحظة . ولم تعلق ، بل انتظرته أن يخرج عن صمته . خرج :

«بدِّك اياني أبيع حمص وفلافل . مين رح يعطيني ترخيص؟ وِنْ زبطناها ، رح انافس ابو شاكر في القدس واللا أبو حسن؟ واللا سعيد العكاوي . واللا حتى أبو خليل في اللد! بدّك ايّاني أكنّس شوارع يافا عشان أضل في لبلاد؟ مَهي حتى لكناسة ممنوع عليّ اشتغل فيها . ولو انْدَفنتْ يافا كلها تحت جبل زبالة وما لقيوش مين ينضّفها ، عُمُرهُم ما رح يشغلوني . وهيهم قاعدين يجيبو أثيوبيات وأرتيريات ويوظفو دارفوريات ايكنْسِن الشوارع . طبابة مَفش ، علاج مثل بقية البشر مفِش ، وِذا امرِضت لازم أتحمّل نتيجة مرضي لأموت . سفري من المطار ممنوع . عاجبك كل ما بدي اطلع بريّت لبلاد ، اروح ع الضفة واعبر الجسر اللي بينشفو دم الناس عليه واسافر من عمان؟ حتى سواقة السيارة صارت ممنوعة عليّ . هاي سيارتك مرميّة برّه ، لو امرِضْتِ وما اقدرتي تسوقي ، بنطلب سيارة اجرة تاخدِك ع الطبيب ، أو بندوّر ع واحد من اخواتك ييجي يسوق سيارتك ويوخدِك . يعني مش ناقص سلطات هالبلد ، غير تقول لي ممنوع تنام مع جنين ، وِنْ نمت معها ممنوع اتخلفو ولاد . وأقول لها بسيدر؟ أقول للإسرائيليين كلهم ، غفاريم فنشيم (رجالاً ونساء) : مفهوم . .وحاضر . . كل شي بيصير .»

وتابع باسم وسط ضحك حزين :

«قدامي سنين طويلة يا جِني . . . إنتِ بتتقدمي يا حبيبتي في شغلك ، وفي كتابتك ، وأنا بجمِّع القرف والبطالة والملل وبعمل منّها مكدوس ومخللات وبعبّيها ف مرتبانات .»

أطلقت ضحكها المكتوم ، وقالت محاولة إخراج باسم من كآبته النشطة :

«وماله حبيبي إلك من عندي أحلى مانشيت في أحلى صحيفة بالعربي والعبراني : فلسطيني حاصل على ماجستير في الاقتصاد والمحاسبة ، يبيع مخللات ومكدوس بطالة وكسل .»

«كثير منيح ، وضيفي تحتيها بخط ازغير : صناعة منزليّة»

تصاعدت خلافات باسم وجنين متخلية عن نمطيتها . صارت شجارا لفظيا يأخذهما إلى مناطق خطرة ، كأن يهمس لها باسم برغبته في انفصال يعتبره حضاريا ، إذ يسمح له بالعودة بمفرده إلى واشنطن أو نيويورك ، ويحتفظ لجنين بحقها في الاختيار ، بين طلاق معلّق ، أو اللحاق به . الهمس بات مهينا ، يحرك في جنين عصبية منقوعة بالنكد والعناد ، ومدهونة بالتياسة (تقول جنين نفسها ، إن التياسة جينة موروثة عن دهمان الجد جذر عائلتها ، وهذا ما أورثْته هي بدورها ، لبطل روايتها «باقي هناك» . أما تياسة باسم فهي مختلفة ، حتى في نكهتها) .

قبل يومين فقط ، عاد باسم يستحضر منفاه الأميركي للمرة العاشرة ، يتغزل به ويحن إليه . ردّت جنين على مشاعره المعلنة بنزق وتحد : «إزا هيك بدَّك حبيبي . . قوم ارحل من هلأ وحِل عن ربّي .» ثمّ أشفقت عليه مما اعتبرته نكدا أصيلا ، وصالحته بطريقة مبتكرة . فهي لا تحب الاعتذار التقليدي ولا التراضي المستخدم من قبل : أركعت ركبتيها تغفوان أمام ركبتيه . قدّمت له اعتذارا كحلته ببعض الطقوس اليابانية . «غيّشت» نفسها من أجله مثل فتيات طوكيو المغيّشات . سلّته بواحدة أو أكثر من حكايات أفيفا جارة «باقي هناك» اليهودية ، التي كان يرويها لابنته حين كانت لم تزل طفلة صغيرة تمص ابهامها .

روت جنين لزوجها حكايات تسلّي ولا تسلّي ، ونكات لا تُضحك ولا تَضحكُ من نفسها أو عليها . يتأملها باسم منصتا لقلبها يدق بأعلى من وقع النكات : «مرّة طِلع في راس أفيفا إنها ما تستقبل حدن ولا حدا يزورها ، ولا حتى حدا من اولادها ، لا بدها تشوف إيلان ولا جاي عبالها

تشوف يوري . كتبتْ على ورقة : أفيفا لو روتسا لرؤوت أت إحاد هيوم» - أفيفا لا تريد أن ترى أحدا اليوم . وبدل ما تعلقها على باب بيتها ، علقتها على باب بيت «باقي هناك» . يومـتـهـا زوارها مـا بطّلوش دق على باب دارها . ولّما رجع باقي هناك من شغله ، بعد الظهر ، وشاف الورقة وقراها ، نَتَشها من ع الباب ومزّعها ورماها وقال : «بتريِّحنا وبترتاح .»

لم يضحك باسم ، وتابعت جنين غير مكترثة لتجاهله ما اعتبرته هي فكاهة : «ابتعرف يا باسم ، إنو باقي هناك ، راح مرّة يطمَئِن ع أفيفا قبل ما يفوت ع بيته . خبّط ع بابها ، ردت عليه من جوّهْ وقالت له إنْها مش موجودة . . .أفيفا هي لو بَبَايتْ .»

يستدعي باسم على وجهه ، أحيانا ، تكشيرة فلاحين لم يزر المطر أرضهم في موسم البذار . يجمع ما احتفظ به من نكد مستعجل إلى نكدها المؤقّت ، ويطوي عليهما ملامحه . يستحيل وجهه متعرجات أرض ضربها الجفاف . تلوذ هي بصمت ذي رنين عميق . ويكتفيان بممارسة حرد مؤقت ، يشبه تعليق العلاقات اليومية بينهما . يتجول كل منهما بعينيه على الحيطان الصخرية ذات اللّون الطيني الفاتح التي بُني بها البيت في المدينة القديمة ، ويحصي عدد حجارتها ، قبل أن توقفهما لحظة حب احتياطية تعيدهما إلى دفء حقائقهما ، إلى أن جاءت ليلة كرهت فيها جنين ، جنين التي في داخلها .

10

لم تنم جنين تلك الليلة . البحر ، أيضا ، أرِق وظل ساهرا ، يتقلّب موجه على أصواته خلف النافذة كأنها تنفس ثقيل ، بينما هي مضّجعة على السرير مثل سفينة جانحة نحو الغرق . كان باسم قد سبقها إلى الفراش . تكوّم على نفسه مثل لفافة يأس وغفا . وتمددت هي إلى جانبه تراقب أنفاسه تخنق أنفاسها .

رجاها باسم أن يذهبا معا إلى بيت لحم . قال وقد سبقه قراره إلى المدينة : «بيت لحم بتسوى العالم كله . تعي معي ع بيت لحم . اهلي واخواتي واللي باقي من أرض أبوي . .كله في بيت لحم أو قريب منها . بكره بيصير النا دولة ، وبنخلِّف هناك ، وبنربي ولاد يكونو فلسطينية عن جد مش نص نص .»

أفهمته جنين أنها لن تهجر يافا ولن تدعها تهجرها . ذكّرته بما جرى لوالدها حين ترك البلاد . يعرف باسم القصة جيدا . ويعرف أن من جرّ والدها إلى هجرته هي تياسة الآخرين . لم يتحمل محمود دهمان ، الذي لم يكن قد أصبح «باقي هناك» وقتها ، هجرته أكثر من شهرين ، وعاد منها . عاد ليتزوج أم جنين ، التي لم تكن قد أصبحت أمها بعد ، ولا أما لأي من أخواتها الذين يكبرونها . فتح في الرملة التي أجبر على النزوح إليها والسكن فيها ، فرعا لعائلة دهمان ، بعد أن نظفت الجرافات الإسرائيلية آثار العائلة كلها في المجدل عسقلان . عاد ليصبح «باقي هناك» الرواية ، ويبقى هناك في الحقيقة .

ذكرت جنين باسم ، بأن أمها ولدتها في يافا ، مع أنه يعرف . ويعرف ما قاله والدها في سيرة حملها وولاداتها ، وكان يضحك له كلما تذكره : «كانت إمّك اتْطُزّكم ولاد وبنات ، واحد ورا الثاني . وانتو تُمُزْطو من بين رجليها زي الأرانب» . وكان باسم يسألها : «صحيح لمّا كان الله يرزق ابوك وامك ابْمَمزوط جديد ، كان ابوك يسرّخ ، «واحد في عين اليهود» وِيْظَل يسّرخ حتى يطلّو الجيران من لبواب والشبابيك ويهددوه بالشرطة؟!» . كانت جنين تضحك وتجيبه ، صحيح . وكان أبوها يرد على كل من يسأله : «عوضنا فلسطيني بدل واحد هاجر وما رجعش .»

قال لها : «بيت لحم جنّة .»

قالت له : «اني ما رح اتزحزح من هان . هان الي يافا بتاعتي ، يافتي أني زي ما هيّ بيت لحم بيت لحمك . اذا انت مش متحمّل يافا هان ، أني كمان ما بطيق أتحمل هناك . كإنو رجِعْتك ع لبلاد غير رجعتي . اني رجعت وما بقدَر افكر في أي رجعة ثانية . خلّيك جنبي وانس فكرة الرحيل . إن ضليتك جنبي ما رح يفرّق بينا لا أيالا ولا كل الحكومة اللي وظفتها أُوَظّفت غيرها للتنكيد على عيشتنا وعيشة الفلسطينيين اللي باقيين في لبلاد .»

قالت له كل ذلك مصدومة . حين عادا من الولايات المتحدة ، كانت متيقنة من أن باسم راغب في العودة إلى البلاد فعلا . من أين أتاها يقينها باليقين؟ لا تدري! لكنها كانت متأكدة من أنه راغب في العيش إلى جانبها . هي التي أخذته من واقع افتراضي إلى الحقيقة ، حقيقتهما معا . حقيقة وجود فلسطين هناك مدفونة تحت ركام من الظلم التاريخي المعاصر . كانت مستعدة لأن تسانده ، ويحفران بأظافرهما معا لإخراج فلسطين إلى سطح حياتهما . يتفيآن في ظل مدينة فلسطينية . يتأملان ظلالهما تحت شمسها . يسقيانها جرعة حياة إضافية كي لا تخنقها حياة المهاجرين

اليهود القدامى والجدد ، الذين يغيرون ملامحها على مرأى من ملامحهما . جنين أرادت أن يكونا نخلتين على شواطئ يافا ، تطرحان رطبا جنيا . حجرين في قلعتها القديمة يعوضان ما هُدم أو تآكل . موجتين لا تملان السباق إلى شواطئها ، يرقص لهما السمك ويزغرد لهما الصيادون .

«باسم عُمْرُه ما كان لاجئ عشان يعود .»

فكّرت جنين . هزّ تفكيرها يقينها . باسم كان من هناك . من بيت لحم التي تكتفي بالنظر إلى يافا من بعيد . تقول علنا ، إنها تقبل بأن تكون جارتها . جارتان تعيشان جنبا إلى جنب ، لا يفصل بينهما سوى سور ارتفاعه تسعة أمتار . يتغذى من أرضهما التي هنا وأرضهما التي هناك . يمتص مياهها ويسقي المستوطنين أمنا صافيا . يقسم ما تبقى من البلاد . بيت لحم مثل رام الله ، لا تخجل من أن تعيد القول وتزيد : «اللي فات مات واحنا ولاد اليوم» . باسم لم يكن لاجئا . جنين لم تعمل حسابا لعودته إلى هناك . لم تفهم ما فهمه . لم تشعر بما شعر به من أن العودة إلى البلاد التي يحلم بها سبعة ملايين فلسطيني لا تعنيه كما تعني آخرين . «بنروح ع يافا بنعيش فيها وبنموت فيها» تفكّر لها وله . «تعي معي ع بيت لحم . من شان الله تيجي .» يرجوها هو ويتحايل عليها . تبكي لها وله . تبكي عليها وعليه . على حبهما الذي فتح طريقا للعودة إلى الوطن لكي يفترقان فيه . «يا ربي مش معقول الغربة تجمعنا ويفرقنا الوطن .» تبكي وحيدة وتبلل المساحة التي كانت له في الفراش . تبكي لأن باسم لم يعد لها . لأنها لم تعد بحاجة إلى سرير يتسع لاثنين . لم يعد باسم من أجل يافا . يافا التي أحباها معا ، ومددا عمريهما فوق ملامحها لسنوات . باسم كان يتمرّن على العودة إلى هناك إذن! إلى بيت لحم عاصمة أحلامه : «تعالي معي ع بيت لحم . . بيتنا هناك وأهلي وأرضنا . . .» نسي آخر زيارة له إلى مسقط رأسه ، حين جاءها غاضبا يسب ويشتم والديه وجميع أفراد عائلته ، ويخبرها بأنهم اختلفوا ، في ما بينهم ، حتى على توزيع حصصهم

من الخلافات . ونسي ما فعله شقيقه محمود الذي لم يهاتفه لو مرّة واحدة منذ عودته إلى البلاد . محمود الذي اعتبر زواجه هو من جنين غلطة عمر . أما شقيقته الصغرى نوال ، فلم توقف غضبها على إخوتها الذكور الذين يصرّون على لهف نصيبها من الأرض ومن بيت العائلة . كلما عاتبت أحدهم ، أسمعها الموشح الشعبي «نوال يَختي يا حبيبتي ، اليوم والا بكره رح تِتجوّزي . وكل شي بتملكيه رح يروح لغريب .» كأن من سيتزوجها سيظل غريبا . هذا الذي سيكون أخاهم بالنسب ، وسيكونون أخوال ذريته سوف يبقى غريبا . باسم مثل أفراد العائلة الآخرين ، نسي ما بين العائلة من خلافات ، وتذكّر أنه سيحصل على شقة في البناء الذي انتهى والده من إقامته مطلع هذا العام ، وعلى نصيبه مما تبقى من الأرض التي قرر الأب توزيعها في حياته كي لا يحلّ أبناؤه خلافاتهم بعد رحيله بالرصاص . اطمأن باسم إلى القسمة التي لا ضمان لها ، راح يؤكد لجنين : «خَلص إضْمنّا الحاضر والمستقبل .» «طيب . . حاضري ومستقبلي أني مين يضمنهم حبيبي؟» . ردّت عليه . وذكرته بأنها تعمل ليل نهار من أجلهما . «من أجلك انت يا باسم . .اني ماليش حاضر ولا مستقبل من غيرك .» قالت له متوسّلة . و«أنا اليهود مش سامحين لي اشتغل . . أنا ما بعيش ع تعبك يا جنين .» قال لها .

صرخت . وحدها صرخت : «يا إلهي كم أصبحت يافا قاسية علينا ، لم تعد تطيق فلسطينيين ولدا في مكانين مختلفين يعيشان فيها معا؟» وبكت لنفسها وعليها . بكت حتى رفع دمعها منسوب الحزن في البلاد .

11

عادت جنين إلى متابعة ما توقفت عنده في روايتها . كان الفجر قد استيقظ عبر النافذة المطلة على الميناء الصغير . الزوارق كانت ما تزال غافية على سطح الماء ، وموج البحر لا يبدي رغبة في إقلاقها . مطّت جنين ذراعيها عاليا ، ساحبة كسلها وإرهاق الليل كله : «عليّ أن أنتهي قبل أن أنام .» همست . شدّت ظهرها بقوة إلى ظهر الكرسي وأبقته هناك . وتابعت حسنية حيث تركتها تتمتم من خلف ظهر «باقي هناك» ، الواقف عند عتبة الباب : «يشهد الله ما خَربَط عقلك ورح يخرب بيتك وبيتنا معك غير جارتنا اليهودية اللي مصاحِبها ع كبر» .

التفت «باقي هناك» خلفه . لم يقل شيئا . استدار يهمّ بالخروج . استوقفته حسنية للمرّة الثانية ، فتوقف وقد تخطّت قدمه اليسرى عتبة الباب : «يخلّيك يا بو فلسطين ويطوّل فِ عمرك تقعد وبلاش تروح ، بلاها هالمرّة يا زلمة ، انت مش قد هالروحة ولا انت وِجِهْ بهدلهْ .»

لحقت قدمه اليمنى باليسرى . ردّ عليها من الخارج :

«رايح ع تل ابيب يعني رايح . . إحنا فِ بلد ديمقراطي وأني حُر أعمل اللي بدّيّاه ، وِن ما عجبهُمّش ، رح اوقّف في نص ميدان ملوك إسرائيل وأقلِبْ عاليها واطيها .»

لحق به صوتها : « إعمل اللي بدك ايّاه . بس ما تْحَمَقِش ، أني قلت اللي عندي وإنتَ حر .»

«ديري بالِك ع لولاد .»

أغلق «باقي هناك» الباب خلفه ومضى ، تاركا قلب حسنية يرتجف مثل عيدان الملوخية التي كانت لم تزل بين أصابعها .

أصابع جنين ، أيضا ، بدأت ترتجف مثل ذاكرتها ، تعبا من الكتابة على مفاتيح الكمبيوتر ، ومن حكايتها مع باسم .

توقفت عن المراجعة . حفظت ما راجعته من الرواية في ملف سمّته :

Falastini Taysse

فتحت بريدها الإلكتروني . اختارت عنوان وليد دهمان :

w.dahman@gmail.com

حمّلت الملف .

Attach a file

Falastini taysse

كتبت رسالة :

عزيزي وليد

مرفق ملف يتضمن الجزء الأكبر من روايتي الجديدة «فلسطيني تيس» ، أتمنى الاطلاع عليه وموافاتي بالملاحظات . سأرسل لك ما تبقى ، بعد أن أتلقّى ملاحظاتك .

نسمة بحر ومحبة من يافا .

جنين دهمان

Send

أغلقت الكمبيوتر . مشت إلى الفراش . استلقت إلى جانب باسم . . . وغفت مرهقة بينما يستفيق النهار نشيطا .

114

الدهماني الوحيد

راقني اختيار جنين دهمان، «فلسطيني تيس» عنوانا لروايتها، وصدمتني فقرتها الأولى، الافتتاحية، بطريقة غامضة:

ابويَ تيس. حتى أمي قالت أبوكم تيس. ضحكنا كل بطريقته. تجاهلت أمي ضحكنا وواصلت: «دشَّر أُختكُم وعمرها شهرين مع إمها في غزة ورجع ع لِبلاد.» وسكتت. ثم لـمّت شفتيها على بعضهما ومطّتهما إلى الأَمام قليلا. سمعنا صوتا فرّق ضحكنا. وضعت أمي سبابة يدها اليمنى عمودية على شفتيها المزمومتين، كما تفعل مربية فصل مدرسي سيئة، وهسهست طويلا: «هسسسسسسس». لململنا ضحكنا وصمتنا. كان ذاك وقع أقدام أبي وصوت المفتاح، في يده، يعارك زرفيل الباب.

أما لغة جنين، فوجدتها شفافة، صريحة، متحدية، نزقة أحيانا، تشبهها قليلا على أية حال. أما تعاطيها مع بطلها، «باقي هناك»، فقد أثار لدي أسئلة عدة: هل «باقي هناك» في رواية جنين، هو نفسه والدها محمود إبراهيم دهمان؟ هل استوحت جنين شخصيته منه، أم نقلت سيرته إلى روايتها؟ أيا كانت الإجابة، فأنا أعتقد أن جنين عبثت بأسرار «باقي هناك»، مثلما تلاعبت بشخصية محمود دهمان، التي كانت تتسلل إلى نعاسي في حكايات الآخرين، حين كنت طفلا:

«خَلّص يا بنت عم.. محمود صار إسرائيلي.»

قالت عمتي لوالدتي في حضوري البريء. كرهتُها لقولها، وكرهت معها محمود، وتمنيت لو أستيطع الانتقام من كليهما. كأن أقاطع عمتي

مثلا ، لا أزورها ولا أسلّم عليها لو صادفتها في زقاق في المخيم ، حتى لو كانت راجعة من الحج . لا أقرأ الفاتحة على روحها عندما تموت . وأنضم عندما أكبر ، إلى فدائيي الضابط المصري مصطفى حافظ . أتسلل إلى الرملة وأخطف محمود ، وأقنعه بالعودة معي إلى غزة ، وأقول له بحزم : «مكانك هان يابن عم مش عند اليهود .»

تذكّرت ذلك واستغربته . تذكّرتُ أيضا ، كيف زعلت والدتي كثيرا آنذاك . ثمّ غضبت . ثمّ بوّزت ومدّت بوزها حتى صار مثل منقار بطة ، لأن عمتي لم تكفّ عن القول بأن محمود صار إسرائيليا ، «محمود باقي هناك وبدّوش يرجع» . وكانت كلما ذكر اسمه في حضورها ، تشير إليه بـ«باقي هناك» ، ثم ترمي بأصابع كفّها متضامنة في الهواء كمن تطرد سيرته عنها . ولم أستغرب توتُّر أمي في مرّة أخيرة ، وطلبها بحدّة من عمّتي ، أن تكفّ عن اعتبار «باقي هناك» لقبا غريبا أو نقيصة ، وهي التي ما رأيتها قط تتجرأ على سؤالها عن صحتها إن رأت سحنتها مقلوبة . ثم تذكّرتُ كيف راقبت أمي بعينين صغيرتين مفتوحتين على فضول شقي ، وقد تراخت أعصابها المشدودة قليلا ، وراحت تعاتب عمتي بكلام لا تستخدمه كثيرا :

«كل العيلة صارت تعتبر الاسم مسبّة يا حاجة . إيش اللي اعملتيه يا بنت عم . طب هو اللي باقي في لِبلاد مش أحسن ألف مرّة من اللي هاجر ودشّرها؟!»

صُدمت عمّتي ، وأخذت عن أمي بقية انفعالاتها وانفعلت بها . وهي حين تفعل ، تفكّ حزام وسطها . ترفع بكفّيها ، ثدييها اللذين بدأا يهبطان نحو بطنها ، ويثقلان عليه . تشد الحزام ثانية بعقدة مزدوجة تصرُّ فيها النقود المعدنية عادة . وتترك ثدييها يتدليان على راحتهما ، بدلا من أن ترفعهما فوق كتفيها ، كما كنت أقول لها مازحا . لكن عمتي لم تقل شيئا . لا بد أن ما فعلته بحزامها ، خلّصها من شحنة انفعالات زائدة ، أو طمأنها على ما تخفيه في العقدة من نقود .

استغلت أمي سكوت عمّتي المؤقت ، وقالت كلاما بحق محمود يزيل وجع القلب ، حتى ظننت أن أمي أحبّت محمود في سنوات مراهقتها ، مع أنها لم تأخذ حقها من المراهقة أصلا ، مثل أخريات .

تزوجت أمي أبي «قبل ما اتْفتِّح عينيها» على رأي والدها ، الذي سيصبح جدي ، وإخوتها الشباب الذين سأنادي كل منهم منفردا : «خالي» . لكنني سأشير إليهم في غيابهم وأقول «أخوالي» . كان جميعهم يخاف أن تفتح أمينة الصغيرة عينيها على الدنيا . وربما لو أعطيت فرصة لهذا ، ولو لمراهقة عابرة ، لفتحت عينيها والتقطت محمود ابن الجيران ، ودسّته في قلبها مباشرة ، قبل أن يراها أحد . فقد كانت ومحمود قريبين وجارين ، مثل والدي أحمد الذي كان بيت ذويه لصيق بيت ذويها . وما كان لها ، كغيرها من فتيات زمانها ، أن تحب ، أو أن تتخيل صبيّا يتسلل من حارة أخرى في المجدل عسقلان إلى قلبها . ولو لم تكن أمي قد تزوجت أبي ، بعد رحلة عشق امتدت من لحظة طلب والده نمر دهمان ، يدها له من والدها خليل دهمان ، حتى لحظة إبلاغه وإبلاغها موافقة الوالدين ، وهي مدّة لا تزيد على أسبوع ، لصدّقت ظنّي .

في نهاية كلامها ، قالت أمي لعمتي : «فِش فلسطيني في الدنيا بِقبل ع حالُه يصير إسرائيلي يا بنت عم ، وِنْ صار ، ما بيكون بإيده ولا بكيفُه ولا بخاطره . محمود صار إسرائيلي غصبن عنّه يا حاجة . غصبن عنّه صار . وابصراحة بقول لك اياها ع روس الاشهاد : منيح اللي محمود بِقي هناك . امنيح اللي ما هاجر زيْنا واتبهدل . البهدلة في لبلاد يا حاجة ، حتى مع اليهود ، أشرف وأرحم ميت مرّة من البهدلة والشرشحة في المخيمات .»

وسكتت عمتي ، لأن أمي حولّت اللّقب الذي كان نقيصة ، إلى ما يُحسد صاحبه عليه .

مثل كثيرين ، كانت أمي تسمع عن محمود دهمان كلاما يصدّق ولا

يصدّق . تلملم حقائق وإشاعات . ترسم له صورا ومشاهد تحبُّها وتجعلها تحبّه . قالت ذات مرّة ، إن محمود شكّل بعد احتلال المجدل عسقلان ، بوقت قصير ، لجنة لعمال النسيج للدفاع عن حقوقهم . وإنه شجّع العديد من سكان المدينة على البقاء ، ومنع كثيرين من الهجرة . ولما سألتها ، ولم أزل طفلا في مخيم لا يعرف من العمال والعمالة سوى فاعلي الباطون ، وعمال النظافة : «إيش يعني لجنة عمال؟» ردت عليّ بثقة : «اني ايش درّاني يا وليد ، بيقولو إنو اللي بيشتغلوع النول ، بكو (بقوا) يتجمعو وهمّ مكشّرين كإنوا أرواحهم طالعة ويكتبو عرايظ . بيدافعو عن بعظ . . اكثر من هيك بعرفش يمّه . اني عمري ما سألت .» لكنها تحدثت باعتزاز عن مواجهة حامية وقعت بين محمود وبن غوريون في مقر الحكومة الإسرائيلية بعد النكبة . ومدحت تحدّي محمود لرئيس أول حكومة في إسرائيل أعلن بنفسه قيامها ليلة 14 مايو (آيار) 1948 . وقالت «يكطع شرّه ابن عمي محمود ، والله بقى يسوى عشر ازلام . . وقّف كدام ابن غوريون وبزق في وِجهه .» ، وكانت أمي تصدّق كل ما يقال ، وتتبنّى كل الحكايات التي تمتدح محمود دهمان ، وتتحدث عن أخلاقه التي رفعت رأس عائلة الدهامنة في البلاد ، وفي مخيمات اللاجئين في قطاع غزة .

أضحك ، إذ تقطع هواجسي حكاية حضرت فيها سيرة محمود دهمان في غير وقتها . أتذكر ذلك الصباح الذي طيّر فيه المطهِّر حمامة لاحقتها نظراتي ، فلمع الموسى في يده مثل البرق ، وانقض بلمح البصر على قلفة قضيبي الطرية . ظهر رأس قضيبي الصغير يحدّق في الحاضرين معلنا طهارته إلى الأبد ، بينما صارت قلفته قطعة جلد لا قيمة لها معلّقة بين أصابع المطهّر . ألقى بها الرجل الذي يحلق الرؤوس ويقص جلود قضابين الأولاد الصغار الزائدة عن حاجاتهم ، على منديل قماشي صغير مربع فرده إلى جانبه . لكن قيمتها ظهرت سريعا ، حين مالت امرأة جميلة على والدتي ووشوشتها ، فتضاحكتا بحذر . لفّت والدتي المنديل حول جلدة

قضيبي الموشحّة بخيوط دم ، وسط دهشتي ، بينما المطهّر كان مشغولا بلف شاش أبيض حول قضيبي ، وناولتها للمرأة التي شكرتها ، ولم تشكرني أنا صاحب الجلدة والقضيب ، واستدارت ثم اختفت . لاحقا ، سوف أعرف أن المرأة قلَتْ قلفة قضيبي بزيت الزيتون ، وتناولتها ، مساء ، مع نصف رغيف ساخن . وأخمّن أنها نامت ليلتها مع زوجها أولا ، قبل أن تنام عميقا مع أحلامها بصبي يأتيها من حمل ساهمت فيه قلفة قضيب .

في ذلك الصباح ، مدّدوني على فراشي الصغير ، الممدد على أرض غرفة نومنا الوحيدة في المخيم ، وتحلقوا حولي يثرثرون ويتجاذبون سيرة محمود دهمان . كانت تلك ، المرة الأولى التي أسمع فيها أحاديث عنه خارج جدل أمي وعمتي . كثيرون سبّوا محمود ولعنوه ، مندهشين من قدرته على العيش بين اليهود . وآخرون حسدوه على إسرائيليته التي ليس لهم مثلها . بعضهم قال «أحسن ميت ألف مرّة من الهجرة والشحططة والمرمطة .» وبعضهم قال بعصبية تقليدية : «عليّ الطلاق بالثلاثة العيشة تحت حكم إسرائيل أحسن ألف مرّة من حكم الإدارة العسكرية المصرية اللي مورّيانا نجوم الظهر . هذيك عدو واحتلنا ، بس هذي بتبيعنا عنجهيات قومية ع الفاظي .» وأثنى أصحاب القولين على شجاعة محمود في مواجهة بن غوريون ، من دون أن يضطروا إلى الحلفان بتطليق زوجاتهم . أمي قالت وهي توزع الشراب الأحمر على المهنئين بسلامتي ، وسلامة قضيبي طبعا : «ابِنْ غَريون بيستاهل البزقة في خِلِكته (خلقته) ، يا ريتك يا محمود يابن عم شلحت من رِجلك ولطِّيته ع وِجهه بالصُرمايه .» وهَمْهم الحاضرون مادحين ما جاد به لسانها ، بينما انفرد أبي الذي انشغل بلمّ النقوط ، بترجمة همهماتهم قائلا : «جدع يا ابن عم . . فعلا إبن غوريون بستاهل ظرِبْ بالصرماية .» وطلب الضيوف المزيد من الشراب .

مساء ذلك اليوم الطهوري ، الذي لا يحدث لقضيب مرتين ، فرح المخيم كلّه ، حين سمع ما قالته أمي في الصباح . وأمضى سكانه يوما

وطنيا بهيجا . وباتوا ليلتهم مرتاحين لذلك الانتصار الصغير الذي حققه محمود دهمان . وبت أنا مستلقيا على ظهري ، أفكر في ما قيل مرّة ، وفي الحريق الذي شب في قضيبي منذ فقد قسما منه لا لزوم له ، ولم يخمد طوال الليل .

هكذا ورثت عن أمي صورة لمحمود دهمان تشبه تفاصيله في مخيّلتها . وتشبه ، «باقي هناك» ، بلقبه وبسماته التي أسبغتها عمتي عليه لأسباب تخصّها ، قبل أن يصبح اسمه متداولا ، ويتعرّف عليه الآخرون في غيابه ، وقبل أن تستعير جنين لقبه اسما لبطل روايتها وتمنحه بعض ملامحه ، وحتى قبل أن يسمع به محمود نفسه ، ويتعرف من خلاله على نفسه التي صنعها له آخرون .

حدث هذا بعد سنوات ، حين احتلت إسرائيل في يونيو 1967 ، ما أجّلت احتلاله من باقي فلسطين عام 1948 ، تبلورت خلالها ، شخصية «باقي هناك» بمعزل عنه ، واتخذت لها سمات أصبحت له في ما بعد : رجل يشبه الحقيقة المبهّرة بالانفعالات . فرّت عائلته من مدينة المجدل عسقلان ، تركض خلفها القنابل والرصاص . تقتفي أثرها الحرائق . تصرخ بها الجدران المتهاوية ، والرياح ، وشتاء أكتوبر اللئيم ذلك العام ، وتحثها على الفرار ، بينما يشدّها هو يائسا إلى البقاء .

قالت لي أمي ، إنها سمعت محمود ، في ذلك اليوم : «إللي بروح يا جماعه ما برجعش» . وصدّقتُ ما قالته لي أمي لأنها سمعته ، ولأنها أمي أيضا . ثم أسفتُ لي ولها ، عندما عرفتُ أن محمودا هُزم في النهاية . جرفه الزحف العام الفائض من كل جوانب المجدل وطرقاتها مثل نهر عظيم ، قذف الجميع إلى غزة ، مشكّلا من طميه الآدمي مخيمات للفلسطينيين . ثم فرحتُ ، لأن محمود عاد . لم يبق في غزة طويلا وعاد . تسلّل إلى المجدل مشيا على قدميه ، هاربا من المخابرات المصرية التي بدأت تنشط في قطاع غزة ، ولاحقته بتهمة تحريض اللاجئين على العودة إلى

ديارهم . لم تكن المنظمات الصهيونية قد دخلت مدينة المجدل بعد . ولم تكن وزّعتها على مهاجريها الذين جلبتهم يتمجدلون فيها . ولم تكن قد أغلقت الحدود مع قطاع غزة ، لأنه لم يكن قد أصبح قطاعا بعد . ولم تكن هناك حدود أصلا لكي تغلقها . هرب محمود من النكبة والمنكوبين . ترك زوجته وابنته الرضيعة في مخيم زرع بين التلال الرملية الصفراء ، خلف مدينة ظلّت زمنا تخجل منه كثيرا ، كأنها تحمله على ظهرها فعلا ، ولا تنادي محمود وأمثاله إلا بـ«المهاجر» ، وعاد . عاد محمود على أمل أن تلحق به عائلته الصغيرة في ما بعد . أغلقت إسرائيل ما صار حدودا بحكم واقع ما انتهى إليه القتال مع القوات المصرية المنسحبة من المجدل ، في أكتوبر 1948 ، ورفضت السلطات الإسرائيلية التصريح له بإحضار زوجته وابنته إلى البلاد . كل عائلة دهمان وصفت محمود بالمجنون . حتى والده ، الشيخ إبراهيم دهمان ، قال «ابني مجنون رسمي ، ابني وأني عارفه ، راح يعيش مع اليهود اللي ما حدن بِتْحَمّلهم .» لكنه أعجب ، لاحقا ، باللقب الذي ألصق بابنه فالتصق ، وصار يذكُره به ويتذكّره . وزاد إعجابه به أكثر ، حين علم من رسالة نُقلت إليه شفويا بالمصادفة ، كان محمود قد سجلها وبثت عبر برنامج «سلاما وتحية» الذي كانت تبثه الإذاعة الإسرائيلية باللغة العربية ، أن ابنه البكر تزوج بامرأة أخرى رملاوية ، وأسّس فرعا إسرائيليا لعائلة دهمان ، تاركا الأب يتكفّل بفرعه الغزاوي الصغير . غيّرت الرسالة الأب فانحاز لابنه ، وانقلب على رأيه ورأي كثيرين من أمثاله حملوه معهم منذ هجرتهم . وقال أمام تجمع عائلي : «مدّينا رجلينا في لبلاد وصار النا فيها فرع . مش بس محمود اللي بقي هناك ، كمان اولاد ابني وبناته اللي رح يخلفهم رح يبقو هناك» . وعندما سأله مختار الدهامنة : «طيب يا شيخ إبراهيم وِذا اليهود لفّوه تحت باطهم (استوعبوه)!» . رد قائلا : «فشروا . . محمود شوكة في حلق اليهود .» ودمعت عينا الشيخ إبراهيم ، إذ تمنى لو بقي هناك في البلاد ، في

المجدل ، أو حتى في اللد أو الرملة ، أو غيرها «ما هي كلها بلاد» على رأيه . تمنى لو حضر ولادات أحفاده تباعا ، وفتح عينيه عليهم واحدا بعد الآخر ، بدلا من أن يفتحها على من «تمزطهم» أمهاتهم في المخيم هنا ، لزيادة حصة العائلة من تموين الأونروا .

صار قول الشيخ إبراهيم ، مثلا يردده آخرون عدّوه هم وأبناؤهم ، لثلاثة أجيال لاحقة ، من مخزون تراثهم الشفوي . وحين احتلت إسرائيل قطاع غزة في حرب 1967 ، قال دهامنة كثيرون : التقى الفرع بالأصل . صار اللاجئون المشردون ، هم الأصل . صار «باقي هناك» وذريته فرعا . وكانت جنين إحدى بنات فرع الدهامنة الذي لم يتمدد جنوبا نحو غزة ، بل نحو الجهة الآخرى من البلاد ، نحو اللد والرملة .

لخّصتُ لجنين في سطور ، انطباعي حول ما قرأته من روايتها . وطلبت منها ألا تتركني معلقا على نهاية ما أرسلتْهُ من فصول كما تتعلق النقطة بآخر الجملة ، وأن ترسل لي ما تبقى من الرواية . وأخبرتها بأنني سأزور البلاد برفقة زوجتي . قلت لها إن جولي تريد أن تتعرف على عكا التي حرمتها مقدمات حرب عام 1948 ، من أن تكبر فيها ، وهربت بها والدتها إيفانا اردكيان إلى لندن وعمرها شهران ، قبل أن يلحق بهما والدها البريطاني ، جون ليتل هاوس ، وأنها ستحضر معها بعضا من رماد والدتها ، لتضعه داخل ما كان بيت جدّها مانويل قبل أكثر من ستين عاما ، كما أوصتها ، وتوقعت أن تفرح جنين كثيرا ، وأن تفرح أكثر لخبر زيارتنا لها في يافا الذي ختمت به رسالتي القصيرة .

بعثت لي جنين عبر الايميل ، ملفا تضمن ما تبقى من روايتها ، باستثناء الفصل الأخير الذي اقترحت أن تسلمني إياه مطبوعا ، عندما نلتقي ، أو تقدم لي ملخصا شفويا عنه . وقالت إن رأيي في ما أرسلتْه لي وقرأته طمأنها كثيرا ، وأدهشها ، وأثار استغرابها أيضا . وأخبرتني أنها تعدّ نفسها ، منذ الآن ، لمواجهات مرتقبة مع قرائها هذه المرّة .

طبعتُ ما أرسلته جنين من روايتها ، ووضعته في حقيبتي الصغيرة التي تتعلق بكتفي عادة خلال السفر .

كتبت لجنين أشكرها ، مبديا المزيد من الاهتمام بـ «باقي هناك» وشخصيته كأب في الواقع ، وفي روايتها «فلسطيني تيس» أيضا . وأخبرتها بأنني بصدد متابعة حكايته في روايتها . وغالبا ما سيكون ذلك خلال سفري إلى البلاد ، حيث ستنشغل جولي بقراءة رواية أهداف سويف «In the eye of the sun» ، التي أخبرتني بأنها ستأخذها معها ، وقد بدأَت قراءتها قبل أيام . وقد أتمكن من جانبي من قراءة فصول أخرى من «فلسطيني تيس» . وتركت مسألة الفصل الأخير في روايتها للقائنا المرتقب وفقا لاقتراحها .

في ختام رسالتي ، اقترحت على جنين أن نلتقي في الحادية عشرة صباح الاثنين المقبل ، أي بعد أربعة أيام ، من ردي على إيميلها ، في مقهى «دينا» ، في يافا .

يوم دافئ في مونتريال

تعرّفت إلى جنين قبل ست سنوات ، خلال توقُّف قصير لها في لندن في طريقها إلى نيويورك . حينذاك ، استضفتها على عشاء في البيت في غياب زوجتي جولي التي كانت خارج البلاد . وعرفت منها ، أنها ابنة محمود دهمان ، الرجل الذي بحثتْ عنه طفولتي ولم تجمع الكثير ، منذ لقبته عمتي «باقي هناك» ، وانقطعت سيرته بعد أن قطعتني المنافي عن الوطن وقطّعتني . ليلة أعادتني جنين ، خلالها ، إلى بعض ما كنت أبحث عنه ، مع أنها لم تتسع لتفصيل الكثير من الحكايات ، إلى أن جمعتنا ، في سهرة لم تتمكن جولي من مصاحبتي فيها ، دعوتان منفصلتان لحضور حفل زفاف الجميلة لارا ، ابنة قريبنا زكريا دهمان في مونتريال بكندا . قبلت دعوة زكريا في حينها ، مع أنني لم ألتق به من قبل ، ولا أعرف عنه سوى أنه قريبنا الذي كان في الكويت ، التي لنا فيها أقارب كثيرون .

قبل مغادرتي لندن بساعات ، تلقيت رسالة من جنين ، قدّمت لي ملامح جميلة لزكريا وعائلته ، ولم تخل من إثارة أيضا .

أخبرتني جنين ، بأن زكريا عمل في الكويت حتى حرب الخليج الثانية عام 1991 . في أغسطس من العام نفسه ، جرى تحرير الكويت من الاحتلال العراقي الذي استمر سبعة أشهر . «ثم حرّرت الكويت نفسها من زكريا ، في لحظة نزق قومي استراتيجي ، استغنت فيها عن خدماته ، ضمن ثلاثمائة ألف فلسطيني آخرين ، رفعوها فوق رؤوسهم ، وكانت وطنا ثانيا لهم على امتداد عقود . حمّلتهم الكويت مسؤولية خطأ تكتيكي

124

ارتكبته قيادتهم السياسية وطردتهم .» (حرفيا عن رسالة جنين المحفوظة في بريدي الإليكتروني) . أخذ زكريا زوجته وولديه ، خالد وحسام ، وابنته الوحيدة لارا ، ورحل مطرودا من ماضيه الكويتي الذي أحبه ، مثقلا بملابسات تلك المرحلة ، واستقر في مونتريال ، عاصمة مقاطعة كويبك . وأكدت لي جنين ، في رسالتها ، أن زكريا ، بخلاف مهاجرين ولاجئين ومنفيين كثيرين ، أحب خياره كثيرا . لم يترحّم على ماضيه خلال السنوات الخمس عشرة التي أقامها ، حتى الآن ، في مونتريال . ولم يلطم خدّيه أو يعاتب زمنه الأسود أو يشكو غربته ، لا لنفسه ولا لآخرين . بل سارع إلى بناء حياة جديدة له ولأفراد أسرته .

تعلّم زكريا وأفراد أسرته اللغة الفرنسية . افتتح بما وفّره من مال ، خلال سنوات عمله الطويلة في الكويت ، مطعما للمأكولات الشعبية الفلسطينية ، سمّاه La cuisine Palestinienne . نقل إلى مونتريال ، بمساعدة زوجته الفلسطينية وخبرتها ، المقلوبة الغزاوية ، والمسخن الضفاوي ، والمنسف البدوي ، والمفتول الفلسطيني . خصّ أمسيات سبوت مونتريال ، بطبقه المميز «زيكو دِش» . وهو عبارة عن صيّادية السمك ، مضاف إليها بعض فواكه البحر ، في ما اعتبره بعض زبائنه «بايلا فلسطينية» على غرار مثيلتها الإسبانية . اكتفى أبو خالد ، كما يحب أن ينادى ، بوجباته الشهية تلك ، وقاوم إغراءات بيع الحمص والفلافل ، تاركا ذلك لجاره الفلسطيني الآخر ، سعيد دراوشة . وكان سعيد قد جاء إلى كندا لاجئا من لجوئه في مخيم برج البراجنة في لبنان . خلال سنوات ، صارت أطباق سعيد تصبّح على مونتريال ، وأطباق زيكو تمسّي عليها ، وتزيّن سهراتها في نهاية كل أسبوع .

ومع أن زكريا تخلّى عن مهنة التعليم وخبراتها ، التي لم تعد ذات جدوى في مدينة مثل مونتريال ، إلا أنه خصص وزوجته ، ساعتين من كل أسبوع ، لتقديم دروس مجانية لتعليم اللغة العربية لأبناء الجالية ، في صالة

واسعة تقع في الطابق الثاني أعلى المطعم ، لها مدخل خارجي مستقل .

في ذلك المساء المونتريالي الدافئ مثل المشاعر الحميمة ، قدّمت لي جنين ، زكريا وزوجته . صافحتُ الرجل الذي شعرت تجاهه بألفة لا تفسير لها . ربما هي حرارة اللقاء الأول وفضوله . ربما هي صلة القرابة التي مهما فعلت فيها التغيرات الاجتماعية والمسافات ، تبقي لنا بعض ما يجمعنا ويدفئ لقاءاتنا . وربما هي رسالة جنين والطريقة التي تحدّثت بها عنه .

تأملت زكريا مليا أقرؤه في تفاصيل رسالة جنين ، محاولا وضعه بين كلماتها وتعابيرها : طويل القامة . نحيف إلى حافة السمنة . ذو بشرة قمحية . له ملامح مريحة تمهد لمن يقابله أوّل مرّة الدخول إلى عالمه بحرية وسلاسة . ثم صافحتُ زوجته التي تصغره بعشر سنوات على الأقل ، أو هكذا بدت لي ، حيث لم تزل ملامحها تؤكد حسن اختيار زكريا . وأظهرتُ سعادة استثنائية بالتعرّف إلى أم العروس التي لن تسعها الدنيا هذا المساء ، وستظل ضيِّقة عليها لأيام تتحول ، خلالها ، إلى حماة العريس . ثم صافحت حسام ، ابن زكريا ، وقد امتدت يده نحوي ، في اللحظة التي امتدّت فيها يد زكريا إلى كتف ابنه اليسرى وهو يقدّمه لي قائلا : «حسام التحق بالجامعة هالسنة ، وعوضني عن اللي راح . .حسام زلمة البيت يا استاز وليد وذراعي اليمين .»

وقبل أن أستفسره عما قصده أو أسأله عن ابنه خالد الذي لم يذكره أمامي ، ولم تأت جنين على سيرته في رسالتها لي ، وغاب عن ليلة كهذه ، سارع زكريا يحدّثني عن العروسين ، ابنته لارا والدكتور سلامة الفرا . استبق حضور العروسين إلى القاعة بقليل ، ليقول باعتزاز أكبر من صالة الأفراح التي نقف فيها ، إنهما سيقضيان شهر العسل في إحدى جزر الكاريبي . ثم يطيران ، بعدها ، إلى دبي ليستقرا حيث يعمل سلامة . ثم نقل كفّه من على كتف حسام إلى كتفي . خمّنت أنه سيكشف ما لم

يكشفه . وترقبت حركاته التالية . تنهد قليلا . ابتسم بقلق كمن يغسل في داخله همّا قديما بفرح هذا المساء الذي لا ينسى ، وقال : «يا ريتنا تعرّفنا قبل هيك يا استاز وليد . كُنتْ عرَّفْتَك عـ . . .»

سارعت جنين تشطب ما كان زكريا سيقوله بجرّة لسان :

«إجو العرسان ابو خالد إجو .»

سحب بلاغها المستعجل أنظارنا جميعا إلى مدخل القاعة . زوبعت في تلك اللحظة عاصفة فرح وتهليل ، واحتلت دقات الطبول آذاننا . سحب زكريا يده من على كتفي مستأذنا . أمسك بيد زوجته ، وشقّا معا طريقهما وسط المدعوّين إلى مدخل القاعة ، وتبعهما حسام ، حيث اختفى ثلاثتهم وسط حشد نسائي يتمرّن على الزغاريد .

راقبت الفرح يتمشى على وجوه الآخرين . أحسست بذراع جنين اليمنى تتسلل تحت ذراعي اليسرى . أعجبني ذلك ، إذ منحني شعورا حميما كنت بحاجة إليه . استوقفتْ هي نادلا وتناولتْ من على الصينية الفضية التي يحملها ، كأسا من النبيذ الأحمر ، قدَّمته لي مع ابتسامة مشجّعة . تناولته من يدها ، وتناولتْ هي كأسا .

قالت وهي تسحبني إلى ركن قريب :

«سكيوزمي ابن عمّي ، كان لازم أقاطع أبو خالد عشان ما يكمّل . . . الليلة ليلة بِنْته ، فرح عمره كله ، وما بدّي يروح في الحكي لبعيد . . .»

«ابعيد شو . . لوين يعني؟»

«ولا لَمطرح . . أصله . . اسمع ، انسى الموضوع هلأ . . بحكي لك بعدين ، يالَا بصحتَك . . خلّينا ننبسط هلأ .»

رفعت كأسَها عاليا ، ورفعتُ كَأسي تلامس كأسها وتشجعها على طلب المزيد .

لم أقلق كثيرا على عبارة لم يكملها زكريا . وما كان لي أن أذهب في ظنوني بعيدا .

أمالت جنين رأسها نحوي قليلا حتى لامس شعرها كتفي، وهمست:

«جاي ع بالي أعِزْمَك بكرة الصُبِح ع فطور. آخدك ع كافيه (فان أوت)، أطَعميك أزكى بيغل في البلد وأشَرّبَكْ أحسن قهوة كمان. شو رأيك؟ آجي بكرا الصبح وآخدك م الأوتيل ونطلع سوا؟»

همهمت موافقا، مع أنني سأفتقد فطورا شهيا يقدمه الفندق.

وضعت جنين كأسها على طاولة تلامس حافتها مؤخرتها. نعفَشَت شعرها الكثيف المسترسل بأصابع كفّيها العشرة. تأملتُها تعيد نشر شعرها على كتفيها وتغير الصورة التي جاءت بها قبل دقائق فقط.

«عم بتنافسي العروس الليلة جنين!»

«امممم.. اعتبره غزل من ابن عمّي؟»

قالت مُأمْئِمة، وابتعدت عنّي. أخذت شبابها كله معها، وألقت به وسط مجموعة من الشبان انهمكت في الرقص وسط الصالة. وقفت أراقب جنين تتمايل حول خصرها بخفّة سنبلة قمح داعبتها ريح خفيفة، مكتفيا بكأس ثانية من النبيذ، وبالتفرج على مشاعر الآخرين تتجول ساخنة بين كلمات ستيفيووندر وأجساد الراقصين:

I just call to say I love you...

في مقهى «فان أوت»، جلستُ وجنين حول طاولة مربّعة مصنوعة من الخيزران، في الركن الأمامي الأيسر، يحيط بنا سور واطئ من الزهور يمتد مع واجهة المقهى، ويحتضن ثلاث طاولات أخرى مشابهة، تمنح «فان أووت» طابع مقهى رصيف باريسي بامتياز. حقا لم يأت الفرنسيون إلى مدن هذه المقاطعة بأناقة أبنيتهم، بل حملوا معهم مقاهيهم أيضا، وأنزلوها فوق أرصفتها. تركت عيني تتجولان في الشارع أمامنا للحظات، مستمتعا بالصباح يتمشى على وجوه المارة، وبهمهماتهم تتناثر حولنا مثل الزهور الكثيرة المحيطة بالمكان.

التهمتُ قطعة الكعك التي طلبتها، بمتعة تنافس استمتاع جنين التي راحت تؤمئم وتهمهم وهي تتناول قطعتها. حين انتهت من ذلك، مسحت كفيها وشفتيها، ورشفت ما تبقى في فنجان قهوتها ولم تبق شيئا يصلح لقراءته. ثم بدأت في وصل ما قطعته من حديث زكريا في لحظة احترازية تطلّبها الموقف. قالت إن خالد ولد في مدينة الكويت. لكنّه ظل يحلم منذ طفولته بزيارة غزة والتعرّف عليها وعلى عائلتنا هناك. مع أن غزة لم تكن سوى بعض كلمات للمها خالد عن لسان أبيه. وجاءته الفرصة ذات يوم، إذ تلقّى رسالة من وكالة «خبر» الفلسطينية في القدس، تعرض عليه العمل مراسلا لها باللغة الإنجليزية في غزة. وتؤكد له حاجتها إلى من عاش في الغرب ويحمل جنسية أجنبية تساعده على الحركة في عموم البلاد. عارض زكريا ذلك بقوة. كان خالد ابنه البكر الذي منحه كنية يناديه بها الناس «أبو خالد». وكان يخشى الأوضاع المتوترة في غزة، التي كان يصفها بـ«لْمكَركبه». وكان لا يكفّ عن القول، بأن غزة تعيش على كف عفريت مستنفر على مدار الساعة، مثل زنانة إسرائيلية. لكن الخلاف انتهى بحل وسط، هو أن يعمل خالد في المكتب الرئيس للوكالة في القدس وينسى موضوع غزة. قبِل خالد الحل الذي لم تعارضه الوكالة، وانتقل إلى القدس، وتعرّف إلى طاقم العمل في مكتبها بالشيخ جراح. رحب جميع زملائه به، واعتبروه مفتاحا مهما لعلاقات تعاون مع وسائل إعلام كندية أيضا.

ذات يوم، وكان قد مضى على وجوده في البلاد، ثلاثة أشهر، كلّفت وكالة «خبر» خالد بتغطية مسيرة احتجاجية ضد جدار الفصل العنصري، جنوب بيت لحم، شارك فيها عدد من النشطاء الأجانب. وحدث اشتباك بين المحتجين وقوات الاحتلال وجد خالد نفسه طرفا فيه. فاعتقل وسجن لمدة أسبوعين، أطلق سراحه بعدها شرط أن يغادر البلاد. استيقظ حلم خالد القديم. طلب الانتقال إلى غزة والعمل مراسلا للوكالة هناك، وحظي طلبه بالموافقة.

في غزة استعاد خالد دهمانيته . صار الابن الكندي للعائلة التي رحبت به وفرحت كثيرا . لكن فرحتها كانت قصيرة . فقد استشهد خالد في إحدى غارات الطيران الإسرائيلي على أطراف بلدة بيت حانون في أثناء قيامه بعمله ، بعد أقل من ثلاثة أشهر على انتقاله إلى غزة . فجع زكريا ، وفجعت العائلة التي قدّمت في الانتفاضة الثانية تسعة شهداء . لكن استشهاد خالد كان الأكثر إيلاما للجميع . الآخرون شيعوا كما يليق بجنازات ، حتى من سارت جنازتهم تحت قصف الطائرات الإسرائيلية . أما خالد فلم يتمكن والداه وشقيقاه من الحضور إلى غزة والإشراف على دفنه . حينذاك ، تدخلت السفارة الكندية في تل أبيب لدى إسرائيل ، واحتجّت على مقتل مواطنها خالد زكريا دهمان ، وأبلغت والده ، استعدادها لتأمين نقل جثة ابنه إلى مونتريال . حين تلقى زكريا البلاغ من السلطات في مونتريال ، صرخ نادبا ، كأن ابنه قتل مرتين : «ابني رِجع ع فلسطين واستشهد فيها .. بدْكم اياني ادفنه في كندا غريب!» وأبلغ الجهات المعنية ، بأنه قرر أن يدفن ابنه في أرضه وبين أهله . ودفن خالد في مقبرة جباليا في غياب والديه .

صدمتني القصة ولم يصدمني الحدث . فقد شاهدت ، بحكم عملي في الصحافة ووسائل الإعلام الأخرى ، عددا من شبان العائلة يسقطون من قوائمها تباعا ، خلال غارات إسرائيلية وقعت في الشهور الأخيرة ، لم أتوقف كثيرا عند الأسماء ولم أحفظها ، فأغلب من راح ضحيّتها ولد في سنوات غربتي المتواصلة منذ العام 1967 . ويشمل ذلك من سقطوا في تصفية حسابات سياسية وحزبية داخلية بين جناحي العائلة الحمساوي والفتحاوي .

اتخذت قراري في حضور جنين ، بزيارة زكريا وعائلته مساء ، قبل سفري ، لتقديم عزاء تأخر عن موعده سنوات ، وتأسفت لذلك . كنت أعرف أنني سأستحضر بقعة سوداء أسقطها فوق مساحة فرح أبيض . لكن اللقاء كان ضروريا في كل الأحوال ، بالإضافة إلى رغبتي في التعرف أكثر

130

على أبي خالد ، وعلى تجربته الكندية . وأبدت جنين رغبة في مرافقتي ، فرحّبت .

غادرنا مقهى «فان اوت» قرابة الحادية عشرة ، تتمشى تحت أقدامنا الشوارع ، تغازل المحلات التجارية ويافظات المطاعم أنظارنا . استوقفتنا عروس فاتنة في متجر لبيع أثواب الزفاف . ركزت نظراتها على جنين فتعلّقت بها ، ولم تزل مسحة حزن على ملامحها . التفتّ إليها ، محاولا إخراجها ونفسي من ظل حكاية خالد دهمان ، وسألتها ما كان علي أن أسألها منذ وقت طويل :

«صحيح جنين . . ليش ما اتجوزتي لهلأ؟!»

«فاجأتني .»

ردت . وبعد صمت محسوب ، قالت : «انخطبت خمس مرات ، بتصدّق!»»

«فاجأتيني إنت هالمرّة؟!»

وتابعت مازحا : «كإنّك ماري منيب مدوباهم خمسه .»

ضحكتْ ، وخالط ضحكها كلام : «هاها ليش لأ؟ بِطلع لي أخطب عشرين مرّة ، مّهي الخطوبة في بلادنا جيزة مع وقف التنفيذ» .

مرّت لحظات صمت ، تأملناه قبل أن تقطعه جنين قائلة ، إن أول شاب تعرّفت إليه ، سارع إلى خطبتها . كان مستعجلا كأنها ستطير من بين إيديه . وحين اقترب موعد عقد قرانهما ، عرض على والديها أن يقيما ، بعد الزفاف ، في نابلس . رفض والدها محمود دهمان ذلك ، وأضافت هي رفضها إلى رفضه . وفشل الزواج قبل أن يبدأ .

أما خطيبها الثاني ، فكان من مدينة أم الفحم ، التي تقع في المثلث الشمالي في فلسطين . «كل شي فيه بياخد العئل» قالت . لكنها قالت أيضا ، إنه بعد اعلان خطبتهما مباشرة ، راح يزنّ عليها ويطن مثل الذباب الأزرق . يتعَظّرَت ويتمظرت : «بدِّك تعيشي معي في ام الفحم لازم تتحجبي . لِحِجاب

عِفة يا جنين . لحجاب تاج ع راس المره بصون كرامتها يا جنين .»

ظلّت جنين ترفض ، وتحاول إقناع خطيبها بأن يقبلها كما هي من دون جدوى . في النهاية ، استغلت زيارة قام بها ووالداه لبيت والديها ، وصرخت في وجهه : «انت ايش مْفكرني ، واحدة من بنات الشوارع ناقصة شرف أو كرامة . لحجاب عفّة ، لحجاب ستره . .حل عن سماي يا . .» خلعت خاتم الخطوبة من إصبعها ورمت به في وجهه ، وألحقته قولها : «حبيبي اذا شايف حالك مُغْرَم بِلحجاب لهالدرجة ، اتجوّز واحدة محجبة جاهزة ، شو بِدّك بالتفصيل .»

تشاركنا معا ضحكا بحجم الحكاية ، قبل أن تنتقل جنين إلى تجربتها الثالثة وتقول ، وسط اندهاشي بما قالت وستقول ، إن خطيبها رقم ثلاثة كان أميركيا من أصل سوري من حمص . طلب منها التنازل عن جنسيتها الإسرائيلية والإقامة معه في أميركا . قال لها بالحرف الواحد : «ليكي ، ما بدّي حدن يقول لي متجوِّز إسرائيلية ويتّهمني بالتطبيع .»

شطبته من حياتها . قالت له قبل أن تمحوه : «حبيبي ، اني ولدت في فلسطين ، ورح اموت في فلسطين . الجنسية الإسرائيلية بالنسبة الي مواطنة وحقوق ، صحيح إنها ناقصة ، لكن بتخلّيني باقية في بلدي .»

لم يستوعب ما قالته ولم يقتنع به ، وخرج من حياتها مشطوبا ممحوا .

أما الرابع ، فأحبته جنين كما ينبغي لعاشقة أن تحب ، مع أن معرفتهما لم تكن طويلة . كان سامي شابا وسيما ، حنونا ، دافئا مثل كلام العشاق في مراحله الأولى . كان من الناصرة . جاء إليها والده من بلدة الخيام في جنوب لبنان قبل النكبة بسنوات . افتتح محلا صغيرا لصناعة الأحذية ، في سوق الناصرة الذي أصبح اليوم ، السوق القديم . وعمل إسكافياً لسنوات طويلة قبل أن تغزو المجمعات التجارية المدينة ، ويتحول الناس إليها طلبا لأحذية حديثة جاهزة . رزق بثلاثة أبناء ، كبروا وعملوا في وظائف مختلفة . وذات يوم ، قرر الأب الرحيل عن الناصرة والعودة إلى

الخيام . قال إنه يريد أن يمضي ما تبقى من عمره في مسقط رأسه . ورحل وعائلته فعلا إلى هناك ، واستقر الوالدان في الخيام ، بينما عاش اثنان من أبنائه في بيروت وعملوا بها ، بعد أن استعاد الجميع الجنسية اللبنانية ، وتنازلوا عن الإسرائيلية ، ما عدا سامي ، أصغر أبنائه الذي رفض العودة إلى لبنان ، وأصرّ على البقاء في الناصرة . لكنه بعد رحيل العائلة ، لم يمكث في المدينة طويلا ، وانتقل إلى يافا للعمل موظفا في بلدية تل أبيب - يافا ، حيث تعرّفت عليه جنين ذات مراجعة للبلدية .

صمتت جنين ، وخالط ملامحها نكد مفاجئ ، خرجت منه بعد لحظات تتنهد بعمق وتقول بحسرة غامضة :

«يا ريتها كانت هيك؟»

سألتها :

« شو هيّ؟»

التفتت إلي بحدة :

«لحكاية .»

ثم أخذتني إلى الانتفاضة الثانية التي انطلقت في 28 سبتمبر عام 2000 . وذكرتني بحادثة شهيرة وقعت بتاريخ 12 أكتوبر من العام نفسه ، عندما حاصر عدد من الشبان الغاضبين رجلين مدنيين في سيارة «فورد» كانت تتجول قرب مدرسة الفرندز ، في رام الله ، اشتبها في كونهما من الوحدات الإسرائيلية الخاصة . وقتها تدخّلت قوة من الشرطة الفلسطينية وقبضت على الرجلين ونقلتهما إلى مقرها القريب . لكن جموعا من المواطنين الغاضبين احتشدت حول المقر ، ثم داهمته وقتلت الشابين .

ولم أفهم علاقة الحادثة بخطوبتها لسامي النصراوي :

سألتها . ردت بينما تتأمل ملامحي :

«سامي كان واحد من لِتْنين اللي قتلوهم الناس في مقر الشرطة . . يعني خطيبي . . بتسدّق إنه كان . . .»

«شو؟!»

«سامي طِلع مش سامي . اسمه الحقيقي طِلع صموئيل سمحون . ضابط إسرائيلي في وحدة مستعربين ، انتحل شخصية سامي قبل سنوات ، وعاش بها ، خارج الناصرة طبعا ، وتعرّفت عليه بها ، وخطبني بها .»

لم أقتنع برواية جنين ، وإن كنت قرأت عن زواج مستعربين وأعضاء في الموساد من فلسطينيات ، بعد أن انتحلوا شخصيات فلسطينية ، ومنهم من درس الدين الإسلامي بعمق لإتقان دوره . وبعضهم أنجب من زوجته وأجبرها على اعتناق الديانة اليهودية وإخفاء ماضيها عن أبنائهما . لو كان ما حدث لجنين صحيحا لقرأت أو سمعت عنه على الأقل .»

«وسامي الأصلي؟!»

«كل ما عرفته هو أنه اختفى من الناصرة بعد رحيل عائلته بشهور .»

قلت مازحا وسط حكايات ضبابية غريبة لا تحتمل المزاح :

«طيب وشو قصة الخامس اللي رح تتجاوزي فيه تعاليم الشرع؟»

قالت ولم تزل تنبش عن بقايا دهشة بين ملامحي :

«هوّ في أول وثاني عشان يصير في خامس؟ إنت سدّقت يا ابن عمي؟! هذول الأربعة أبطال قصص قصيرة أنوي كتابتها ، تعالج قضايا المرأة في لِبلاد .»

أعجبتني حكايات جنين ، وأغرقتني في ضحك مفاجئ أجبرها على مسايرته . ومن وسط الضحك ، كرّرت عليها سؤالي الأخير بمزاح أليف :

«طب والخامس يا جنين؟»

قالت ومشاعرها ترقص في عينيها :

«الخامس رح يكون الأول فعلا يا وليد . الخامس هو الحقيقي الغير شِكِل ، مع انه علاقتي فيه لهلأ افتراضية . أني ويّاه رايحين جايين ع

الماسينجر . انمضّي ساعات نتحاور ونحفر جوّاتنا لنتعرف ع بعض أكتر . بتمنى يكون هو اللي رح يرفع عن وجهي حجاب السعادة ، لحجاب الوحيد اللي بتحبه كل البنات ، لأنه ما بخبّي فرحة العروس بليلتها . شوف ما احلاها وهي محجّبة بقماش التُّل الابيض .» وأشارت إلى الموديل التي كانت تقدّم من خلف زجاج المعرض فستان زفاف يغري أي فتاة مارّة بالزواج .

«إيش اسمه؟»

سألتها .

«باسم .»

توقّفنا لبعض الوقت أمام مدخل فندق «ريتز كارلتون» ، بينما شمس الضحى ترافق السياح وتقدّم لهم تفاصيل المدينة الرائعة . شكرت جنين على القهوة اللذيذة والبيغل ، وعلى جلستنا تحت مظلة من الحكايات التي تواصلت على وقع خطواتنا ، ولم تنته . ثم افترقنا .

الحركة الثالثة

محارق صغيرة

أقلعت الطائرة . قدّم لي جاري في المقعد المجاور إلى يميني ، نفسه في بادرة سبقت استقرار مخاوفي التقليدية التي ترافق الإقلاع عادة :

«نادني إدوارد . أنا أميركي من دالاس ، حتما تسمع بها ، وأعمل في شركة للتراكتورات والجرافات في القدس . في الواقع أنا متخصص في صيانة جرافات «كتربِلر» الشهيرة ، لابد أنك سمعت بها!»

«هاهاهاها . . اسمعت فيها وبس!»

وله همهمت :

«of course of course» .

صمت قليلا ، وطورت همهمتي السرية : «جرافات أميركية عظيمة ، فعالة ، وقادرة على تغيير جغرافية الضفة الغربية وقطاع غزة بالكامل . ألم تساهم في إقامة الجدار العنصري؟ ألم تهدم وتجرف مئات منازل الفلسطينيين وبيوتهم؟ ألم تقتل جرافتك المفضلة إسرائيليا ، بلدياتك ريتشيل كوري ، في 16 مارس 2003؟ حقا ماذا يفعل مثل هذا الرجل في القدس ، وماذا يجرف غير ما نعرفه؟!»

لم تزعج همهمتي جاري الذي بدا مرتاحا ، بينما ينتظر منّي أن أعرّف بنفسي . لكني لم أكن مضطرا لذلك ، فنحن لسنا على موعد متفق عليه أصلا .

خرج الرجل عن صمته ، وبدأ ثرثرة سريعة الإيقاع ، جعلتني أظن أنه حلاق في مخيم للاجئين الفلسطينيين . بددّ نصف ساعة من وقت

خصصته لقراءة المزيد من رواية جنين دهمان «فلسطيني تيس» ، التي يفترض أن أنتهي من قراءة كل ما وصلني منها ، أو الجزء الأكبر منه على الأقل ، قبل أن نلتقي في يافا . ثم مدد ثرثرته دقائق أخرى ، من دون أن يستأذنني أو يختبر رغبتي في الاستماع إليه .

طرح عليّ ، خلال ما يقارب الأربعين دقيقة ، أسئلة لا تستحق الترحيب . سأل عن أدق تفاصيل رحلتي وزوجتي . كان مثل جرافة لا تلتقط أنفاسها بعد قلع زيتونة في أرض فلسطينية ، حتى تزيل بيتا في مكان ما من أرض فلسطينية أخرى . في النهاية ، لم أعرّف نفسي أمامه ، لكني أخبرته بأنني وزوجتي في زيارة قصيرة للبلاد ، نحل خلالها ضيفين على صديق لنا في منزله .

وبدلا من اسكاته ، شجعته كلماتي على متابعة أسئلته . سألني بفضول سمج ومثير للشك ، إن كنت إسرائيليا . سألني إن كنت يهوديا . سألني إن كان لي أصدقاء إسرائيليون . سألني إن كنت أزور إسرائيل للمرة الأولى . سألني إن كنت زرت القدس من قبل . . سألني إن كنت سأزور الأماكن المقدسة . قال عنها ما يعرفه العالم كله . سألني إن كان لي أصدقاء فيها . سألني إن كنت زرت حيفا من قبل . سألني إن كنت زرت منزل مضيفي بالذات ، أو أعرف عنوانه . ثم راح يتجول في منزل صديقي ، الذي لم أزره شخصيا ولم أتعرف عليه . سأل إن كانت للمنزل شرفات لجلسات الصيف المسائية ، أو نوافذ يتنفس منها . وقال كمن يكشف سرا : «أنتم المتوسطيون تحبون الشرفات وجلسات المساء التي تعقب قيلولتكم . احسدكم على كسل ما بعد الظهيرة . جميل أن يمارس الإنسان نوعا من الكسل في هذه البلاد .»

توقف عن الكلام فجأة . لكن ذلك لم يدم أكثر من بضع ثوان ، أطلق خلالها زفرة عميقة ، كأنها استراحة بين ثرثرتين ، فاسترحت معه . وقبل أن ينفلت لسانه مجددا ، سارعت أقول له ، إن باستطاعته تعلم كسل ما

بعد الظهيرة الشعبي السائد في هذه البلاد مجانا . ويبدو أن قولي أراحه ، فأضاف استفسارا جديدا : «هل يطلّ منزل صديقك على جبل الكرمل ، أم على البحر؟»

قلت لنفسي حتى لا تفاجأ وتفاجئني : «هذا الأميركي الغريب ، سيرافقنا في رحلتنا بعد هبوط الطائرة . وسوف نضطر إلى تقديمه لمضيفنا فور مغادرتنا باب الخروج في المطار حيث ينتظرنا!»

فكّرت في الرد على جاري بفظاظة . لكني لم أفعل . ولم أصرخ في وجهه . كان ينبغي لي أن أصرخ : «وانت إيش دَخْل اللي خَلّف أبوك؟ حل عن سمايا يا زَلَمه!» ، بل قلت بتهذيب إنجليزي لئيم : «هذا أمر لا يشغلني كثيرا ، لأنني سأتجول في حيفا ، وأتمشى قليلا على شواطئها ، وأزور أحياءها العربية القديمة ، وأصعد جبل الكرمل الذي تنام المدينة في حضنه منذ ظهرت ، تمد ساقيها نحو البحر ، وتبلل قدميها بمياهههههه» .

وتثاءبت الكلمة الأخيرة بعينين مغمضتين ، قبل أن أغلق فمي على لعنة حاولتْ الخروج .

لم يعلق جاري ، ولم يطرح استفسارا آخر بعد ذلك ، كأنما أصيب بشلل كلامي ، حتى إنه لم يتثاءب ظنّا منه أنه قد يدفع ثمن ذلك .

أفقت من نومي الكاذب بعد دقائق . لمحت بطرف عيني ، ظهر جاري يحدّق بي وقد بدأ ثرثرة لا قيمة لها ، مع شاب يهودي ذي جديلتين تتدليان أمام أذنيه . فهمت ، مما تناثر من حوارهما ، أن الشاب طالب جامعي ، وأميركي مثله ، وأنه يزور القدس لدواع دينية بحتة .

كانت جولي تتابع قراءة رواية أهداف سويف «In the Eye of the Sun» ، ولابد أنها غارقة ، الآن ، في تفاصيل علاقة آسيا بسيف . حدثتني عنها قبل يومين . قالت إن آسيا تعيش منذ زواجها بسيف ، قبل ثلاث سنوات ، بلا علاقة جنسية ، وأنها تعشق جيرالد الذي يعوّضها صقيع

فراش سيف ، تاركا لها ، روحا عطشى ترويها من حين لآخر ، من بقايا حب زوج بلا جسد .

أخرجت أوراق رواية جنين من الحقيبة الصغيرة ، وقد ازدادت رغبتي في التعرف أكثر على «باقي هناك» ، الذي سيتبين لي أنه لم يكن تيسا بالوراثة ، على ما ذهبت إليه جنين ، حين اعتبرت التياسة جينة يتوارثها الدهامنة . إذ إن حادثة ثانية وقعت في حياته ، بعد تركه زوجته الأولى وابنتهما في غزة ، رسّختْ هذا الاعتقاد عند كل من عرفه . وهذا ما كتبته جنين :

ذات بعد ظهيرة عادية ، استغلت جارته اليهودية افيفا ، غيابه وعائلته عن البيت ، ورشت على حائطهم المجاور زجاجة كيروسين ، وأشعلت النار فيه ، وراحت تصرخ «شوأاه . . شوأاه» ، حتى ملأت حارة الجمل في اللد صراخا . هرع الجيران إلى مكان الـ«محرقة» . وهاتف أحدهم شرطة المطافئ فحضرت من دون تأخير ، وتولت إخماد الحريق قبل أن ينتشر . وجاء رجال الشرطة ، وفتحوا تحقيقا لا لزوم له ، إذ تنازل «باقي هناك» الذي حضر من محل «دهمان لغسل وكي الملابس» الذي يملكه ، بعد تلقيه النبأ ، عن حقه في حضورهم . وسامح جارته وعفا عنها ، ورفض مقاضاتها . قال «خلّينا انحلها حل عرب .» ، مع أن الطرف الثاني ، المتهم ، ليس عربا . قال لضابط الشرطة الذي تولّى التحقيق في الحادث : «غِفيرت أفيفا وحيدة وغلبانة وما حدِّش بيعتب عليها . اللي شافته في حياتها ما شافه بشر ، اللي شافته جنَّنها وأفقدها أعصابها . شِلوهيم يعمود لِتْسيداه ، الله يساعدها ويكون فِ عونها ، زي ما بتقولوا بلغتكم اللي ما بنستغني عنها لحتى تفهمو علينا .»

أعجب الضابط بما قاله «باقي هناك» ، وقدّر له عفوه عن مواطنته وتعاطفه مع ماضيها . ورطن بالعبرية التي يفهمها الجميع : «لو كل العرب زي هالزلمه ، لَكُنا حرقنا كل بيوت العرب وهمّ مبسوطين ع الآخر .»

كان «باقي هناك» شيوعيا تعترف اللد والرملة بزعامته ، ويسلّم له بها سكانها العرب وبعض اليهود . وكان يرى في الماركسية طريقا لخلاص البشرية من شرور الرأسمالية البغيضة وجشعها ، ولشعوب الشرق من الاستعمار الغربي والطبقات الاجتماعية المرتبطة به والمتعاونة معه . وكان يعتقد بأن الفلسفة المادية عظيمة استحقّت أن يعجب بها ويعتنقها ، وأنها لا تدعو إلى الإلحاد ، لكن مؤسسيْها العظيمين فريدريك إنجلز وكارل ماركس ، ضلا طريقهما إلى الله وأضلا نظريتهما ومن تبعها بعدهما ، وقرّباه من نار جهنم (وهذا ما أعجب حسنية ، زوجة «باقي هناك» ، وجعلها تؤمن بما آمن به زوجها وعلى طريقته) . وكان «باقي هناك» ، يعتقد بأن الفلسفة المادية قاصرة ، تفتقر إلى «باقي هناك» حقيقي مثله ، أو يشبهه على الأقل ، يوصلها إلى الله ، وأنها بحاجة إلى من يعيدها أيضا ، إلى البشر . تصوّف «باقي هناك» - وتصوفت بعده حسنية - وأقنع نفسه بأنه سيقوم بتصويب النظرية في طريقه إلى إلله ، حيث يصلان ، هو والنظرية إلى ملكوته معا ، في لحظة تجلّ صوفيّة يتوحّد فيها مع الكون وخالقه .

وأحب «باقي هناك» أميل حبيبي ، كثيرا . وعندما نال أميل جائزة الدولة الإسرائيلية للآداب عام 1992 ، وتسلمها من رئيس الحكومة آنذاك ، إسحق شامير ، في احتفال رسمي بهي ، فرح «باقي هناك» ، وقال : «الرفيق أبو سلام اتفوّق على أدبائهم ، ورفع من شأن الأدب العربي ، وقعد فوق روسهم كلهم ودَندَل رجليه ، كأنه قاعد ع صخرة وامَّدِّد رجليه في ميّة البحر . طبعا بيطلع لُه يحط اصبعه في زورهم كلهم ، بعد ما صاد السمكة لكبيرة في البلاد ، سمكة الأدب والثقافة . أشهد بالله العظيم (وكثيرا ما كان يشهد بالله العظيم) إنّه هالزلمة رفع رأسنا لفوق فوق ، بس أوطى من العلم الإسرائيلي اللي مشي تحته وخلاّه أعلى من راسه ومن روسنا كلنا .» وبكى . بكى «باقي هناك» يومذاك في عز الفرح . بكى لاميل حبيبي

وعليه . ورأته حسنية يبكي ، ورأت دمع فرح بلون الفاجعة على وجنتيه .
وساعدته في البكاء ، ولم تتوقف عن ذرف دمعها بينما تسأله «بدّك كمان
ابو فلسطين؟» ، حتى مسح «باقي هناك» آخر ما سال من قطرات دمع من
عينيه . ورد عليها : «ما تستعجليش يا حسونتي ، خللي الدمع الساخن
ليوم العازه . بكره بنحتاج دمع كثير .»

مثل «باقي هناك» أحبت حسنية إميل حبيبي والشيوعيين . وكانت
تنعشها سيرة الرفاق . كانت تقول إن للحديث عن رفيق ما ، رائحة عرق
الفلاحين في موسم الحصاد . وكانت تشمّ رائحتهم في بيان أو ملصق أو
خبر في جريدة «الاتحاد» . وكانت تقول (ولم تزل عند قولها إلى يومنا
هذا) : «لولاهم كان ما صار النا في بلادنا لا طعم ولا لون .» وكانت تثابر
على قراءة كتابات أبي سلام ، ولا تفوتها أبدا متابعة ما يكتبه «جهينة» .
لكنها منذ تفكك الاتحاد السوفياتي ، وتشتت الرّفاق المحليّون ، وهي
تستخدم الجريدة بعد الانتهاء من قراءتها ، في أمور تخالف قناعاتها ، كما
يخالف مؤمن عقيدته . وذات يوم ، فاجأت حسنية «باقي هناك» بما لا
يتوقعه :

«بْتِعرِف يابو فلسطين ، إنّي بعد ما اعبّي راسي بأفكار ابو سلام ،
بَسْتعمل جريدة الاتحاد لتنظيف قزاز الشبابيك .»

صدم «باقي هناك» ، وأثار قول حسنية استغرابه في البداية . لو كانت
حسنية قالته أمامه قبل سنوات فقط ، لخلع النوافذ من الحيطان ورماها بها .
أما الآن ، فالأمر يثير التساؤل فعلا : «لماذا نظف ورق صحيفة «الاتحاد»
الشبابيك ولم تنظف أفكار الرفاق ومقالاتهم عقول البشر في بلادنا؟»

ثم صرخ : «نظّف زجاج نوافذك بأفكار الشيوعيين . . الماركسية تنظف
أكثر»

أعجبه صراخه ، واعتبره استغاثة أيديولوجية . وتمنّى لأول مرة في
حياته ، وستكون الأخيرة ، لو أن البحر اختفى وتصحّرت البلاد ، وصارت

144

تأتيها ريح من خمس جهات وما بينها ، محملة بكل أنواع الغبار ، بما فيه النووي المحلي الذي قد يأتي من مفاعل «ديمونة» في النقب ، والمستورد من صحارى أكثر قحلا ، تلقي بأحمالها على شبابيك البيوت القديمة والجديدة ، وتلك التي وضعت الدولة أيديها عليها باعتبارها «أملاك غائبين» ، وأسست لها دائرة ما تزال تحمل اسمها إلى اليوم .

أبسَم «باقي هناك» نفسه فابتسمت ، بينما يهمس لها ويوشوشها : «هيك ريح رَح ترفع مبيعات جريدة حزبنا للسما» .

وأعاد صرخته الأخيرة : «الماركسية تنظف أكثر .»

وضحك «باقي هناك» بصوت عال . ثم بكى بصمت أعلى على ما وصلت إليه حال اليسار في البلاد . وساعدته حسنية في البكاء هذه المرة أيضا . وسألته ما سألته من قبل : «أساعدك بِدمعتين يا بو فلسطين؟ بِحْياة الله تاخذ لك نُقُطّتين . . يا زلمه والله عندي اللي يكفيني لكل المصايب ، من سنة الثمانية وأربعين وأني بَجَمّع دموع .»

أفيفا تموت مرتين

ماتت أفيفا ، جارتنا الحيط في الحيط . ماتت في حضورنا ذات مساء . دهمتها نوبة عصبية هي الثانية خلال أسبوع . جاءتها مبكّرة هذه المرّة ، استبقت صحو الليل وقعدت على بابه . جاءت مثل إنذار يعلن علينا منع النعاس ويشجعنا على القلق . استجاب معظمنا لصرخات جارتنا وقلِق . وغفا بعضنا ، ثم صحا على نوبة ارتدادية غير متوقعة ، أيقظت الفجر قبل موعده . تقلّبنا جميعا على وقع صرخات أفيفا المتقطعة ، وعاد بعضنا وغفا وكنت من بين الغافين .

قال «باقي هناك» ، الذي يؤم استيقاظنا ، أحيانا ، ويؤذّن له باستمرار ، بينما يتناول إفطاره ، إنه نام مستيقظا يوزع قلقه على امتداد الليل بعبارات متوازنة : يترحم على افيفا قليلا . يلعنها قليلا . يلوم نفسه على عودته إلى البلاد قليلا . ثم يعتَب على الحظ ويعاتبه قليلا على ما اختاره له ولعائلته من جيرة إجبارية تضغط على الأنفاس ، بين امرأة يهودية يسكنها ماض توزّع تفاصيله المرعبة علينا ، كأنما لا يكفينا حصتنا الكبيرة من النكبة التي ابتلينا بها ، حتى تعطينا حصة إضافية من ماض لا علاقة لنا به ، وبين حلمي مطر ، جارنا الفلسطيني اللداوي ، الحشاش المزعج ثقيل الدم ، في الجهة الأخرى ، الذي كانت جيرته تضاعف نكبتنا .

في تلك الليلة الاستثنائية ، التي اختفت تفاصيلها في صرخات افيفا ، سمعتْ جارتنا أصوات جنود يتهامسون . وحسب رواية لاحقة لأبي ، منقولة عن شكوى جانبية من زوج افيفا شاؤل شامير ، رأت جارتنا يافطة كبيرة تركض أمام عينيها ، راحت تقرؤها «إلى أهالي مدينة كييف

والمناطق المجاورة ، عليكم الحضور في الساعة الثامنة من صباح يوم الاثنين 29 سبتمبر ، إلى شارع دورغوزيتسكايا القريب من المقبرة اليهودية ، مع أموالكم ووثائقكم وما تملكون من أشياء ثمينة وملابس ثقيلة . عقوبة من لا يحضر هي الإعدام .»

ركضت أفيفا الشابة في طريق جانبي تقود إلى بابي يار ، مرصوفة بعظام آدمية . كانت السماء تمطر بشرا عراة خفيفين ، ما إن تلامس أقدامهم الأرض حتى يركضوا كفراشات . تحسست جسدها . غاصت أصابعها في لحمها العاري . عبثا حاولت إخفاء أشيائها الحميمة . سقطت في حفرة . تساقط كثير من التراب والجثث عليها . نهضت . ركضت مجددا . سقطت في حفرة أخرى فوق أجساد دافئة . رفعت رأسها ، رأت أربعة جنود يصوّبون نحوها فوّهات بنادقهم في وضع الاستعداد لإطلاق النار . «شاؤلي!» هذت باسم زوجها ولم تزل نائمة . ثمّ استيقظت ، وهذت مستيقظة . كان من رأتهم من الجنود يشبهون الجنود ، ويعتلون الجدار المجاور لجدار بيتنا والموازي له ، الجدار نفسه الذي سبق أن رشّت عليه أفيفا الكاز وأشعلت فيه النار . قفز الجنود إلى فناء البيت ، وانتصبوا بقاماتهم العملاقة على باب غرفة نومها فأغلقوه . صرخت أفيفا كما لم تصرخ من قبل . استيقظ شاؤل ، واستيقظ جميع من في بيتنا على صراخها : «ألمان شاؤلي ألمان .» وظلت على هلوساتها تلك ، ثلاث ساعات متواصلة (يحسب شاؤل دقيقة هستيريا زوجته بساعة) . راحت تفحّح بعدها ، مثل ثعبان يزحف على الرمل في صيف قائظ ، إلى أن همدت تماما وخمدت . عندها ، تيقّن شاؤل من أن النوبة لم تعد تطيق البقاء مع زوجته أكثر من ذلك ، وأنها قررت الرحيل ، وربما التوقف عن زيارة أفيفا بقية العمر ، لأنه لم يعد لأفيفا عمر ولا بقية .

«لا نوبات تقلقك بعد اليوم يا شاؤل .»

تمتم لنفسه . وبعد صمت قصير ، استأنف تمتمته التي راقته : «ولا

147

أفيفا تضع همّها على همّك وتندبان حظكما معا .»

أدرك شاؤل أن صمت أفيفا مستحدَث ، وأنه لم يختبر مثله طوال حياتهما معاً . صرخ : «أفيفا ماااااتااااااااات .»

ولم يسمعه أي منا أو يدرك وفاة جارتنا . كان شاؤل وحده من أدرك ذلك . كان وحده من سمع نفسه يندب موت أفيفا .

فكّر شاؤل شامير ، جار «باقي هناك» المتقاعد ، الذي شارك في أربع حروب ضد العرب ، وأكمل سنواته في خدمة الاحتياط ، في ترتيب جنازة تليق بزوجته . تناسى ، مؤقتا على الأقل ، غيرته من كون الراحلة إحدى أبرز الناجيات من مذابح اليهود التي جرت في وادي بابي يار ، في كييف الأكرانية ، في أحداث 29 و 30 سبتمبر 1941 . وكان يحسدها على ما ورثته من محنة اليهود المعاصرة ، ويندب حظه لخلو حياته من مأساة يبيعها للحكومة ، تبرر بها حروبها ، وتبيعها بدورها للعالم ، وتتلقى تعويضات من الحكومات الألمانية المتعاقبة ، التي تورث شعبها جيلا بعد جيل ، ما اعتبرته تسديدا لفواتير الفظائع التي ارتكبها هتلر بحق اليهود .

نسي شاؤل كل ما فرّق بينه وبين أفيفا ، وقرر أن ينتمي إليها في مماتها على الأقل . فكّر في جنازتها ومتطلباتها . فكّر في نوعية الزهور التي سيحضرها لها . فكّر في مكان دفن أفيفا ، وفي ما سيقوله في كلمة التأبين التي سيلقيها أمام رسميين حكوميين ومندوبين عن الوكالة اليهودية ، وحاخامات الطائفة الذين سيتقدمون الجميع لحظة وداعها . ولم يستبعد شاؤل حضور المستشار الألماني الذي تحرص بلاده على أن تكون على رأس المشاركين في جميع المناسبات المماثلة ، لتقديم العزاء في من مات من اليهود ومن أصبح على لائحة الموت .

فكّر شاؤل في ذلك كله وتخيّله . ابتسم لنفسه سعيدا . ورسم ، بكثير من الفخر ، جنازة مهيبة تليق بالفقيدة ، متمنيا ألا تفوت عرب البلاد فرصة المشاركة بها ، خصوصا وأن بعدا دوليا لها ليس مستبعدا ، ولا ينبغي

أن يغيب الجيران العرب عنه إن تحقق ، إذ يتوقّع شاؤل مشاركة الرئيس الحالي للولايات المتحدة الأميركية ، مستبعدا انضمام رؤساء سابقين غيروا مواقفهم المساندة لإسرائيل ، بعد تركهم مقعد الرئاسة . لم ينزعج شاؤل لهذا ، إذ تذكر أن إسرائيل ستعوض عن غيابهم بحضور زعامات الدول التي وقّعت اتفاقات سلام معها ، أو حتى أرست بعض أشكال التفاهم من دون حاجة إلى توقيع . كان متأكدا من ذلك ، مؤمنا بأن الكل جار ، والجار للجار ، والعزاء واجب ، والموت لا يفرق بين البشر .

اقتنع شاؤل بفكرته وأقنعته . قرر استباق المراسم كلها ، ودعوة محمود دهمان - ولم يكن يعلم أن الآخرين ينادونه «باقي هناك» - للمشاركة في الجنازة : «في نهاية الأمر ، محمود جارنا منّا وفينا ، جارنا وإسرائيلي مثلنا» . قال لنفسه . وقال لها أيضا ، أشياء أخرى لا نعرفها ، لأنها بقيت بينه وبين نفسه .

ثم اتصل بجاره محمود ودعاه .

شكر «باقي هناك» جاره شاؤل كثيرا على مجرد التفكير في دعوته للمشاركة في جنازة أفيفا ، وعلى ما قاله سرا لنفسه أيضا ، لأن نفسه كانت حزينة بدرجة ما على افيفا . في تلك اللحظة ، وبعد أن اطمأن الجاران إلى أن مصابهما واحد ، مازحه «باقي هناك» :

«ابتعرف يا شائي (والله ما هي لايقة عليك) إني رح أشتاق لأفيفا . حتى ولادي ، وأولهم فلسطين ، رح يسألوني أول ما أرجع من الجنازة : يابا مين رح يصحّينا في نص الليل ويقلق منامنا ، زي ما إسرائيل قالقة منام المنطقة كلها؟ لا تآخذني في هالكلمتين جارنا . أما جنين ، أنت بتعرفها لجنين بنتي ، أسئلتها غير شكل ، رح تقول لي مستغربة : مين يابا رح يرش كاز على حيط دارنا ويحرقها؟ اني ما تْفَرَّجتش ع دارنا لما حرقتها افيفا زمان؟»

صمت «باقي هناك» لثوان لم يستغلها شاؤل ، فأنهى «باقي هناك»

صمته على عجل وتابع مطمئنا جاره :

«لا تهتم ادون (سيد) شاؤل للي قلته ، وحط في بطنك بطيخة . . واللا بلاش ، البطيخ سعره غالي عليك . أنا ساعات بَخَرفِن وبَخبِّص في الحكي . اسمع ، أنا رح أطمّن جنين بنتي وكل اللي في البيت . رح أقول لهم يا ريت كل الناس زي أفيفا ، على الأقل حرقت البيت ما حرقتناش معاه! إنت عارف أغلب اللي عايشين في هالبلد بتمنو يحرقونا اليوم قبل بُكرة ، ويتفرجوا علينا واحنا مشويّين .»

لكن «باقي هناك» ، قال لنفسه ولم يقل لأي من أفراد أسرته ، إن دعوة شاؤل ، لو صحت ، ستحدث تسونامي نميمة في طول البلاد وعرضها ، (مع أن طول البلاد ، زاد عام 1967 بهضبة الجولان ، في الشمال الشرقي عند الرأس ، وبقطاع غزة وسيناء جنوبا عند قدميها ، فيما زاد عرضها وانتفخ بطنها في الضفة شرقا ، وسرعان ما حملت ولم تكف عن الحمل ، وراحت تلد كل شهر أو اثنين مستوطنة جديدة مع سكانها ، وأحيانا تلد توائم) . وقال لنفسه أيضا ، إن دعوة شاؤل ستؤكد موقفه من المحرقة (شؤأاه) ، واحترامه لضحاياها ، ورغبته في تذكُّر أفيفا مع من يتذكرونها وهم ينزلون جثمانها إلى مثواه الأخير . وسوف يدخله هذا الحدث النادر والمهيب ، سجلات «غينيس» العالمية ، كأول فلسطيني يشارك في مناسبة كهذه ، وتمنى «باقي هناك» ألا ينافسه آخرون .

لكن ماذا لو طلب شاؤل من «باقي هناك» إلقاء كلمة تأبين في هذه المناسبة ، باسم عرب البلاد وعرب الجوار أيضا؟ أو أداء صلاة القاديش على جثمان الراحلة . لقد كان أقرب المشيّعين المحتملين إلى الفقيدة في حياتها ، وتمتّع بعلاقة وديّة معها . ولا بد أن يكون لديه ما يقوله؟ هل سيفعل؟ هل يقول في ربيعة ، كما يناديها ، كلمات تسمعها روحها فتطمئّن وتشكره عليها ، كما تشكره على غضه النظر عن دفنها في قطعة أرض كانت لفلسطينيين مثله؟ حقا ، يموت اليهود هنا يدفنون هنا . يموتون

هناك ، يدفنون هنا . أليس لهم «هناك» ، حيث أقاموا آلاف السنين حتى يأتوا ويشاركوننا الـ«هنا» الوحيدة التي لنا؟

تذكّر «باقي هناك» ما قرأه ذات مساء في التلمود : «تزحف جثة اليهودي الذي مات خارج فلسطين ، بعد دفنها تحت الأرض ، إلى أن تصل إلى الأرض المقدسة وتتوحد معها .»

علّق : «ماشاء الله ، والفلسطيني اللاجئ ما بِصلْها لا حي ولا ميِّت . لا زاحف تحت الأرض ولا ماشي ع رجليه ، ولا حتى هابط عليها مِ السما . الفلسطيني بيزحف ع السويد والدنمارك .»

تساءل : هل يقبل بهذا كله ، أم يلعن النازيين وتاريخهم الأسود ، وما فعلوه باليهود ، وكان سببا في ترحيل الكثيرين منهم إلى البلاد؟

طاف «باقي هناك» بلسانه بلدان أوروبا كلها ، ولعنها تباعا الواحدة تلو الأخرى ، وأحيانا بالجملة ، لتخلّيها عن اليهود إبان محنتهم ، وارتكابها جريمة كبرى بمساعدتهم على الرحيل إلى فلسطين بدلا من استيعابهم عندها . وخصّ بريطانيا بلعنات تاريخية مميّزة . ثم أنهى ذلك كله بطلب الرحمة لروح أفيفا ، جارته التي كانت حياتها ضرورية من أجل أن يكون هناك صراع : «الله يرحمك يا أفيفا ، أخذتي اللي إلنا في الدنيا ، وبكرة رح اتطالبي بنصيبنا في الآخرة .»

مثل ريح باردة ، داهم أفيفا الممددة على سريرها حنين مستعجل للعودة . سوف تُفزع عودتها شاؤل الذي لم يهتم لمخاوفها ، وغض النظر عن احتمالات قتلها بتجاهله الجنود الأربعة وبنادقهم المصوبة إليها ، حتى أنه لم يفكّر أبدا في ضمّها إلى صدره وحمايتها في أثناء هذيانها ، ولا حتى في الهرب بها .

استحضرت أفيفا الميتة ، صراخها الأول الذي أيقظ «باقي هناك» وأفراد عائلته ، وصرخته ، فكان أكثر وقعا وتأثيرا على شاؤل ، وعلى «باقي هناك» نفسه الذي تمتم وهمهم : «رُحتي وجيتي بالسلامة يا جارتنا» .

وحين أعادها صراخها إلى الدنيا ، عانت أفيفا من آثار نوبة هذيان ارتدادية خفيفة . وقالت لزوجها المصدوم بعودتها ، إن عليهما أن يهربا في الحال ، أو يختبئا عند جارهما أدون دهمان ، كما يناديانه .

شكّ شاؤل في أن يلبي محمود دهمان طلبهما ، ويؤمن لهما الحماية معا ، إذ تذكر حوارا دار بينه وبين «باقي هناك» عشية اندلاع حرب يونيو 1967 . حينها ، سأله شاؤل : «لو انتصرتو خبيبي في الخرب واختليتو البلاد ، بتخبيني في بيتك ادون دهمان ، وتِخميني من انتقام الأرب؟»

رد محمود مطمئنا :

«ول يا جار . . ايش هالحكي . . علي الطلاق بالثلاثة من حسنية اللي بيقرِّب عليك لخَلِّص عليه بإيدي الثنتين هذول .»

وضمّ إبهاميه وسبابتيه إلى بعضهما البعض ، وشد بقية أصابع كفيه حولهما كمن يخنق شخصا بالفعل .

وقتها ، تذكّر «باقي هناك» ، أن العرب ، مجتمعين ، لم يربحوا حرب 1948 ، ولا أي حرب بعدها ، وأن احتمال خسارتهم الحرب الموشكة على الاندلاع كبير . التفت إلى شاؤل وسأله :

«طيب وماذا عنكم أدون شاؤل ، ماذا ستفعلون بنا إن ربحتم الحرب؟»

قهقه شاؤل متناسيا كل ما كان فيه ، وصاح :

«مبروك علينا .»

ثم التفت إلى زوجته العائدة من الموت لتوّها ، ونهرها بعصبية : «أدون دهمان لن يخبئنا في بيته .»

رجته أفيفا : «طيب شاؤلي ، خذ انت الجنود الألمان الأربعة واطلب منهم أن يطلقوا عليك النار حبيبي . جرِّب الموت من أجلي ولو مرة في حياتك . أصلا من الضروري أن يقتلك ألماني حتى تحصل على حصتك من الهولوكست مثلي .»

ضحك «باقي هناك» من هذيان أفيفا ، ومن صراخها الذي تواصل

واهنا خلف الحائط في الجهة الأخرى : «لا أريد أن أموت الليلة . لا أريد أن أموت مرة ثانية . موتة واحدة تكفي . . لا أريد أن . . .»

من لم ينم من أفراد عائلتنا ، سمع قرابة الفجر صوت باب يغلق بعنف : إيييييييييع طج ، وصوت شاؤل يلعن أفيفا وسيرتها ، مكررا أنه لن يعود إلى البيت ثانية .

لم يعد شاؤل إلى البيت بعد تلك النوبة فعلا . حتى عندما توفيت أفيفا خارج هذيانها ، بعد ذلك بسنوات ، وصار موتها حقيقة ، وجاءه ولداه إيلان ويوري يبلغانه الخبر ، اكتفى شاؤل بالترحم عليها ، وسألهما إن كانت الحكومة ستواصل دفع تعويضات أمهما الراحلة كناجية من المحرقة أم لا!

«أنا وريثها الشرعي ، لي ماضيها وما ترتب له وعليه .»

قال شاؤل .

أما «باقي هناك» ، فتعاطف مع جارته أفيفا في حياتها ، بعدما هجرها شاؤل ، وبعدما توقّف ولداها عن زيارتها . فمنذ تزوج إيلان وأقام في رامات غان لم يعد يتردد على بيت أفيفا ، بينما افتتح يوري مكتبا للمحاماة في القدس ، وانشغل بقضايا زبائنه .

أكثر «باقي هناك» من تردده على بيت أفيفا ، وصار يمضي معها أوقاتًا أطول من السابق . كان ذلك يضايق حسنية التي لم تكن متحمّسة لإقامة علاقات مع اليهود الذين سكنوا الحي .

قالت أمامه ذات مرّة ، «مش حرام هِلبيوت ياخذوها ناس إجو من ورا البحر ، مفروشة من الكرسي لنكاشة راس البابور ، وصحابها يِرتِميو في الخيام بين سوافي الرمل ويعيشو العمر كلّه مشردين؟ مين بيرضى بهالظلم يا رب؟»

ثم انفجرت ضاحكة وقالت له :

«ابتعرف يابو فلسطين ، إني أوّل ما اتعرفت على عفيفة ، قَعَدَت

تشكي لي واتْسِب ع دائرة أملاك الغايبين اللي اتأجّرت منها البيت . قالت لي إنها لـمّا عبرت ع البيت اللي اصحابو هاجرو أيام النكبة ، ما لِقيَتش فيه عفش كثير . مع إني بقول إنه العفش انسرق . وقالت لي من غير خجل ولا حيا ، إنها لقيت بابور الكاز اللي دشّروه اصحاب البيت وراهم ، إِجْكَم ، عينيه زي عينين جوزها شاؤل ، كل واحْده بتطلّع في جهة . النار بتطلع من راسه من جهتين . وكمان ما لِقيَتش نكّاشة تُنكُش عينه . هَسترت . راحت وقعدت ع التخت في أوضة النَوم ، لِقْيَتْ التخت امْكَلكَز ومْخَلخَل . طار عقلها ، وسبّت ع اصحاب البيت اللي هاجرو قبل ما يصلْحو التخت اللي بينامو عليه ، واستغربت كيف بدها اتنام عليه هيّ وشاؤل . وقالت ابْعَنطزة : (إخس أليهم ، يا اثيب الشوم .) وهالكلمتين اتعلّمتهن منّي مقصوفة العمر .»

علق «باقي هناك» : «ربيعة معها حق يا ام فلسطين . الفلسطينية نَوَر ، غجر ، وقليلين أصِل وما عندهُمّشْ دم ولا حيا . هاجرو من لبلاد ودشّرو وراهم عفش مكركب ، وبوابير ما فيهاش كاز ، ومن غير نكاشات كمان؟!»

منذ انتقل إلى اللد ، لم يتوقف «باقي هناك» عن تشجيع حسنية على إقامة علاقات مع جيراننا اليهود في الحي . كان كلما أظهرت حسنية ترددا ، مكتفية بعلاقتها الحميمة بجارتنا المسيحية أم جورج التي تقيم على بعد بيتين ، قال لها : «إحنا ما فينا نعيش في غيتو على قدنا يا حسنية . احنا في هالبلاد طول عمرها مفتوحة على الدنيا ، وقلوبنا بِتْساع كل البشر ، يا ستي لا تحبيهم ولا تناسبيهم ، بس خلّي علاقتك معهم عادية .» ومع الأيام والسنين ، تغيّرت حسنية وصار لها صديقات من بين جاراتها اليهوديات ، أولّهن عفيفة كما تناديها .

دهمان في غزة

اعتاد محمـود دهمـان الذهاب إلى مبنى الإذاعة الإسرائيلية في القدس ، مرة أو مرتين في العام . يسجل رسالة صوتية تُبث إلى الأهل والأقارب في مخيمات قطاع غزة . يقف بطوله النخيلي وعرضه الذي يشبه جذع زيتونة جبلية معمرة ، في طابور برنامج «سلاما وتحية» ، يتحدث إلى أهله الذين لا يبعدون عنه أكثر من خمسين كيلومترا ، في اتجاه واحد . عبر ميكروفون يأخذ رسالته ولا يعيد ردها :

«أنا محمـود إبراهيم دهمـان ، الملقب بباقي هناك . سلامي وتحياتي إلى ... .»

وضعتُ أوراق رواية جنين على الحامل المعلق بالمقعـد أمامي في الطائرة . أغمضت عينيّ وفكّرت :

لم يتخيل «باقي هناك» رسالته تطوف مخيمات لم يزرها من قبل . تبحث عن أهل ابتلعهم مخيم خان يونس . عن أي منهم يأتي إلى أحد مـراكـز البـريد الإذاعي «أبو لسان» ، الذي لا يعرف طوابع البـريد ولا يحتاجها . لم يتوقع «باقي هناك» أن تتوه رسالته حتى في شارع عام يفتح على مخيم ولا تصل . فالناقل ، راديو مقهى يوجد منه أربعة فقط ، كلها ماركة «فيليبس» الهولندية ، مصممة على شكل سحّارة خيار خشبية ، توزع على اللاجئين وغير اللاجئين ، مجانا ، الأغاني والقرآن الكريم بصوت أبو العينين شعيشع ، أو عبد البـاسط عبد الصمد ، والأخبار ، وبعض المسلسلات الإذاعية المصرية ، وبرامج «دار الإذاعة الإسرائيلية» .

155

لا يعلم «باقي هناك» ، أو جنين أن صاحب الراديو الأول ، محمد أبو مسلم ، كان لاجئا يافاويا ، قتل وأولاده الأربعة في مذبحة خان يونس صبيحة 31 أكتوبر (تشرين الأول) عام 1956 . رحل الرجل وثلاثة أرباع عائلته ، وبقيت زوجته وابنته والمقهى والراديو ، ومن بقي حيا من رواد المقهى بعد المذبحة .

ولا يعرف «باقي هناك» ، أيضا ، أن الراديو الثاني ، كان في «مقهى البلد» وسط البلد . وأن والدي ، أحمد نمر دهمان ، كان من رواده الكبار ، إلى حين وفاته ، في المقهى عينه ، بضربة إشاعة أصابته في كرامته ، وأن الحاكم العسكري المصري لمدينة خان يونس ، كان جليسه الدائم في المقهى تأكيدا على تواضعه ، وتعبيرا عن رغبته في مشاركة مواطني المدينة همومهم . حتما ، كلاكما ، «باقي هناك» وأنت يا جنين ، لا تعرفان أيضا ، أن راديو ثالثًا كان في مقهى درغام . قد تتفاجئين إن أخبرتك أنه أغلق المقهى وخسر زبائنه ، لأن إذاعة شعبية من ألسنة النساء ، روّجت أن ابنته رتيبة ذات الستة عشر ربيعا ، والوجه التفاحي ، والعينين القهويتين ، والصدر المتمرد على حمّالتيه ، والقوام اليافاوي المميز ، حملت من غير زواج ، ولا تعرفان أن من نفخ بطنها هو والدها سليم نفسه ، وأنه – حسب «إذاعة الحنفية» التي تتولى إدارتها وبثها نساء الحارة اللواتي يملأن جرارهن مرة في اليوم على الأقل ، والتي كانت تتوسط حارتنا – أجهض ابنته سرّا ، وأن زوجته ساعدته في ذلك ، وتخلّصا من الفضيحة ومن حفيدهما الذي سيكون ابن سليم .

أما الراديو الرابع والأخير يا جنين ، فكان في مقهى العثامنة ، أشهر المقاهي وأكثرها ازدحاما بالكسالى ، والعاطلين عن العمل ، والقرفانين من أي عمل ، ممن تجمعهم أوراق اللعب وكؤوس الشاي والأراجيل حول طاولات اللعب الصغيرة المربعة ، إلى أن يجلس النعاس على حوافي يقظتهم ، ويكون الليل قد تجاوز منتصفه ، والزوجات قد نمن وتوقفن عن

إرسال أبنائهن بتحذيرات بائتة مكرّرة من ليال سابقة : «يابَ . . بتقولك إمي ارجع ع الدار ون ما ارجعت روح جيبها من بيت أبوها الصبح .»

كان راديو «مقهى العثامنة» أطول الراديوهات لسانا ، وكان صوته يرتفع وفق نبرات المذيعين . فهو أعلى أصوات المخيم ، حين يكون الصوت «صوت العرب» ، والتعليق الإخباري لأحمد سعيد . وكان يودعنا بصرخة قومية ننام عليها ولا نصحو :

وإلى غد مشرق عزيز

وإلى أمة عربية موحدة

لكن الراديو كان يخلق فضاء للسهر أيضا ، خصوصا مساء الخميس من كل أسبوع ، حين كنا صغارا ، نتحلّق حول سور المقهى الذي يمنع علينا ارتياده . نسند أذرعنا إلى حافة سوره الخارجي ، ونرخي آذاننا الصغيرة مثل الأطباق اللاقطة هذه الأيام . ننصت لحلقة جديدة من مسلسل «سفينة نوح» . يلمّ كل منّا التسلية المحشوة بالنوادر والفكاهة . يخبئها في صدره كي يأخذها فور انتهاء الحلقة معه إلى البيت . هناك يعيد كل منّا بث الحلقة بلسانه لمن بقي ساهرا ، أو يضعها على طبلية الطعام في الصباح لتسعد يوم الآخرين كله . كانت المخيمات تنام ليلها سعيدة ضاحكة ، وترمي ما يتبقى من ضحك لديها لم تضحكه لضيق الوقت لأطراف المدينة . وبقينا لسنوات ، نبحر على ظهر سفينة نوح ، نغني أغاني ربابنتها الذين يتركونها خلفهم ، وننسى الإذاعة التي تبثها ، كمن ينسى البحر الذي لولاه ما أبحرت سفينة .

كان اللاجئون الفلسطينيون وأبناؤهم ، وهذا ما يعرفه «باقي هناك» حتما ، قد تركوا كل شيء خلفهم ، حين هُجِّروا وقت النكبة ، بما في ذلك أرواح موتاهم التي رفضت اللحاق بهم ومشاركتهم اكتئابهم . ومنذ إعلان الدولة التي أصبحتم أنتم يا جنين مواطنين فيها ، وهي تعاني من تأنيب ضمير ، إلى أن قررت حكومتكم ، توزيع «بقج» الضحك على اللاجئين

العرب في البلاد وخارجها ، كما توزّع بالأونروا بقج التموين .

ومع أن مصر التي تجلس إلى جوارنا على الخريطة ، بعثت لنا من القاهرة ، بالخواجه بيجو وأبو لمعه مع مجموعة نجوم برنامج «ساعة لقلبك» ، إلا أنها تأخرت علينا كثيرا ، من 1948 عام انكسار السعادة الوطنية ، إلى عام 1953 ، عام بدء بث البرنامج . ولم يكن للضحك الذي كنا نلتقطه من إذاعة القاهرة نكهتهم مع أننا أحببناه .

احتل أبو طافش قلوب اللاجئين كما يحتل الحب قلوب العذارى ، في اللحظة التي انطلقت فيها قفشاته ونهفاته من سفينة من كلام يحيط بها موج من تسلية ، وتحملها أمواج بحر من وهم . كانت السفينة العجيبة تضم طاقما من الملاحين : مارون أشقر ، الذي حفظ للفلسطينيين تراثهم من الأغاني والموشحات ، وعبد الله الزُّعبي ، وإسحق داوود ، وموسى رزق ، وبهجت مقلشة ، وموريس شمالي (أبو فريد) ، هؤلاء يعرفهم «باقي هناك» أو سمع عنهم على الأقل ، ويتفهّم كيف أجبرتهم سفالة التاريخ على اصطياد الكلام العامي الساخر ، وتوزيعه على المنكوبين الذين يستعيدون وطنا من ضحك وسخرية :

«دار الإذاعة الإسرائيلية ، تدعوك عزيزي المستمع إلى رحلة على ظهر سفينة نوح :

ترِرِن تِن تِن تِن تَنْ . . . . تَري رات تات تات تاا
طَاااييييب اووو طااااييييييب اوووهيييييييييي
«شعلان . .شعلان»
«نعم يابَ»

«وك وينك يا قاروط؟ هسه بيجي أبو خليل واندريَه . بس ييجو ، افتح الديوان ونعجك (تظاهر بالانشغال) . ع الطلعة والعبرة قول أهلا وسهلا ، بس مش تعمل حالك بوز تشرم (كرم) ، ع الروحة والجيّه تفتح سندوق التتن (الدخان) .»

«أهْ!»

«أتكدّمِش سَكاره للواحد منهن غير تنْها تْخَنتِر معاه (يفقد قدرته على التحمل) ، وتصير شواربه تتْرَقَص .»

«أهْ!»

«كل ما ييجو يكومو ، كول بَدري الكهوة ع النار . مرتين ثلاثة ، انذريه حِمِك (سريع الغضب) بيِفْعَط (يترك المكان سريعا) ، بروِّح ، بِشْرَبِش الكهوة .»

«آه حاظر يابا .»

«بس وينك ، مثل ما وصّيتك ، أهلا وسهلا انعف نعف (أكثر منها) اتْوَفِّرش .»

«آه طيب . . بس يابا كل مرة بتوصّيني إن أجا أبو خليل وانذريه يسهرو عنّا ، أكُلْهِن أبويا مش هون . طيب ليش هالمرّه بدك اياني انعجق (انشغل)؟

«يا حوينتك (يا خسارتك) اتكون ابن لأبو طافش . . والله لو اتبنيت تيس ليكون ارجل منّك . . ولك هاي بَلاتيكا سياسة .»

«يعني بِدَّك تصير تشتغل بالسياسة؟»

«لع بِدّي اصير اشتغل بسم الفيران .»

اختفى برنامج «سلاما وتحية» ، قبل أن تصل أي من رسائل «باقي هناك» . لم يسأل عنه أحد ، أو يخبره بما انتهت إليه أحوال العائلة . ومات والده الشيخ إبراهيم ، من دون أن تتحقق امنيته بالعودة إلى المجدل عسقلان ، ومن دون أن يرفع الأذان من على مئذنة مسجدها ، كما كان يفعل قبل النكبة . وجنّ شقيقه صالح ولم يعد صالحا . وأرسلته إدارة الحاكم العسكري المصري في قطاع غزة إلى «الخانكة» في القليوبية . وكبرت شقيقته فتحية ، وتزوجت من محمد الشيخ . وكان مثل القمر . يسهر المخيم على نور طلّته . لكنه مات . كان واحدا من بين مائتين

وخمسين شابا قتلتهم القوات الإسرائيلية بعد احتلالها خان يونس، في «حرب السويس» عام 1956، حين أعادت إسرائيل وصل الجغرافيا التي قطعتها، وحققت للفلسطينيين في القطاع أول وحدة مع القسم الذي هاجروا منه. إلا أن الوحدة لم تدم أكثر من أربعة أشهر، وانتهت مع انسحاب الإسرائيليين من قطاع غزة. لكنها عادت مع الاحتلال الثالث عام 1967، وصمدت. صارت أقوى من توحيد صلاح الدين الأيوبي لبلاد العرب والمسلمين، وأطول من الوحدة المصرية السورية بكثيييييير. تبلع إسرائيل أرضا فلسطينية جديدة وتوحّد. تبلع وتوحّد، حتى صار الفلسطينيون يسرحون في طول بلادهم، التي لم تعد لهم، وعرضها ويمرحون، من رفح إلى رأس الناقورة، ومن نهر الأردن إلى البحر الأبيض المتوسط، أو كما قيل، من البر للبر ومن الميّة للميّة. وحدة سمحت لـ«باقي هناك» بزيارة أقاربه في خان يونس، وكان أول إسرائيلي يدخل قطاع غزة محمولا على فرحة أقاربه ودهشة الجيران.

وصل «باقي هناك» إلى مخيم خان يونس صيف عام 1967، العام الذي وحّدت فيه إسرائيل البلاد ثانية، لم يجد «باقي هناك» طليقته نادية، الشابة التي عبأت المجدل عسقلان صراخا وهي تحاول إقناعه بالصعود إلى شاحنة الراحلين، ورفض. تيّس محمود دهمان وقتذاك، وصلّب قدميه في الأرض، وأحرن كما يُحرن الحمار ويصلّب قوائمه في الأرض. بينما الطائرات في الجو تصرخ. والقذائف تصرخ. وابنته غزة على ذراعي أمها تصرخ. والناس في الشاحنة يصرخون. وموتور السيارة التي تستعد للرحيل يصرخ. ووالده الشيخ إبراهيم يصرخ: «محمود يا حبيبي، إطلع معانا يابَ بلاش نصير كل واحد في جهة، إن دشّرنا بعظنا عمرنا ما بنتلاقى يا بنيًّ، بكرة اليهود إن استفردو فيك بِطخوك. .اسمع مني يابَ واخزي الشيطان واطلع معانا.»

في النهاية التي صارت بداية لندم جماعي يمتد مع العمر، قرر «باقي

هناك» أن يصرخ بنفسه ، قبل أن يرحلوا ويأخذوه معهم : «يابَ إن هاجرتو ما بترجعوش .» تهتزّ المجدل على وقع الصدى : «يابَ إن هاجرتو ما بتر . . . يابَ إن هاجرت . . . . . يابَ إن هاجـ . . .» حتى اختفى صوته في زحمة الأصوات التي حملتها الشاحنة بعيدا وحملته مع آلاف الذين رحلوا في ذلك اليوم المشؤوم .

تزوجت نادية ، التي أصبحت طليقة محمود دهمان ، من إسماعيل مقبل دهمان . كان إسماعيل يعمل مدرسا في مدينة الدمام بالسعودية . ماتت زوجته بمرض عضال لم يمهلها طويلا ، تاركة له خمسة أبناء ، أكبرهم منير ، وكان في العاشرة من عمره . وأصغرهم سعاد ، التي وقفت على قدميها يوم وفاة والدتها ، تنقل خطوة وتضحك قبل أن تتعثّر بفرحتها وتسقط ، وتنهض مرة أخرى تدرب ساقيها الصغيرتين على مشوار الحياة . «كان نِفِسها تشوفها يوم ما تمشي .» يقول إسماعيل وهو يدفن فرحته بآخر العنقود في عينيه الدامعتين ، ويُبكي المعزين من حوله .

«وحّد الله يا رجل . . قدر وما منّه مهروب .»

يواسونه ، ويحمدون الذي لا يحمد على مكروه سواه .

ما كان لنادية أن تبقى مطلّقة تتناقلها ألسنة مخيم خان يونس ووكالات أنبائه الشعبية . ولا كان بإمكان إسماعيل تدبّر أمور حياته مع خمسة أبناء . لـمّت عائلة دهمان شمل الأرمل والمطلقة . وانتقلت نادية بابنتها غزة إلى الدمام ، وتولت تربية أبناء إسماعيل الذين صار لهم أخت ثانية من قريبهم «باقي هناك» . وابتعدت نادية وغزة عن فرعهما الأصلي في الرملة . خرجت من حياة «باقي هناك» إلى الأبد .

قبل أكثر من ستة عشر عاما من عودته لزيارة أهله ، سجّل «باقي هناك» رسالته الصوتية : «أنا محمود إبراهيم دهمان ، المعروف بـ«باقي هناك» . بهدي سلامي وأشواقي إلى والدي العزيز الشيخ إبراهيم ، ووالدتي الحبيبة إم صالح ، وشقيقيّ صالح وفاروق ، وأختي الصغيرة فتحية ،

وجميع أفراد عائلة دهمان في قطاع غزة والخارج . وإن سألتم عنّا فنحن بخير . اطمئنوا» .

وغادر مبنى الإذاعة في القدس .

فتحت عيني . جمعت أوراق رواية جنين من على الحامل أمامي ، وأعدتها إلى الحقيبة الصغيرة وغفوت ، ولم أستيقظ إلا على كف جولي تهزّني قبيل هبوط الطائرة بقليل .

رجل واضح غامض

قادتني وزوجتي إلى غرفة تحقيق في مطار «بن غوريون» في اللد، شرطية أمن أبطأت مؤخرتها الثقيلة من خطواتنا المنتظمة خلفها، وضاعفت وقت وصولنا إلى حيث طلبت منّا الانتظار.

جلسنا معا على مقعد خشبي عريض، لامس أحد طرفيه زاوية غرفة جانبية، بابها نصف مفتوح، يبعثر كلاما بالإنجليزية والعبرية يصعب الاستفادة منه. وتحرَّر طرفُه الآخر في فضاء قاعة فسيحة ذات سقف معلق في سماء رمادية بعيدة لا يبلغها النظر، خصصت، على ما بدا لي، للتنغيص على المسافرين والتنكيد على عيشتهم.

سألتني جولي:

«احنا بستني كتير هون هبيبي؟»

«قدّامنا تحقيق ثاني يعني انفِستِغيشن حبيبتي.»

أجبت بشيء من القلق، ورميت ظهري إلى الحائط.

دخل إلى قاعة النكد المفتوح تلك، رجل في مثل سنّي، ذو سحنة عربية مغبّرة بمتاعب تشبه ما على ملامحي، متوسط القامة، حافظ على رشاقة من هم في سنه. كان يحمل حقيبة جلدية سوداء صغيرة الحجم، ترافقه سيدة متوسطة العمر، متوسطة الجمال، بالغة الأناقة. تقدم الاثنان باتجاه آخر القاعة حيث ننتظر أنا وجولي. وضع الرجل حقيبته على الأرض. رمى بمؤخرته على المقعد المقابل لنا بطريقة ستعاتبه مؤخرته عليها. وجلست المرأة إلى جواره، بحرص أنيق على مؤخرتها. أسند

الرجل جذعه إلى الخلف . صرنا رجلين ظهراهما إلى حائطين متقابلين في اتجاهين متعاكسين . وجلس بيننا ترقب صامت من النوع المثير للفضول .

اعتدل الرجل فجأة ، وتخلّى ظهره عن الحائط . راح يتأمّلني ويقرأ ملامحي كمن يراجع بيانات اطّلع عليها من قبل . كأنه يعرفني! هل حقا يعرفني؟ شككت . لم يسبق لي أن رأيته من قبل ، أو رأيت السيدة الأنيقة التي ترافقه . ربما يعرفني! كثيرون يعرفونني ولا أعرف أنهم يعرفونني ، فهم لا يشعرونني بذلك . أنا من جانبي لا أحثهم على الكشف عمّا يعرفونه ، ولا أطلب منهم ذلك ، ولا أفتش عنّي في رؤوسهم . لكن نظرات هذا الغريب بالذات ، أشعرتني بأنه يعرفني بطريقة ما لا أعرفها . خطر لي أن أسأله . تراجعت ، إذ انشغل فجأة بعيدا منّي . مدّ يده إلى حقيبته وأخرج صحيفة عربية . أثار ذلك انتباهي وطوّر شكوكي . يريد الرجل أن يخبرني إنه عربي مثلي ، هذه رسالة واضحة يا وليد . وربما كان فلسطينيا أيضا ، ومطلوب مثلي للتحقيق معه في أسباب فلسطينيته . سيكون وضعه أسوأ إن كان فلسطينيا حقا ، وربما يخفي هذا الغريب حد الألفة ، ما هو أعظم .

فتح الرجل الصحيفة . اختفت ملامحه خلف صفحاتها . أطلّ عليّ وجه أمجد ناصر من صورته المعلقة على زاويته الأسبوعية «هواء طلق» على الصفحة الأخيرة . إنها «القدس العربي» إذن . يا إلهي! أيريد هذا الغريب الغامض الواضح ، أن يقول لي ، أيضا ، إنه يعرف أمجد ناصر كما أعرفه! وإنه كان في لندن مثلي ، واشترى الصحيفة من هناك! ووصل إلى هنا على متن الطائرة نفسها أيضا!

كـدت أسأل جـولي همـسا ، إن كـانت قـد رأت الرجل على متن الطائرة ، أو حتى على متن ذاكرتها في وقت ما . لكن شرطية أمن أخرى ظهرت فجأة ، وأوقف ظهورها همسي قبل أن أهمسه . كانت سمـراء برقوقية ، تحمل مؤخرة خفيفة لُفّت على جسد ناشف تستطيع أن تأخذه ومعه مؤخّرتها ، وتخرج من شق رفيع في باب مغلق .

164

أشارت صاحبة «المؤخرة الخفيفة» بيدها إلى الرجل الذي صار ، بالنسبة لي ، «صاحب الصحيفة» ، فقام وتبعها تاركا صحيفته على المقعد ، ولحقت به السيدة التي ترافقه ، واختفى الثلاثة داخل الغرفة التي أغلقت الشرطية بابها .

«لا بد أنه يخضع الآن لاستجواب ستعاد أسئلته عليّ بعد قليل .»

فكّرت لي وله . قلّبتُ كل الاحتمالات . تفحصت الأسئلة التي تنتظرني ، الجديد منها والقديم ، بما فيها ما طرحه عليّ جاري الأميركي في الطائرة من أسئلة ، يتكرر فيها اسم إسرائيل ، ولا يشار إليها كضمير مستتر تقديره هي : «هل هذه زيارتك الأولى لإسرائيل؟ لماذا تزور إسرائيل؟ هل لديك أقارب في إسرائيل؟ أين ستقيم في إسرائيل؟ كم ستمكث في إسرائيل؟» ثم وهذا هو الأهم : «هل ستزور الأراضي؟ أية أراض؟ الأراضي المدارة! الأراضي المتنازع عليها! «كأن أراضينا بلا تسمية . كأن أراضينا موضع نزاع بين جيران اختلفوا على ترسيمها وتحديد حصصهم منها! وعليّ أن أفهم أنه لا يجوز أن تسمى باسمها . «هل تحمل هوية السلطة الفلسطينية؟ جواز سفر صادر عنها؟ رقم هوية؟» وهذه كلها خصوصيات محظور تهريبها إلى البلاد ، أو عبر أي من موانئها .

أجبت عن مثل تلك الأسئلة في بداية هذه الزيارة ، حين انتظمت وجولي ، بعد وصولنا ، في طابور قصير يتغذى من مسافرين يتدفقون متعجلين التحقيق معهم ، وينتظمون فيه عشوائيا ، أمام مكتب فحص الجوازات . قدمت جوازيْ سفرنا إلى شرطية أمن في العشرينات من عمرها ، ذات رأس صغير ووجه يضيق قليلا عن استيعاب ملامحها فتكاد تندلق خارجه . طرحت عليّ الشرطية من الأسئلة ، ما يُطرح على عشرين مسافرًا أجنبياً آخر . حين أدركتُ أنها ملّت من الأسئلة ، وربما من إجاباتي ، وتوشك على ختم الجوازين ، طلبت منها ألا تفعل ، وأن تضع تأشيرتي الدخول على ورقتين منفصلتين .

شتمتني عيناها ببذاءة واضحة ، وتجرأ عليّ لسانها :
«لماذا لا تريد ختم إسرائيل على جوازي سفركما؟»
«معذرة سيدتي . . هذا سيعيق تحركنا في المنطقة كلها . »
«انتظرا هناك .»

قالت . وأزاحتنا من خلف الزجاج الذي يفصل بيننا بكفّها ، التي استخدمتها كريموت كونترول ، فانزحنا صامتين .

جاءت الشرطية صاحبة المؤخرة التي يعادل وزنها ثقل هواجسي عندما تقيم لديّ بعض الوقت :

«Mistegh and Mrs Dahman, follow me Please»

قالت . و«فلوناها» أنا وجولي ، إلى «غرفة إعاقة إجراءات الدخول» ، حيث نحن الآن .

في انتظار خروج «صاحب الصحيفة» من الغرفة مغسولا بالأسئلة ، ممزقة كرامته بالمنغصات اللفظية ، قررت أن أتصفح «القدس العربي» .

تناولتُ الصحيفة من على المقعد المقابل وعدت إلى مكاني . أما جولي فلم تهتم لي أو للصحيفة العربية ، ولا للرجل ، ولا لغرفة التحقيق وما ينتظرنا فيها من أسئلة ، ولا حتى لأناقة السيدة التي ترافقه وتثير فضول أي امرأة مثلها إن لم تثر غيرتها . فمنذ أن جلسنا ، وهي لا ترفع عينيها عن رواية أهداف سويف ، كأنما لا يكفينا سماحها لأبطال الكاتبة البريطانية المصرية ، بالإقامة معنا في لندن ، وتصرّ على أن يرافقونا في رحلتنا إلى البلاد ويعيشوا معنا تفاصيلها . ومن غير المستبعد أن يجري استدعاؤهم معها إلى غرفة التحقيق ، إن جرى استدعاؤها . ولو حدث هذا ، ستتولى جولي الإجابة عن أسئلة الشرطية بالنيابة عن أهداف سويف .

فتحتُ الصحيفة عشوائيا . قلبت صفحاتها . استوقفني في النصف الثاني من الصفحة الثقافية الثانية ، مقال بعنوان « لا تصدقوهم . . لم

ينسوني بعد أربعين عاما» ، فاجأني اسم كاتبه : ربعي المدهون .

«يا إلهي .»

صحت لي حتى كدت أسمعني . لم أعد أستبعد أن يكون صاحب الصحيفة الذي يحققون معه ، الآن ، هو المدهون نفسه . ماذا لو كان هو فعلا؟ هل أسأله عن مصيري في روايته «السيدة من تل أبيب» التي جعلني بطلا لها ، وكتّبني رواية أخرى خلقت أنا أبطالها وصنعت أحداثها؟ «طز» . سيجيبني بأنني مجرد شخصية متخيلة . «طزين» . سأقول له أنت الآن متخيل لكنك لا تدرك ذلك . . هه هه هه . تأمّلت سخريتي القلقة لبعض الوقت ، ثم قررت أن أترك هواجسي تلك معلقة بانتظار ما سيكشف عنه خروج الرجل من غرفة التحقيق ، وبدأت في قراءة المقال :

«انتظرا قليلا .»

قال الضابط في مطار القاهرة الدولي . انتظرنا . رفع رأسه نحو زوجتي التي كانت تقف خلفي . مدَّ إليها يده بجواز سفرها :

«Welcome madam, have a good stay in Cairo».

ثم التفت إليّ وقد تخلّى عن لباقته واستخدم قاموسا مخابراتيا تقليديا :

«معلهش يا افندم ، حضرتَك ح تفضل معانا شوية .»

ابتلعت انفعالاتي : «يا فرحِتي ويا هنايا» .

طلب الضابط من موظف يقف قبالته ، مخبر مثله طبعا ، إجراء مسح كمبيوتري للملفات الأمنية بحثا عني ، خرج منه الآخر ، بعد دقائق ، وما زلت واقفا أغلق طابور المسافرين المنتظرين دورهم خلفي ، بتأكيد علني :

«مطلوب يافندم» .

سقطت العبارة التي تتصدر ورقة رسمية جدا أمام عينيّ كأنها على

يافطة بعرض عشرة أمتار يحملها جيش من المخبرين :

مطلووووووووب

نعم ، أنا مطلوب لأمن الدولة ، أعلى سلطة أمنية في البلاد . أنا الذي جئت مصطحبا زوجتي لنضع رأسينا خمس ليال على صدر أم الدنيا ، ونتجول في برّها وبحرها ، مطلوب لأعلى سلطة في البلاد . حقا يا فرحتي ويا هنايا ، بعد أربعين عاما على اعتقالي وإبعادي من مصر ، لأسباب سياسية رفَعت رأسي عاليا ولم تحنِه يوما ، لم ينسني رجال الأمن المصريون أبدا . وها هم يؤكدون لي فضل التطورات التقنية في نقل سجلّي ، مع ما في سجلاتهم الأمنية من قوائم غطاها غبار وطني عريق ، إلى ملفات الكمبيوتر النظيفة . أنا الآن مطلوب ديجيتال .

تنفست إعجابا بأجهزة الأمن المصرية التي تذكّرتني بعد أربعين عاما ، وعتبت على أجهزة في الأمن السوري الشقيق ، التي تنسى عملياتها الكبرى سريعا . زارتني قبيل منتصف ليل 10 أغسطس (آب) 1976 بقليل ، وحدة من «حماة الديار» ضمت أربعة عشر جندي أمن مسلح يقودهم ضابط . اقتحمت الوحدة شقتي الرقم 54 في بناية الست ، في شارع بغداد ، في «قلب العروبة النابض» دمشق . قتلت رفيقي وجيه . . . ، المقيم معي (19 عاما) . ألقت بجثته من الطابق الخامس . أخضعتني لتعذيب تواصل أسبوعا . ثم نسيتني ، تاركة لي ظل وجيه يهوي من نافذة غرفتي المظلمة إلى بلاط شقة أسفل البناية طيلة أسابيع ، إلى أن رحلت عن سوريا كلها . وقد سجّلت التفاصيل كلها في كتابي «طعم الفراق . . ثلاثة أجيال فلسطينية في ذاكرة» .

غادرت زوجتي المطار إلى وسط القاهرة ، وتقررت إعادتي إلى لندن على أول طائرة . اقتادني شرطي من النوع المألوف إلى مكاتب جانبية ، ثم إلى «قاووش» أبعد قليلا إلى الداخل ، ودفع بي وسط مجموعة من الموقوفين الشباب . ويا عيني على الشباب .

تشرفت خلال إقامتي السعيدة في «القاووش الأمني» ، بالتعرف على بحريني مطلوب للشرطة الدولية ، وآخر باكستاني وصل إلى مطار القاهرة من دون جواز سفر ، وثالث مهرب حشيش يشبه نماذجه في الأفلام المصرية القديمة . ورابع مخبر ساذج يدّعي أنه لبناني ، يتحدث بلهجة سنَّة حي «البسطة» في بيروت ، مثل «أبو العبد» البيروتي ، الشخصية الشعبية اللبنانية المعروفة ، يتحدثها صاحبنا ، بنكهة مصرية . كان المتنكر العلني يتصرف كمستأجر للقاووش ، وأحيانا كمدير عام لإدارته بحكم إقامته الطويلة على ما يبدو . ولتأكيد ذلك ، ميّز نفسه بفرشة بالية لا تخلو من رائحة عفن ، مدّدها في الزاوية اليسرى المواجهة للباب ، وحسده عليها الآخرون . أما خامس نزلاء «استراحة الشخصيات المهمة» تلك ، فالتحق بنا عند منتصف الليل . كان فلسطينيا من غزة ، قدم من ليبيا بنيّة العودة إلى القطاع عبر معبر رفح . العائدون بالمئات ، والسلطات المصرية قلّصت عدد الحافلات التي يُسمح لها ، يوميا ، بنقل ركاب إلى رفح . ولم تسمح للعائد السعيد بالإقامة في فندق إلى أن يتمكن من السفر ، لسبب ما لم يفصح عنه ، فوجد نفسه ضيفا على «استراحة الشخصيات المهمة» مثلي .

افترشني في تلك الليلة الكانونية الباردة بلاط بارد مغبّر بروائح نتنة . وغطاني لحافان من قلق وتوتر ، زوداني بكوابيس تناوبتني طيلة الليل المفتوح على التوجس والغضب ، وقد لملمت نفسي في كتلة من الذل الوطني والإهانة القومية ، داخل مقعد بلاستيكي كان أبيض ذات يوم . أرتجف حينا . أغفو قليلا . أستيقظ على كابوس ، أو على صوت ضابط أو شرطي يذلّني باعتذار سمج : «لا مؤاخذة يا دكتور . . .»

خلال الساعات الأربع والعشرين التي قضيتها في التوقيف ، تعرضت لجولتي تحقيق ، في غرفة يجلس خلف مكتبها ضابط برتبة عقيد في جهاز أمن الدولة ، لو كنت مكانه لخجلت من واجبات وظيفتي .

أدهشني ما قرأته في الصحيفة ، كأن الحدود بالنسبة للفلسطيني هي الحـدود ، والموانئ هي الموانئ ، وكـذلك المطارات . سـوف أسـتوقف الرجل الغريب ، الغامض الواضح ، فور خروجه من غرفة التحقيق ، وأسأله عن شخصه ، وإن كان هو صاحب المقال ، وعن حقيقة ما جاء فيه . ترددت مسبقا . فقد يعمـد الرجـل ، إذا ثبت أنه المدهون فعـلا ، إلى تغيير مسار رحلتي هذه كلها . فهو المؤلف وخالق شخصيتي في روايته السابقة «السيدة من تل أبيب» ، وخالق شـخصيتي التي أظهر بها الآن . لا أريد أن أتورط معه ، وأورّط زوجتي جـولي التي جاءت إلى البلاد لتنفذ وصيـة والدتها إيفانا أردكيان ، ولا جنين دهمان وزوجها باسم . إنني بحماقة كهذه أسلمه نفسي ومصير شخصياتي أنا أيضا ، وشخصيات جنين دهمان في الأوراق التي أحملها معي ، ليتحكّم بالجميع .

فـتح بـاب الغـرفـة ، وظهـر الرجـل ، الغـريب الواضـح ، وزوجـتـه عنـد البـاب ، بوجـهين مشرقين . التفت نحوي . ثم أشـار إلى المقعد المقابل لي حيث كان يجلس وزوجته قبل قليل ، وقد أعدت إليه الصحيفة ، وقال :

«اتسلى فيها إذا بدّك .»

واندفع وزوجته نحو باب الخروج .

نـاداني باسـمي من داخل غرفة النكد ، صـوت امرأة يصـعب تأكيد أنوثتها . نهضت من على المقعد ودخلت إلى الغرفة ، وبقيت جولي في مكانها ، إذ لم يناد عليها ، وقد لا تتعرض للتحقيق ، مع أن رجال الأمن الإسرائيليين ، ونساءه طبعا ، يحققون ، أحيانا ، حتى مع شخصيات في رواية يحملها مسافر .

في الغـرفة التي لا شكل لها ، ضابطة في الأمن الداخلي «الشين بيت» ، في منتصف العقد الرابع من عمرها ، تجلس إلى مكتب متواضع ، ذكّرتني بعمـتي في خمسينات القرن الماضي ، حين كـانت تجلس خلف ماكينة الخياطة ماركة «سنجر» اليدوية القديمة ، تحوك لباسا داخليا لذكر

ما ، من قطعة قماش لا لزوم لها .

طلبت منّي الضابطة بذراعها وكفّها ، أن أجلس على مقعد صغير إلى جانبها ، فجلست . سألتني من دون أن تلتفت إليّ ، تاركة لي تفاصيل جانبية لوجه شرق أوسطي تقليدي ، يمكن تذكر ملامحه بسهولة ، عن غرض زيارتي ، فأجبتها .

عادت صاحبة المؤخرة الثقيلة ووقفت خلف زميلتها التي تابعت التحقيق معي في قضية غير معروفة . ربما بغرض مساعدتها في تقليب ملفاتي على شاشة الكمبيوتر . وقد تقترح عليها أسئلة إضافية غير ما حضّرته لي ، مما اعتادت على طرحه .

«ما اسم والدك وأين يقيم؟»

أخبرتها ، وقلت لها إنه مقيم دائم في مقبرة خان يونس القديمة ، منذ كنت في الثالثة عشرة ، تاركا لها تقدير ما مر من سنوات على رحيله المبكر .

«ما اسم والدتك؟»

أخبرتها باسمها كاملا ، وقلت لها إنها تقيم في واحد من بيوت مخيمات خان يونس في قطاع غزة ، لأنها ستسألني عن ذلك . ولكي لا أترك لها فرصة لطرح السؤال الذي يليه حتما ، أضفت سريعا :

«ولكني لا أعرف أين يقع بيت أمي .»

«ما رقم بطاقتها الشخصية؟»

« لا أعرف .»

«ما اسم والدتك بالكامل؟»

كررت عليها اسم والدتي الثلاثي الذي سبق وأخبرتها به ، مشددا على مخارج الحروف هذه المرة ، كي لا تثلث سؤالها .

أدارت شاشة الكمبيوتر نحوي . شافتني أمي محتجزا في الغرفة ، مستسلما باعتدال لما أنا فيه . أمطرتني نظرات قلقة ، قبل أن تلتفت إلى

الضابطة وتحملق فيها بعيني صقر ، هي التي عرفتها قبل أكثر من خمسة عقود ، مسكينة وضعيفة مثل دجاجة ، وتخاف العصفور إن وقف على حافة سطح بيتنا القرميدي وغنى لها .

صرخت أمي في الشرطية وسمعت صراخها : «قرد اللي يسخطك إن شا الله . . .إيش قلة هالحيا وهالرزالة . ابني مش غريب عن لِبلاد . هاذي بلده وراجع عليها يِقعُدلُه أكمِّن يوم . على إيش نازلة تستجوبي فيه ع الحامي والبارد ، حرامي هوّ والا قاتل قتيل . قطيعة تقطعكم وتقطع اليوم اللي إجيتو فيه ع لِبلاد .»

ثم بكت . بكت أمي أمام عيني ، أسقطت على الشاشة ، دمعا من عينيها المتعبتين من وجع الفراق ، وآخر من عينيّ أنا المندهشتين لقدرتها على المجابهة .

جفّفت دمع أمي في عينيها وعيني . هدأت الكثير من انفعالاتها . شهقتْ بعدها وأبعدتْ يدي عنها معاتبة : «بتيجي ع لبلاد يا وليد وما بتزورِش إمك؟»

خجلت من أمي ومن البلاد :

«مش هالمرة يمه . . خليها لبعدين .»

«لوقتيش يعني . . مستني لما اموت؟ أني مش عايشة العمر كله يا وليد!»

ثم رجتني :

«كلها فحِجْتين يمّه . . أُخطُف رجلك وتعا ع غزة .»

«ابْتِعزْميني ع الحصار يمه .»

«ابعيد الشر عنك يمه . . خليك برّة اريح لك لحتى ربنا يفرجها .»

وأهديت إليها كلمات تساعدها على النوم مساء وتظلّ معها ، توقظها مع طلوع الفجر وتصبِّح عليها . وقلت لها إنها تستطيع أن تغسل الكلام يوميا ، كلما تراكمت عليه أحزان ، وتحتفظ به نظيفا تحت وسادتها . وطلبت

منها أن تواصل هذا الطُقس إلى أن نلتقي ذات يوم ، تعود فيه غزة إلى غزة التي عرفتها .

مازحت الشرطية بلؤم عابر وشكرتها :

«تودا غفرتي ، تعرفون كيف تلمّون شملنا!»

لم تعلّق ، فتابعت :

«في الخمسينات ، سمحتم لنا بلم شملنا عن طريق برنامج (سلاما وتحية) . وبعد حرب 1967 ، عبر لجان الصليب الأحمر الدولي ، والآن عبر الكمبيوتر ، لم شمل افتراضي يعني .»

Excuse me!

«Sorry, I was talking to my mom» .

«بِسيدغ مستغ دهمان .»

«حسنا سيد دهمان .»

قالت ذلك ، وناولت جوازي السفر لزميلتها التي خرجت تجرّ مؤخرة لا رغبة لها في اصطحابها معها . وتبعتها أنا منقادا إليها ، واصطحبتني وجولي ، التي أغلقت رواية أهداف سويف ووضعتها في حقيبة يدها ، إلى الجهة الأخرى من القاعة ، حيث طلبت منا انتظارا آخر .

لم يطل انتظارنا هذه المرة ، فقد عادت الشرطية نفسها بعد دقائق ، وعلى شفتيها ابتسامة وظيفية مؤقّتة . قالت وهي تحاول الاحتفاظ بابتسامتها حتى انتهاء مهمتها على الأغلب :

«مستر أند مسز دهمان . . رحلة سعيدة . . شالوم .»

التقطتُ جوازي السفر من يدها ، قلّبتهما فوجدت بداخل كل منهما تأشيرة دخول على ورقة منفصلة . أمسكت بيد جولي ، ومشينا معا فرحين صوب حزام الحقائب المتحرك نلتقط حقيبتينا ونمضي .

الحركة الرابعة

احتمالان

إلى حيفا

اندفعت وجولي إلى الخارج يجر كل منا حقيبته ، وقد تعلقت أعيننا بالمستقبلين عند باب الخروج رقم 2 . من مسافة راحت تقصر على نبض فرحنا ، ظهر مضيفنا **جميل حمدان** وزوجته **لودميلا** ، يلوِّحان لنا كل بذراع استطالت حتى كادت تعانقنا . لوّحنا لهما بابتسامات وصلتهما قبلنا ، بينما كانت سعفات نخلة في الجهة المقابلة ، تلوّح لنا عبر الزجاج الذي يشغل الواجهة خلفهما ، كأن ريحا ما أخبرتها بوصولنا .

إلى القدس

اندفعت وجولي إلى الخارج يجر كل منا حقيبته ، وقد تعلقت أعيننا بالمستقبلين عند باب الخروج رقم 2 . من مسافة راحت تقصر على نبض فرحنا ، ظهر مضيفنا **سلمان جابر** ، يلوِّح لنا بذراع استطالت حتى كادت تعانقنا . لوّحنا له بابتسامات وصلته قبلنا ، بينما كانت سعفات نخلة في الجهة المقابلة ، تلوّح لنا عبر الزجاج الذي يشغل الواجهة خلفه ، كأن ريحا ما أخبرتها بوصولنا .

القدس

اعتذر سلمان نيابة عن زوجته عايدة التي لم تحضر معه إلى المطار لاستقبالنا . قال إنها انشغلت بموعد مع الدكتور المشرف على رسالة ماجستير تعدها ، لكنها وعدت بأن تنهي عملها في وقت مناسب ، وتصل إلى فندق «رمادا رينيسانس» الذي سنبيت فيه ، قبل وصولنا ، وستكون في انتظارنا حتما .

انطلقت سيارة سلمان ، أنا إلى جواره وجولي في المقعد الخلفي ، تشقُّ طريقا جبليا يمر بين أشجار الصنوبر والسرو الخضراء ، بينما تتسلّقُ عيناي الهضاب المنخفضة ، تجوب غاباتها الصغيرة بحثا عن قرى لم تزل في الذاكرة .

ثرثرنا على امتداد الطريق كثيرا ، بدهشة حينا وباندهاش أحيانا ، مثل سياح يزورون بلدا للمرة الأولى ، يلاحقنا صمت غابات لا نعرفها ، لا تنصت إلينا ، ولا تبدو راغبة في التحدّث أيضا .

تحدثت وسلمان عن رحلتنا في البلاد ، عن زيارة القدس وعكا وحيفا التي يقيم فيها . عن حماتي إيفانا . وعن وصيتها بوضع رماد جسدها ، الذي جئنا به داخل تمثال خزفي أنيق ، في بيت والديها في عكا ، أو إيداعه لدى عائلة فلسطينية تقيم في مدينة القدس .

التفتَ إليَّ سلمان يسمعني تعقيبه :

«ابتعرف انّه حظكم مِ السما . .احنا الليلة سهرانين مع الدكتور فهمي الخطيب ومرته ، في مطعمِ النافورة في باب الخليل في القدس . فهمي

صديق عمر ، ومن عيلة مقدسية عريقة في الشيخ جراح . درست أنا والدكتور في الجامعة العبرية . بس الحياة ودتنا في اتجاهين بتعرّفنِّش ع بعض : هو راح ع الطب ونا تركت كل شي درسته ورحت ع الكتب والنشر والمكتبات . بالمناسبة مرته ندى كمان دكتورة ، طبيبة أطفال وفاتحة عيادة في البيت . المهم يا سيدي ، فهمي وندى من أشد المعجبين بكتاباتك ، ولـمّا سمع إنكم جايين ع البلاد ، وإني رح آخذكم ع القدس ، أصرّ يعزمنا كلنا على العشا . خليني استمزجه في موضوع المرحومة إيفانا .»

فاجأني سلمان بما قال ، وبدعوة الدكتور فهمي ، وباحتمال بحث موضوع وصية إيفانا . لكنه قبل أن يستمع إلى تعقيب منّي أو من جولي ، التي أشك إن كانت قد فهمت كل ما قاله ، سارع يسأل : «بالمناسبة ، كيف سمحولكم اتدّخلو رماد جثة من المطار؟»

أجبته سريعا بكلمات بطيئة : «الموضوع مش معقد كثير . احتاج الأمر لشهادة وفاة إيفانا ، وطلّعنا شهادة صحية من مؤسسة خاصة بإجراءات من هالنوع ، اتأكِّد إنه الرماد خالي من أي ميكروبات وما شابه .»

هزّ سلمان رأسه ، وتابعت أنا حديثي ، وقلت له ما كنت سأقوله قبل أن يعترضني سؤاله : «رح اتكون أمسية رائعة . . وأنا متفائل .» ولخّصت لجولي فحوى ما قاله سلمان ، فصاحت : «واو . . واو . . أميزنغ . . أنت سلمان أهسن فريند .»

وفيما السيارة تقطع الطريق والدهشة تقطع أنفاس جولي ، التي لم تكف عن توزيع مشاعرها علينا وعلى ما تشاهده على الجانبين ، قال سلمان بحذر يشبه طريقته في قيادة السيارة :

«بدّي أسألك ع شغلة شقلبت راسي!»

«سلامة راسك عزيزي .»

عقّبت .

«مِن شويْ شفت زلمه طالع من المطار مع مرة كإنها مرته ، حسيت فيه شبه من الكاتب ربعي المدهون . . ابتعرفه للمدهون؟!»

«لا والله بس بقْراله أحيانا . . اليوم شفتهُ؟»

«إلا امبارح يعني! إسه من شوي شُفتهم اثنيناتهم طالعين ، ومعهم شاب ابيضاني مربوع شواربه سودا . احنا اطلِعنا وهمّ راحو جهة الكراج .»

«يمكن يكون هوّ . . أني بعرفوش بالوجِه . . بس . . والله مش ابعيد اللي بتحكيه أبدا . ابتعْرِف . . ذكّرتني باللي صار معي اليوم . كان في زلمة موقوف معانا في المطار ، قاعد ع باب غرفة التحقيق . .كان بيقرا جريدة القدس العربي . . ولـمّا طلبوه للتحقيق هو ومرته ، ترك الجريدة ع المقعد . . أخذتها أنا واتصفحتها ، لقيت فيها مقال للمدهون وقريته . بس يمكن يكون الزلمة من قراء الجريدة مش أكثر ، ومقال المدهون صدفة؟»

«ماظنّيش . . أنا متأكد إنُّه اتْعمّد يترك لك الجريدة لَيعَرْفك عن نفسه بطريقة غير مباشرة .»

«مش مستبعد . . بس أنت بتعرف المدهون عن جد واللا شبّهِت عليه؟»

«أني زيّك بعرفوش شخصيا بس قاري عنّه أخبار وشايف له صور كثيرة في الجرائد .»

ثم التفت إلى مرآة السيارة وخاطب جولي عبرها :

«إيش عزيزتي إم الجوج . . بشوفك ساكته؟»

«حبيته هدا إم جوج . . انا كمان ره سميك أبو سوس .»

ضحكتُ ، وضحك سلمان حتى بلغ صوته حافة القهقهة واستراح عليها لثوان ، وراقبت جولي سعادته على ملامحه في مرآة السيارة ، وقالت :

«أنا مبسوط أللي بشوفه . . جبال . . هضار ، بلا مدهون بلا مَرَتُه .»

تغيّرت جولي خلال الأسبوع الذي سبق زيارتنا للبلاد . حين عرضت

عليها فكرة السفر قبل شهرين ، رفضتها من أساسها : «ما بدّي أشوف إسرائيليين وما بدّي اتعرّف عليهم .»

قالت . الآن ، تجاهلت وجود الإسرائيليين ووضعتهم خارج المكان . وراحت تعبئ ذاكرتها بمشاهد البلاد التي ولدت فيها وعاشت بعيدا منها . تصرخ بعينيها في الهضاب المترامية على الجانبين ، وتوزع عليها وعلى مضيفنا دهشة عمرها كله :

«أنا مش بسدِّء (أصدّق) انا في فلسطين ،لو ما في وسيّة ماما وما في سلمان . . عمره أنا ما بشوف بلاد هادا . . شكرا كتير إلك سلمان» .

«أهلا وسهلا فيكم .»

«بدّي أشوف أكا ؟!»

«ولا يهمِّك . . رح تلفّي كل لِبلاد ورح تشبعي من عكا وتوخدي منها شويْ معك وانتِ مسافرة .»

«I will take a lot of souvenirs» .

واصلت السيارة صعود الهضاب القريبة المشجرة وهبوطها . أخذتنا إلى ماضينا الذي كان حاضرا ، عندما كانت أرضها كصدور أثواب فلاحات بلادنا ، مطرزة بالزعتر ، والعكوب ، والبرقوق ، وعصا الراعي ، والسوسن ، وقرن الغزال ، وسيف القمح ، والزعفران بأنواعه ، وترمس الجبال . وكانت أشجار السنديان ، والخروب ، والمل ، والملول ، والبطم بأنواعه ، والسيال ، والسدر ، وقاتل أبيه ، وعروس الغاب ، والصفصاف ، والزعرور والدلب ، تزيّن سفوحها ، بينما تحمل نسائمها روائح نباتات تدعو المارة والعابرين إلى الصعود لجمع أوراقها .

تركض الأشجار التي أزيلت وبقيت في الكتب وبعض الذاكرات القديمة . تركض السيارة نحو القدس . يركض التاريخ إلى ماضيه . عند

تخوم ما كان قرية دير ياسين تجمدت أحاسيسي ، وفرضت عليّ صمتا مرا . لكن صمتي لم يعد يحتملني وانفجر فيّ : «دير ياسين ، هيّ المذبحة اللي غيّرت التاريخ ، ورسمت الملامح القاسية لنكبة 1948 . هي الثقب الأسود اللي الإسرائيليين مش عارفين يتعاملو معه ، على رأي ايتون برونشتاين .»

«ايتون برونشتاين .»

قولّت نفسي علنا ، وسمعني سلمان :

«مين برونشتاين؟» سألني .

«الإسرائيلي اليساري اللي أسس جماعة زِخرون .»

«قصدك جماعة ذاكرات .»

«ابتعرف إنهم بيحاولوا يحكو لحِكاية اللي اليهود بدهمّش يسمعوها ، برونشتاين بيعتبر إنه مذبحة دير ياسين هي اللي حدّدت العلاقة بين اليهود والعرب . لمّا قريت له ، اتذكّرت إنه متحف المحرقة مش ابعيد عن دير ياسين .»

«بعدك مصمم اتزور متحف الهولوكست زي ما قلت لي؟»

سألني .

«رح أجرِّب . . بدّي اشوف دير ياسين من هناك . بدّي أشوف كيف الضحايا بشوفو الضحايا .»

وسكتنا .

اجتازت السيارة أطراف القدس الغربية . رآنا فندق «رامادا رينيسانس» عبر نوافذ السيارة ، ورأيناه نحن في مشهد يطلعنا على خاصرته . استدار مضيفي بسيارته . استوقفته إشارة مرور ضوئية حمراء . حين تتغيّر إلى خضراء ، تضع سلمان أمام خيارين : أن يتجه يمينا ويستدير حول الفندق بحثا عن مدخله الرئيس ، كما تهيأ لي ، أو يجتاز الإشارة ويستدير من الشارع التالي . أضاع الرجل خياريه في الإشارة الحمراء . وبينما راح يسأل

نفسه ، علنا ، عن الاتجاه الذي سيسلكه ما إن تتغير الإشارة الضوئية ، اقترحت عليه أن ينعطف يمينا باتجاه الفندق ، كما يفترض افتراض تخيلته .

تغيرت الإشارة . أخذ سلمان بمشورتي ، أنا الذي لم يزر القدس من قبل . اعتمد على فصحنتي العبرية في قراءة يافطة المرور عند الزاوية التي تركناها وترجمتها له كي يبقي عينيه على الطريق . انعطف يمينا . انفتح المشهد على طريق تمر من أسفل جسر حديث ، تنفرج تدريجيا ، لو واصلت السيارة تقدمها لانتهينا خارج القدس كلها على الأغلب .

صاح سلمان بعصبية لطيفة : «ضيعتني بشورتَك لْمِسَخَّمه . . والمنطق بتاعك ودّانا في داهية .»

«وأنا ايش عرفني هيك فكرت .»

انعطف يمينا ، وأوقف سيارته على بعد أقل من مئة متر . سأل رجلا يقف على الرصيف كأنه لا لزوم له . أخذ الرجل يشرح له بانفعال ومتعة غريبة ، ويؤكد له أهميّة لم يلحظها أي منا نحن الثلاثة الجالسين في السيارة . قال كلاما كثيرا متناثرا لا معنى له بالنسبة لي . لم يستوقفني منه سوى كلمة عبرية واحدة ذات وقع خاص ، جعلتني أخفي بين كفيّ ضحكا انطلق فجأة : «استبَختَ» .

قال سلمان ، بينما ينطلق بسيارته مجددا غارقا في ضحك سبقتُه إليه ، إن معنى استبخت هو تورَّطتَ ، أو لاصت عليك .

عدنا ثلاثتنا إلى الضحك . وسوف نستخدم هذه الكلمة كثيرا على امتداد الأيام العشرة التي نقضيها في البلاد . سأقول وأكرّر : «استبخت والأجر على الله» ، و«استبخنا واللي صار صار» . و«استبخت وما حدِّش سمّى عليك» .

وصلنا ثلاثتنا إلى الفندق مستبيخين كما لم نستبخ من قبل .

استقبلتنا في فندق «رامادا رينايسانس» ، في القدس الغربية ، موظفة

في العشرينات من عمرها ، بابتسامة تشبه مساء ناعما ، وتكفي لإزالة نصف متاعب السفر . وقفتُ أتأمل ، للحظات ، وجهها المطرز بملامح أليفه يزيل التطلع إليه ، النصف الآخر المتبقي من المتاعب . ثم قدمتُ لها جوازي السفر .

أراحني كثيرا مشهد تلك الموظّفة التي بدأت في تدوين البيانات الخاصة بنا ، من دون أن تتخلى عن ابتسامتها . كانت أول إسرائيلية أقابلها في القدس ، ليس لها ما لإسرائيليات المطار من نكد وظيفي . أما جولي ، فوقفت على مسافة من مكتب الاستقبال تتأمل ديكورات المكان .

اقترب سلمان من المكتب وراح يشاغل العاملة بحديث مازح بالعبرية . ثرثرا معا ، وتبادلا ابتسامات بلغت مستوى الضحك أحيانا . وفجأة دار سلمان حول نفسه مثل راقص ماهر ، وعاد ليواجه الفتاة ويسألها : «طب . . إيش بيقرب لك أحمد؟»

غيّر السؤال بالعربية المشهد والتفاصيل والتقديرات والتوقعات كلّها . اطمأننت لأحاسيسي الأولى .

كان اسمها نعمة . «نعمة» فلسطينية مثل كل نِعم هذه البلاد . أراحتني كثيرا تلك الـ«نعمة» . أحسست بأنني في فندق فلسطيني ، مع أنه لم يكن فلسطينيًا ، وأن هذه النعمة ، سوف تبتسم للنزيل التالي في الفندق حالما يصل . سوف تسأله عن جواز سفره لتسجل بياناته . ولن تتوقف عند جنسيته أو تسأله عن ديانته . ولن تغيّر من شكل ابتسامتها تبعا للزبون . لكن تلك النعمة أراحتني إذ أكّدت لي ، بأننا لم نزل موزعين على البلاد . وسوف ترتاح راحتي أكثر صباح اليوم التالي ، بعد أن تكون عايدة قد انضمّت إلينا . سنذهب نحن الأربعة لنتناول وجبة الإفطار . يستقبلنا العاملون في المطعم بترحيب إضافي : «ميت أهلا وسهلا . .شرفتونا» . ونبتسم إذ تشرّفنا بهم لأنهم سبق وأن تشرّفوا بنا .

وسوف يستقبلنا في صباح اليوم الذي يليه ، مدير المطعم ، ويثرثر معنا بحميمية . ويفاجئنا أحد العاملين في المطعم بكرم أخلاقي إضافي . يطلب منّا بتهذيب بلدي ، أن نختار طاولة ، فنفعل . لكننا حين نتجه إلى البوفيه ، يستوقفنا ويطلب منّا الجلوس إلى الطاولة ، عارضا علينا إحضار تشكيلة من أشهى أصناف الطعام والفواكه المتوفرة بنفسه ، حتى ظننت شخصيا أنه صاحب المطعم ، مع أنه لم يكن سوى نادل . وسوف يتكرر الأمر نفسه خلال وجبات الفطور التي نتناولها في فندق «دان كرميل» في حيفا ، حين نزور المدينة وننزل ، بعد أيام ، حيث نزل الرئيس المصري السابق ، محمد أنور السادات في زيارته لحيفا عام 1978 . وسوف يروي لي مضيفي سلمان ، حكايته معه ، حين جعل منه أول حامل جواز سفر إسرائيلي ، يحصل على تأشيرة دخول إلى مصر ، ليصبح بعدها ، «ملك الكتاب العربي» ، والموزع الأكبر له . أما في بئر السبع التي سنقضي فيها ليلة واحدة في فندق «ليوناردو» ، فسوف يستقبلنا موظف بدوي ، ويقدم لنا بدوي آخر يشرف على العاملين في المطعم ، وأغلبهم من أبناء القبائل العربية في المنطقة ، صباح اليوم التالي ، أفضل فطور .

وقعت الأوراق الخاصة بالفندق ، وصعدنا نحن الثلاثة إلى الطابق الثاني عشر حيث غرفتانا المتجاورتان ، لنبدأ رحلة التعرّف على البلاد .

حيفا

في الطريق الدولي إلى «عروس الكرمل» ، أخذني جميل من تأملاتي في المكان الذي لم يعد له شكل المكان إلى رفقتنا في موسكو ، في أواسط سبعينات القرن الماضي . حينذاك ، شكلت أنا وهو ولودميلا «ترويكا» أهم من تلك التي كانت تتسيّد الكرملين باسم دكتاتورية البروليتاريا في زمن الرفيق ليونيد بريجينيف .

قال جميل كلاما يشبهنا . وضعت لودا على شفتيها ابتسامة حائرة ، مثل فاصلة بين ذكريات تستدعي التأمل . استوقفني سرد جميـل ، ودفعني إلى تأمّل شراكتنا الغرامية .

كنت وجميل طالبين في مدرسة لتخريج كوادر الأحزاب الشيوعية ، جئنا من مكانين مختلفين ، لكي نساهم مع آخرين في إيجاد حل لبلادنا التي نحلم بأن تجمعنا ثانية . ولد هو هناك في فلسطين ، وبقي هناك . وجاء إلى موسكو ضمن فريق تابع للحزب الشيوعي الإسرائيلي (راكَح) يضم عـددا من اليـهـود . وولدت أنا هناك أيضـا ، لكني لم أبق هناك . صـرت غزاويا لم يحتفظ حتى بغزاويته ، وتهجّر في مسارات الكفاح الوطني ، تجره التفاصيل حيثما ينتقل رجال يحملون بنادق ويرفعون شعارات خفيفة وأخرى ثقيلة ترفرف في الهواء ، ويستقر حيثما يستقرون ، أملا في التحرر والعودة ولا يعود ولا يعودون .

هكذا تعرّفت على جميل ، فلسطينيا في إسرائيل ، نصف مواطن في ديمقراطية لا تخصّه ولا تلتفت إليه إلا في المناسبات الانتخابية . وتعرّف

هو عليّ ، فلسطينيا مهجرا في بلاد الله الواسعة . تزوجت أنا بعد سنوات ، بجولي البريطانية نصف الإنجليزية ونصف الأرمنية . وتزوج جميل لودا الروسية ، التي تركت موسكو وانتقلت معه إلى حيفا ، بعد أن أنهى دورته في المدرسة الحزبية . وصارت بعد زواجهما إسرائيلية بمواطنة كاملة لم تكن لها يوما .

«جميلوف!»

التفت : «دا تفارش» . . نعم يا رفيق .

تابعت : «صحيح ، شو قالولك أهلك لما رجعت ع حيفا ومعك لودا؟»

ضحك إذ لم يفاجئه السؤال ، بل فاجأ لودا التي التفتت إليه بحدة وراحت تعبث بصلعته تترقّب ما سيقوله . أجابني مستسلما لانزلاق أصابعها على صلعته :

«فكّرتني بهداك اليوم . .كان جدّي الله يرحمه بعده عايش . لّما حكيت له عن الموضوع ، اتطلّع فيَّ وجكرني وعينيه ابْتِكدح نكد . مسك السيجارة اللي ف إيده وفركها في المنفضة بعصبية ، وقال لي : «ولك يا عِرَّة ، يا بقية خِلْفِةْ المسكوب ، هيّ البلد ناقصة روس عشان تروح وتجيب النا روسية . . ويهودية كمان؟!»

أضحكني موقف جدّه ، وفاجأتني حقيقة أن لودا يهودية ، ولم يكن ذلك يخطر لي على بال ، ولم أكن لأعيره أي اهتمام أصلا . ففي مجتمع ملحد ، رسميا على الأقل ، لا أحد يسأل عن ديانة أحد أو يهتم لها ، وغالبا ما كان بقايا المؤمنين من الروس ، يدفنون الربّ في قلوبهم ويتستّرون عليه ، خوفا من أعين رجال ميليشيا الحكومة . وكنا ثلاثتنا من فريق من لا يسألون .

«أنا أُمري ما كان يهودي .»

صاحت لودا . وأطلقت جولي ضحكا لا علاقة له بالأديان أو بحوارنا كله أو مفاجآته . وقالت موجهة للودا كلاما تجاوز الهمس إلى أسماعنا

جميعا : «أنا بهبو كلام أنتَ لودا ، أشان أهنا لتنين بيهكو أربي زي كوشري مسري .»

وصلنا الضحك بالضحك ، بينما راح جميل يكمل حواره مع جده :

«قلت لسيدي : يا سيدي الله يطوّل عمرك ، لودا مش يهودية ، لودا شيوعية زيي بالزبط . . وأنت عارف أحنا . . .»

قاطعني ساخرا هازئا : طز فيك وفيها . . إنت زي اللى إجا ايكحّلها عماها . . بدك اتزيد عضوية حزبكم الشيوعي واحد . . رُحت زوّدت عدد اليهود في حيفا .»

كانت لودا أمينة مكتبة المدرسة الحزبية . وكنت وجميل نطلق على المكتبة ، «لودي مالينكي غوراد» ، أي مدينة لودا الصغيرة ، التي تقطنها آلاف الكتب الفلسفية والتاريخية والاقتصادية ، والكثير من الروايات والأعمال الأدبية الروسية الكلاسيكية . كانت لودا تمضي بعض أوقات عملها متنقلة بين شوارع مدينتها ، مشغولة بإعادة ترتيبها بعد إعادة طلاب المدرسة ما استعاروه منها ، أو جالسة إلى مكتبها . آنذاك ، أعجبنا معًا بمدينة لودا الثقافية ، ووزعنا أسماء أحيائها على أقسام المكتبة : هذا حي كارل ماركس حيث تقيم مؤلفاته . وهذه ضاحية الرفيق فلاديمير إيليتش لينين . وكنت ، أحيانا ، أنصح رفيقا يبحث عن كتاب «ما هو الاقتصاد السياسي؟» ، بقولي مازحا : «روح ع زقاق روزا لوكسمبورغ في حارة الاقتصاد السياسي .» وأقول لآخر لم يجد كتابا لفريدريك إنجلز : «روح ع هديك الحارة بِتْلاقيه ، هي مش بعيدة كثير عن حارة ماركس ، قبل حارة لينين بشويّة .» وكان جميل يشاكسني معترضا : «ما اتْرُدِّش على وليدوف . . رح إيْضَيْعَك يا رفيق وِيْوَدّيك في داهية أيديولوجية .»

نضحَك ونضحِك غيرنا . نبلّ ريقنا الذي نشفته الأيديولوجيا بتسليات عابرة .

كنت أتردد وجميل على المكتبة ، بصورة شبه يومية ، لاستعارة

الكتب التي تتطلبها أبحاث فكرية وسياسية نكلف بكتابتها . ولم نكن ،
سوى منافقين كاذبين مخلصين لكذبهما ، عاشقين له بقوة متساوية . فقد
كنا أقل الرفاق في مجموعتينا ، اهتماما بتوسيع معرفتنا بالفلسفتين المادية
والتاريخية . كنا نبحث في عالم لودا ، عن امرأة حلمنا بها منفردين ، على
الرغم من أن النساء كنّ موزعات مثل باقات الورد في المطعم ،
والكافيتيريا ، والإذاعة المحلية التي تذكرنا دائما بأجمل أغانينا . وكان
جمالهن يهزم الايديولوجيا التي أطاحت بقيصر روسيا ، نيقولاي الثاني ،
في فبراير عام 1917 ، وأزاحت من بعده حكومة ألكسندر كيرينسكي في
أكتوبر من العام نفسه . وكانت أبواب العلاقات بين الجنسين مشرعة على
الرغبات ، من النظرة الأولى إلى المضاجعة في مخازن التموين التابعة
لمطعم المدرسة ، أو في أي مكان يمكن أن يحفظ السر ولو لليوم التالي . ومع
ذلك ، تغزلتُ وجميل بالمرأة عينها ، بجمالها ، بأناقتها ، على الرغم من فقر
الموضة وتخلفها في تلك البلاد المحكومة بمقاطعة كل ما هو منتج رأسمالي .
أما لودا المعشوقة ، فكانت توزّع علينا مشاعرها بالتقسيط بنسب قابلة
للتأويل ، على خلاف عدالة طبقة البروليتاريا . كان كل منّا يشعر بأن ما
يحظى به من نظراتها ، أكبر مما يناله الآخر ، وبأن معاني كلماتها التي
تشبه ممرات المكتبة ، قريبة من رغباته هو أكثر من قربها من رغبات الآخر ،
حتى عشقناها معا بسر غطيناه بصداقتنا المعلنة . صرنا ما إن ننتهي من
تناول وجبة الغداء التي تبدأ في الواحدة ظهرا ، في انضباط مطبخ
عسكري ، حتى نتسلل منفردين أو مترافقين إلى مدينة لودا الصغيرة .
      بعد شهور من الدراسة المكثفة ، صار النعاس مادة إضافية يفرضها
علينا التعب والارهاق اليوميان ، وملاحقة مصادر ما نعدّه من أبحاث ،
ورتابة الحياة نفسها داخل المدرسة . صرنا نأخذ نعاسنا معنا ونذهب إلى
المكتبة . كانت في مكتب لودا كنبتان طويلتان عريضتان ، صارتا فراشين
مؤقتين لقيلولاتنا السرية المتقطعة . أذهب أحيانا ، مدعيا الرغبة في

المطالعة ، بينما أراقب لودا تتنقل في حارات المكتبة وبين ممراتها . كنت أضحي بقيلولة مريحة في غرفتي في السكن الخاص بالطلاب ، خوفا من أن ينفرد جميل بلودا . وذات بعد ظهيرة صيفية معتدلة ، ذهبت إلى المكتبة كعادتي ، وتوجّهتُ مباشرة إلى مكتب لودا . لم أجد جميل هناك . فرِحت . «لم يسبقني إذن!» لكن لودا التي استقبلتني بابتسامتها التي تغني عن قبلات لم أحصل عليها ، استأذنتني مباشرة وخرجت لعمل في المكتبة ، ولم أجد أمامي سوى النوم الذي جئت بمقدماته معي ، فنمت ، على أمل أن التقيها في الحلم ، فظهر لي جميل يحمل عصا غليظة ويلحق بي في شوارع غريبة . ذلك المساء خسرت جلسة طيبة مع لودا ، ولم أكسب القيلولة بعيدا منها .

بقينا نحن الثلاثة على هذا الحال ، إلى أن جاء يوم تقرر فيه القيام برحلة تطبيقية إلى مدينة ليننغراد ، نزور خلالها ، إحدى الكولخوزات الزراعية القريبة من المدينة . وصادف أن كانت الرحلة مشتركة بين المجموعتين الإسرائيلية والفلسطينية ، وإن كنا ذهبنا في حافلتين .

قبيل الانطلاق ، ظلّ جميل ولودا واقفين ، يتبادلان همسا خفيفا قرب باب الحافلة التي ستقل المجموعة الإسرائيلية ، إلى أن حان موعد التحرك . طبعت لودا قبلتين على وجنتي جميل أخذهما معه وصعد إلى الحافلة . ثم ركضت نحو حافلتنا التي توقفت خلف الأولى . وكنت قد صعدت إليها واتخذت مكاني فيها . اقتربت من نافذة الحافلة التي أجلس قربها . همسنا لبعضنا قليلا ، إلى أن علا ضجيج محرك الحافلة ، وتبعه صوت مرافقنا يصيح : «سننطلق الآن أيها الرفاق .» سارعت لودا ومنحتني قبلتين مماثلتين لما حصل عليه جميل ، ولكن عبر زجاج النافذة .

في يومنا الأخير في ليننغراد ، التي احتلتها الحرارة والرطوبة الصاعدة من نهر النيفا يتمشى متلويا في شوارعها ، قمت وجميل بجولة في المدينة امتدت لساعات ، انتهت بنا إلى متجر كبير للهدايا - عند المدخل ، هتفنا

معا : «خلّينا نتفرج ونشوف .» وافترقنا . فرقتنا رغبات مكتومة ، وزعتنا على ما في المحل من بضائع ، لم يلفت نظري أي منها . في النهاية ، عثرت على ورود بلاستيكية بألوان مختلفة ، انتقيت واحدة بيضاء ودفعت ثمنها .

التقيت جميل في نهاية تسوقنا عند مدخل المتجر ، وخرجنا معا . كان مثلي ، يحمل شيئا في لفافة تشبه لفافتي . لم يخبرني بما اشتراه . وأنا لم أخبره . لم يسأل أي منّا الآخر عن صاحبة الحظ التي سيقدم إليها ما اشتراه . ربما خفنا منفردين ، من هزيمة محتملة تستبق أحلام أحدنا أو تلغيها . لكننا قلنا لبعضنا ، بما يشبه الهمس : «اشتريت شغلهْ ازغيرة عجبتني .»

هل شعر جميل في ذلك اليوم بما شعرت به؟ هل أحس مثلي بأن الهديتين ستقدمان لامرأة واحدة؟ لا أدري . كل ما كنت أعرفه هو أننا اقتسمنا لودا من دون أن نعرف ، إن كانت هي قد اقتسمتنا ، أم قسّمتنا إلى شريكين غير متساويين في نصيبهما من عواطفها .

في اليوم التالي لعودتنا ، زرنا لودا في مكتبها في وقتين مختلفين . ذهبت أنا بعد جميل ، إذ تأخرت بسبب درس في الاقتصاد السياسي ، على ما أذكر . كانت لودا تراجع بعض الأوراق الخاصة بعملها حين دخلت وذراعي اليمنى خلف ظهري . تركت ما بيدها وابتعدت عن مكتبها وأسرعت نحوي تحتضنني وتقبلني . احتضنتها بذراعي اليسرى . وحين ابتعدنا ، قدّمت لها هديتها ، الوردة البيضاء التي اشتريتها لها . تناولتها من يدي وقبلتني مجددا ، وعادت إلى مكتبها مسرعة . مدّت يدها إلى حيث امتدت نظراتي تتابعان الوردة في يدها ، فوصلتْ ويدها في اللحظة نفسها ، إلى كأس زجاجي فارغ فيه وردة حمراء . وضعت لودا الوردة البيضاء في الكأس . حملته وتقدّمت مني وهي تشم كل وردة على حدة ، وتردد :

«أمممممم كراسيفايي . سباسيبا تفارِش وليد ، إي سباسيبا دراغوي (عزيزي) جميل .»

قالت ، بينما أراقب الحقيقة تلغي أسرارنا ، إن وردتينا جميلتان ، وشكرت كلاً منا ، دعتني بالرفيق ودعته بالعزيز . أعادت الكأس إلى مكتبها ، ثم التفتت إليّ وعلى وجهها ابتسامة محايدة وقالت :

«وردتك بيضاء يا وليد مثل قلبك . .أنت صديق حقيقي .»

وصلتني رسالة لودا ، واضحة مثل صدق مشاعري . وأدركت أن ما كان بينها وبين جميل يفوق ما كان بيني وبينها . في تلك اللحظة ، أحسست وحدي بهزيمتي . لكني قلت لنفسي أطمئنها ، إنني كنت محقا حين اشتريت وردة بيضاء . كانت لدي شكوك . وحسنا فعلت . لقد خفّف عليّ ذلك وقع صدمة محتملة لو جئت للودا بوردة حمراء أيضا ، وخضت أنا وجميل «حرب الوردتين» ، وسفكنا مشاعرنا من أجلها؟

اقتربت من لودا وقبلتها على وجنتيها ، وقلت من دون لعثمة أو تردد : «وردة جميل تليق بعاشقة مثلك لودتشكا . . حافظي على صديقنا المشترك واحتفظي به .» وانسحبت من غرفتها في المكتبة . انسحبت من أحلامي الطارئة بحب لودا . أخذت هزيمتي وانسحبت . ومنذ ذلك الحين ، احتفظت بصداقة قوية لكليهما .

تذكّرت تلك الوقائع من بقايا مراهقة متأخرة ، وأنا أستمع لجميل يروي تفاصيل عام قضيناه معًا في موسكو .

وفجأة ، التفت جميل نحوي يسألني : «بتتذكر الوردتين يا وليد؟»

وقبل أن أستفيق مما لا حاجة به لسؤالي عنه ، سارع مفسرا : «اللي اشتريناهن من لينينغراد وخبّينا ع بعض؟»

«طبعا بَتْذكّر!»

لودا صرخت : «بوجَهْ مويْ .» (يا إلهي)

علّقت : «ما زلت تصرخين بالروسية لودتشكا مّيا؟»

«إيه لما انفئِل . . . أشان وردتين لسة إندي .»

«بو جه موي .»

صرخت بدوري بالروسية غير مصدق ما قالته .

جميل علّق : «من يوم ما اجت لوداع لبلاد وهيّ محتفظة بالوردتين في مرتبان زجاجي .»

«تبأن ، أشان وردة سداكة لوليد وردة خب لجميل .»

أخيرا ، تدخلت جولي التي ظلت طيلة الوقت صامتة تراقب بأذنيها ما يقال : «أنا مش فاهم أشي .. انتو بتكلمو مرة أربي مرة روسي ، يلا أنا كمان بأول : بوجَه مويْ .»

شرحت لها القصة التي لم تكن تعرف منها سوى صداقتي بجميل . لم تندهش ، ولم يستوقفها ماضي ثلاثة مراهقين التقوا في مكان واحد ذات يوم .

هكذا مضت رحلتنا طيلة أكثر من ساعة ونصف الساعة ، نستعيد خلالها ذكريات حميمة ، ونراقب مشاهد كلما استوقفت أحدنا ، صرخ بالروسية : «بوجه موي» ، إلى أن فتحت لنا حيفا ذراعيها وألقينا بأنفسنا بين أحضانها .

القدس

كان النهار قد بدأ يتخلّى عن بقاياه لمساء هادئ ، حين استيقظنا بعد قيلولة نستحقها . بعد قليل نذهب جميعًا ، أنا وزوجتي جولي وسلمان وزوجته عايدة ، بسيارة سلمان المرسيدس الرياضية أكثر منه بكثير ، إلى مطعم «النافورة» في القدس ، تلبية لدعوة الدكتور فهمي الخطيب وزوجته ندى ، مع أننا في القدس .

أزحت ستارة النافذة الوحيدة لغرفتنا ، وألقيت نظرات «حشرية» من عينين كسولتين على الخارج ، فلم أجد القدس التي حلمت العمر كله بزيارتها . أمامي جانب من طرف ضاحية في مدينة ما أوروبية زرعت في المدينة ، لم تقو على اكتساب شيء من ملامحها . مجرد بنايات حديثة مبعثرة على تفاصيل المشهد ، مما يمكن أن نراه في أي بلد أوروبي ، كأننا لسنا في القدس . كأن القدس في مكان آخر .

هبط الليل ، وغادرنا الفندق . أخذ سلمان يدور بنا بسيارته . لا يعرف المدينة التي تعرفه . يعلق مثل مرشد سياحي لم يتلق دروسا في مهنته ، أو يتمشى في شوارعها من قبل . يعرِّفنا على زاوية أو معلم يصعب الإلمام بتفاصيله . يكشف لنا نتفا غالبا ما يكون سمع بها . نراقب ونلاحظ . نتأمل ونندهش كل بطريقته .

توقفنا قرب باب الخليل . غادرنا السيارة . اجتزنا ميدان «عمر بن الخطاب» . استدرنا يسارا ودخلنا شارع «طريق البطريركية اللاتينية» . وصلنا إلى مطعم النافورة الذي يشبه ما حوله من محلات ذات أبواب

194

قديمة أغلبها زرقاء اللون ، ودخلنا تباعا . سيقول الدكتور فهمي ، بعد أن نصبح داخل المطعم ، ونتأمل تفاصيل المكان الذي سنسهر فيه ، بينما يرحّب بنا صاحبه بود تقليدي ، إنه مطعمه المفضل ، وصاحبه صديق أيضا . وسيكون الرجلان اللذان لم يلتقيا منذ مدة غير قصيرة -كما سيخبراننا- قد تحاضنا ، وتعاتبا ، وتبادلا الأعذار التي يقولها الجميع عادة : ابتعرف مشاغل الدنيا . . واللهِ . . وما إلك عليّ يمين - ويقطع الثاني طريقه إلى البقية المعروفة ويقول : ما تحلفش يا زلمة . . عليّ الطلاق . . ولا يدعه الأول يكمل خوفا على طلاق زوجته الغائبة بسبب كذبة بيضاء .

كان المطعم من الداخل لوحة فنية . طاولات مغطاة بشراشف أنيقة ونظيفة ، تفصل بينها مزهريات تحتفي ورودها بنفسها وبالزبائن . تتوسطه نافورة ضخمة تضاهي ما في البيوت الدمشقية القديمة . أما المازات وما قدم من المشاوي ، فلا يختلف عمّا يقدم في مدن شامية أخرى ، غير أن وجودنا في القدس ، جعل لكل شيء نكهة المدينة . وحين قال صاحب المطعم إن الجدار الذي يواجهني مباشرة ، وكنت قد اتخذت مكاني مثل الآخرين حول الطاولة ، هو جزء من سور القدس ، تغيّر الكثير في داخلي ، ولم أتوقف عن قراءة ما تقوله الحجارة طول فترة تناولنا العشاء . بعد انتهاء عشائنا الأول ، طرح سلمان جوهر وصية إيفانا ، ورغبتنا في أن يساعدنا الدكتور فهمي وزوجته ندى على تنفيذها .

بدا الدكتور متفهما الموقف ، ولم يندهش لحرق جسد إيفانا بعد الوفاة ، الذي يتنافى مع التقاليد الدينية . وقال : «ليش لأ . . في النهاية كل جسد مصيره إلى رماد . وإيفانا رحمة الله عليها ، اختصرت الطريق .»

قلّبت الدكتورة ندى شفتين حائرتين ، كشفتا عن قلق مؤقت . لكنّها التزمت حيرتها ولم تترجمها إلى كلام . شجّع ذلك جولي على القول بالإنجليزية بينما ترنو ببصرها إلى ندى : «لقد أحضرنا الرماد في وعاء جميل .»

سألت ندى : «فهمت من سلمان أنه وعاء زجاجي؟»

«بل هو خزفي على شكل جسد امرأة ، وله قوام والدتي في شبابها .» عقّبت جولي ، وتدخلتُ أنا لإثارة فضول ندى : «بكرة بتشوفوه . . ووقتها خذو القرار اللي يريِّحكُم .» وساد صمت يشبه لحظات استباق القرار .

في النهاية ، شكرنا مضيفينا وودعناهما على أمل زيارتهما في بيتهما في ضاحية الشيخ جراح في القدس غدا . وانطلقنا نبحث عن تفاصيل أخرى للمدينة .

صعدت بنا السيارة التلّة الفرنسية في الشمال الشرقي للمدينة واعتلتها ، فانتشرت بيوتها على حبل نظراتنا الصامتة . منذ عام 1971 أعطي للتلة إسمها الإسرائيلي الجديد : «غفعات شابيرا» .

قال سلمان : «يسمّوها زي ما يسمّوها . . إحنا رح نظل انقول عنها التلة الفرنسية ،» بينما تتجول أعين الجميع على ما يظهر من بيوت المستوطنة المضيئة وسط أشجار غابة نائمة . على مقربة من المستوطنة ، أشعّت بعض أنوار مستشفى هداسا ، ثم الجامعة العبرية التي يقيم بعض طلابها في المستوطنة ، ضمن سبعة آلاف هم مجموع سكانها ، بالإضافة إلى عدد من الأطباء والممرضين والممرضات من العاملين في المستشفى القريب .

«هاي أعلى نقطة في القدس .»

قال سلمان ، وتابع من دون أن ينتظر تعقيبا من أحد :

«عملت عليها امبارح بحث في غوغل . . بعرِفش ايش جابها ع بالي . في واحدة بَظِن إنها سمسارة شقق ، كاتبة عنها . بتحكي إنها أخذت زبون بِدّه يشتري شقة ع طابق عالي في المستوطنة . جابته الست لهون وأخذته على العمارة ، وطلعت فيه ع الشقة ووقفته في البلكونة ، وقالت له اتطلع . التفت الزلمه مطرح ما أشّرَتْ له ، وشاف المنظر بيوخد العقل . ما سدّقش إنه لقي شقة في القدس ع تلّة أعلى من سطح البحر بثمانميّة وثلاثين متر» .

قالت له : «أدوني . .شايف الطريق اللي هناك!»

التفت حيث أشارت .

«هاي الطريق بتروح م القدس للبحر الميت .»

«بسيدر (تمام) أنا حبيت المنظر كتير . .بس سعر الشقة اللي طالبينه غالي .»

قالت له وهي بتضحك : «الأربعميت الف دولار أميركي اللي رح تدفعها حق المنظر اللي قدّامك . . احنا رح نعطيك الشقة من غير مصاري . . شو بتقول؟»

نطَّت عايدة التي تسيِّن الصاد ، وقالت : «مش بس التلة يا سلمان يا حبيبي . . اليهود أخدو الأدس كلها من غير مساري .»

لم أشارك في التعليق ، ولا جولي التي كانت تحدق في الكلام المتناثر حولها . لكنني أسررت لي : «صرنا زي بقية العرب ، وزي أنبياء المدينة ، بنتفرّج ع المستوطنات وهيّ بتدفن القدس تحتها . مستوطنة بعد مستوطنة . بنشوف ملامحها ابْتِتْكَوَّم فوق ملامحها ، وأساميها بتدوس ع أساميها .»

مضى الليل يتسكع معنا في الطرقات ، وابتعد كثيرا عن المساء . افترشت العتمة الجزء الأكبر من المدينة . بدت القدس محلاة بقلائد من نجوم . صارت الأرض سماء . أوقف سلمان سيارته فوق السماء :

«هدا يا سيدي فندق الأميركان كولوني .»

التفتنا جميعا نحو الفندق : كان مبنى جميلا من الحجر الكلسي الأبيض المستخدم بكثرة في البلاد . تسبقه ست شجيرات من البوغينفيليا تدلّت فروعها بورودها الزهرية من على السور الأمامي . كنا نسميها المجنونة . ذكّرتني بأمي آمنة ، كانت تحبها كثيرا . تنتظر الصيف لكي تحتفي بها . تتأملها طيلة الوقت وهي تعتلي سور بيتنا . تقول إنها قوية ، وإن جنونها يدفعها إلى العربشة على الحيطان واعتلائها . سألتها ذات صيف : «بعدها المجنونة اللي ع حيطنا يمّه مجنونة والا عِقلَت؟»

التفتت إليّ بدمعتين في عينيها وقالت: «بعد ما دبابات شارون هدمت بيتنا يمه.. ما ظلّش عنا حيطان تتشعبط عليها المجنونة.»

أنا كنت أحب «المجنونة» أيضا، وأحب جنونها الزهري مثل أمي. كنت أتحدث إلى المجنونة أحيانا. أقول لها ما كانت تقوله أمي عنها: «هالشجرة ما فِشْ أقوى منها، ابتِتْشعْبَط ع الحيطان زي الحرامية. عينها وقحة، بتبصبص ع اللي رايح واللي جاي في الشارع وبتحكي معه.» كنت أضحك. صرت أضحك. التفتُ إلى الازهار التي تتسلق مدخل فندق الأميركان كولوني، أراها صامتة في مساء صامت، لكني أتذكر أن زهورها، هي الوحيدة بين أزهار الطبيعة التي تبتسم بثلاث شفاه. رأيت ابتسامتها في اللحظة التي اختطفها مني سلمان: «هلأ رح افاجأك.. اتطلع ع يمينك.. شو شايف؟ هذاك بيت الشرق في آخر الشارع.»

أخرجت أمي والمجنونة من ذاكرتي من دون استئذان، وفكّرت:

«بيت الشرق.. يعني بيت الشرق.. يعني فيصل الحسيني.. اتذكّرت يوم ما مات في الكويت، آخر يوم في مايو 2001. كان رايح يسلم رسالة للكويتيين من منظمة التحرير بعد القطيعة اللي صارت بينهم بعد احتلال العراق للكويت أُ مات.. كأن القطيعة اللي استعصت على الصلح جابت آخِرْته.»

أتأملَ المكان عن بعد أمتار. أتأمل البيت الذي أزعج إسرائيل لسنوات، ولم تهدأ ويرتاح لها بال، إلا بعد أن أغلقته رسميا سنة 1997، ورفعت علمها عليه، بعد تضييق ومنع وغلق لمؤسساته الواحدة تلو الأخرى. كانت عائلة الزعيم المقدسي، فيصل الحسيني، الشهير بـ«أبو العبد» على اسم أبيه، القائد الشهيد عبد القادر الحسيني، بطل معركة القسطل سنة 1948، قد توارثت البيت الذي تأسس العام 1897. حين جاء دوره وأشرف عليه، حوّله «أبو العبد» إلى مقر لمنظمة التحرير الفلسطينية في القدس، وأقام عددا من المؤسسات الإعلامية والأكاديمية

البحثية وأسكنها فيه . كنا نظن أن لنا مقرا مؤقتا للعاصمة الفلسطينية .

قلت : «الفلسطينية خسرو أبو العبد مرّة ، بس القدس خسرته مرتين . أبو العبد كان تاج راس المدينة . من يوم ما مات صارت القدس بلا راس ، وأحيانا بميت راس .»

ترحّم سلمان على ابو العبد وترحّمنا ثلاثتنا معه : «الله يرحمه .»

غادرت سيارة سلمان المكان . انعطف يمينا وتابع طريقه . قال بعد أن قطعت السيارة مسافة قصيرة : «قرّبنا ع شارع صلاح الدين . واحنا طالعين بنوخد كعك بسمسم . اللي بيجي ع القدس لازم ياكل من كعكها .»

تذكرت السوق التجاري الرئيس في القدس قبل أن يدخل إلى عينيّ . تذكّرت الشارع الذي افتتح تجاره بإضرابهم الشهير أبواب القدس للانتفاضة الأولى التي اندلعت في ديسمبر 1987 .

توقف سلمان عند تقاطع شارعين فجأة . التفت إلى زاوية إلى يمينه وراح يجادل نفسه :

«احنا في ميدان شبات . . يا خوفي ما اكون اتورّطِتْ . إسّه وين تروح يا سلمان؟ وين تروح؟ من هون واللا من هون؟»

وانعطف يمينا مرة أخرى ، قبل أن يصرخ :

«رحنا في داهية .»

«داهية شو؟»

صرخنا ثلاثتنا أنا وجولي وعايدة .

التفتُ إلى حيث كان سلمان ينظر . كانت ثمة يافطة صغيرة زرقاء تحمل اسم الحي مكتوبا باللون الأبيض : «مئة شعاريم» .

قلت : «اللي بخاف مِ القرد بيطلع له .»

وأدركت الداهية التي رحنا فيها . احتجزتنا إشارة المرور الحمراء خلفها عند مدخل الشارع الرئيس في الحي اليهودي الذي يعلن تديّنه وتشدّده بثلاث لغات : فوق اليافطة التي تحمل اسم الحي ، مباشرة ، ملصقان

بالعبرية والإنجليزية ، تضيء ما عليهما من كلام ، إشارة المرور . قرأت بصعوبة على الملصق المكتوب بالإنجليزية : «إلى النساء والفتيات : يرجى عدم المرور من الضاحية بملابس غير محتشمة .»

«في مشكل؟»

سألت جولي .

ردّ سلمان عليها بتوتر وبلكنتها : «طبعا في مشكل ، واخد مشكل كبير . . المشكلة يا ستي هيّ إنو اليوم السبت . . وإذا ما مَمَوّتُناش المتدينين اليهود ، رح يكسروا السيارة . يا الله بدي الإشارة تفتح لأمْرُق قبل ما نروح في داهية .»

تبدّلت الإشارة ، صارت خضراء . لكننا لم نزل معرضين «انروح فِ داهية» . إذ لاحت من بعيد إشارة أخرى خضراء ، لاحقها سلمان بتمنياته : «إنشا الله نقدر نتجاوزها قبل ما تصير حمرا ونروح في داهية .»

لكن تمنياته احتاجت إلى تجديد وإضافات ، إذ ظهرت فجأة ، على مسافة لا تزيد على خمسين مترا ، مجموعتان من شبّان يتسكعون حول ديانتهم . قد يحطمون السيارة إن توقفنا ، أو وقفوا لنا في منتصف الطريق وأجبرونا على التوقف . حينها قد يعتدون علينا بقسوة . كان الشارع مهجورا تماما إلا من الشبان وإشارة المرور التالية ومخاوفنا ، وبعض أضواء شموع خافتة في بعض البيوت الساهرة في ليل معتقداتها .

اندفع سلمان بسيارته تسابق مخاوفنا ، فمررنا من بين صراخ شباب المجموعتين ولعناتهم التي لا بد أن يكون الجميع قد رشقنا بها ، واجتزنا الإشارة التي احتفظت لنا بثوان آمنة ، تغيّرت بعدها . اجتزنا مئة شعاريم ، حي المتدينين اليهود الأرثوذوكس ، الذين جاؤوا من أوروبا الشرقية قبل الهولوكست ، ليشكلوا تجمعا فريدا في البلاد . ولا أعرف كيف عدنا إلى شارع صلاح الدين ، حيث أفقنا على عالم آخر لا علاقة له بطقوس الحي الذي غادرناه .

اجتزنا شارع صلاح الدين إلى شارع السلطان سليمان . أوقف سلمان سيارته قبالة فرن أمامه بضع عربات تبيع الكعك بسمسم . فتحنا النوافذ وتنفسنا هواء عروبة برائحة الكعك .

«خليكم ف السيارة .»

طلب منّا سلمان . وهبط من السيارة . مشى باتجاه السوق تلاحقه توقعاتنا . عاد بعد قليل يحمل بعض الكعك . ابتسمنا ثلاثتنا لرائحتها ، وملأنا صدورنا بالرغبة . كانت ثمة عربات كثيرة . وكانت أصوات الباعة تجرّ المارة في الشارع من أنوفهم إلى حيث يسكتون أفواههم .

أخذ كل منا نصيبه من كعك القدس الشهير ، وعدنا إلى فندق رمادا رينيسانس ، تفوح منّا رائحة الكعك المقدسي الغريب على الفندق الذي نزلنا فيه ، وعلى المنطقة التي أقمنا فيها .

حيفا

سألتني أم جميل : «عَجَبِتَك حيفا يا خالتي؟!» وتركت على ملامحها تعبيرا يشبه الترقّب : «بِقولو الفلسطيني اللي بِزور حيفا بيِطلّع منها مجنون بلا عقل .»

حقا ، لم أكن أتصور أنني سأبلغ ذلك الجنون الذي تحدثت عنه أم جميل ، حين تصعد بنا سيارة جميل الكرمل من شارع الجبل ، الذي صار جادة الصهيونية . وحين تأخذنا إلى وادي النسناس ، حيث بيت الكرمة الثقافي «بيت هغيفن» ، ورائحة إميل حبيبي المنتشرة في المكان ، وصحيفة الاتحاد التي عشقناها .

أتذكّر «باقي هناك» في رواية جنين دهمان ومشاحناته «الرفاقية» في مقر صحيفة الحزب الشيوعي «راكح» ، وما روته جنين عنه . وكيف كان أميل حبيبي يخرج عن إلحاده ويستغفر ربه عن ذلك الصباح المتأخر الذي يدخل فيه «باقي هناك» إلى مكتبه ، وعن كل صباح أو مساء التقى فيه الرفيقان من قبل أو سوف يشهد لقاءهما . وها نحن نعبر شارع الخوري حيث أغنياء حيفا ، ونمرّ من أمام مدرسة البروتستانت والكنيسة كما يشرح لنا جميل . يا الله هذا هو وادي النسناس . يافطة برتقالية تدلنا عليه . هذا الحي ظل رابضا منذ العام 1948 ، مثل أسد يحرس ما تبقى لنا في حيفا . ظل فلسطينيا ، حتى حين سقطت صواريخ حزب الله عليه في حرب 2006 ، وهدمت بعض مكاتب صحيفة الاتحاد ، وقتلت فلسطينيين قرب المدرسة . كان الحي سعيدا ، فرحا بالموت الذي هبط عليه . تبادل بعض

سكانه التهاني ، وقالوا : «زارتنا صواريخ عربية ، أهلا وسهلا بضيوفنا اللبنانية .»

صعدت بنا السيارة طلعة الأصفهاني المحمولة على كتفي مطعم «فلافل نجلاء» . هناك خلف المطعم تحت تلك الشجرة في الزاوية إلى اليسار ، ولد الشاعر أحمد دحبور ، وهنا سوق الخضرة ، وإلى أعلى مقر الحزب الشيوعي ، ثم طلعة اشْجيرات . هذا طريق المؤرخ الكبير أميل توما . محمد ميعاري ، العضو السابق في الكنيست وأحد مؤسسي «القائمة التقدمية للسلام» سنة 1984 ، كان يسكن هناك أيضا ، قرب الزاوية هناك ، وكان الشاعر محمود درويش يقيم هنا أيضا ، وكذلك المحامي والباحث صبري جريس ، الذي جاء من فسوطه في الجليل الأعلى .

إلى اليسار ، يقع شارع الواد ، حيث كانت مطبعة جريدة الاتحاد . صارت مدخل فرن . على اليسار شارع قيسارية . ثم بيت توفيق طوبي الذي أمضى 90 عاما ، هي عمره كله ، في حيفا ولم يسكن غيرها .

من شارع الخوري نصعد باتجاه الهدار ، هدار هكرميل ، فشارع المحاكم ، وشارع حسن شكري . «آه يا ديّوس .» تأوّه جميل العبارة وهو يهز رأسه كمن يحذر من انتقام ، وتابع موضحا حتى لا نستفسره : حسن شكري يا صديقي - وخصني بالحديث كأن المرأتين غير معنيتين- كان رئيس البلدية زمان . سنة السبعة وعشرين ، جرت أول انتخابات بلدية بالمعنى الحقيقي للانتخابات . وشارك فيها مختلف الأحزاب . بيقولولك احنا مختلفين مع بعضنا هَلّيام . احنا يا سيدي مختلفين من هديك لِيّام . وعُمُرنا ما بقينا موحدين . اليهود دعموا المرشح حسن شكري ، لأنه كان يتعاون معهم ويبيع أراضي ويسمسر هون وهون . وفاز حضرته في الانتخابات ، وكانو العرب رافعين شعار «حسن بيك يا ديوس . . . بعت الأرض بالفلوس» .

نهبط إلى منحدر يشبه المأساة الصاعدة . غالبية البيوت فيه مهجورة .

بيوت جميلة بنيت كلها بحجر عربي ، لا حجر إسرائيليا دخل بنائها الذي يشبه تفاصيل التاريخ . بيوتها قابلة للشراء من شركة عميدار الإسرائيلية للإسكان ، وهي معروضة للبيع . لماذا لا يشتريها العرب ويعيدونها للعرب؟ حقا! لماذا لا يشتريها العرب؟! أصرخ لي ولابد أن الآخرين يصرخون في دواخلهم . حين هبطت بنا السيارة باتجاه وادي الصليب ، بدأت تظهر تدخلات الإسرائيليين لتغيير معالم المكان . هم لا يخفون ذلك . فهناك شعار مكتوب على حائط بيت إلى اليسار ، في وادي الصليب ، لم يزل عالقا بحجارته ، مع أنه كتب منذ وقت طويل ، يعترف بجرائم تهجير السكان العرب ، ويقول بصفاقة «بيشع مشتليم» ، أي أن هذه الجرائم «بتوفّي معنا» بمعنى أنها تناسبنا أو هي مكسب لنا .

قلت لأم جميل : «أنا من هلأ صِرْت مجنون يا ام جميل . .مجنون حيفا .»

ردّت عليّ : « بس اللي بعيش هانا (هنا) في حيفا بيظلّو بعقله يا بنيّ . المجنون هوّ اللي بيدشر بلده وبهاجر .»

«كلامك ذهب يمّه .»

امتدح جميل كلام أمه الذي يليق به المديح . ثم مال عليّ ، وترك في أذني بضع كلمات سمعتها وحدي : «إحمد ربّك . . الهارد ديسك عند إمي اليوم مش ضارب .»

في الطريق إلى بيته ، حدثني جميل ، فقال : «بعد شوي بتقعد مع الوالدة ع رواق ، وبتسمع منها اللي ما بيخطر لك على بال .» لكنه حذرني : «بسْ إذا الهارد ديسك بتاعها ضرب ، بتصير تحكي لك عن الجني مرغادوش اللي كان مصاحبها . وبتقولي بيجي ع الساعة تسعة ونص . أقول لها ، يمّه ابصر انت شو عاملة مع مرغادوش ، يمكن مش عم بتقومي بواجباتك ناحيته . كل يوم بس تقوم الصُبح ، بتفتح حنفية الميّه ، وبْتِحكي مع العفاريت بتقولْهُم : يا اخواني لا آذيكم ولا تآذوني .»

وضحك . وضحكت . وقلت له إن الخلل الذي يطرأ على الهارد ديسك الحاوي لذاكرات بعض كبار السن ، منتشر كثيرا هذه الأيام . ورويت له حكاية زهدية ، زوجة الراحل عمي محمد . حين التقيتها قبل سنوات ، نبهني أبناؤها الثلاثة إلى خلل في الهارد ديسك لديها . فعلا ، بعد أن احتضنتني مرحبة بعودتي إلى البلاد بعد غياب طويل . نقلت لي سلاما وتحية من الراحل عمي محمد . أدركت أن ذاكرتها «مضروبة» . سألتها :

«وين عمي هلأ يا مرت عمي وشو أخباره؟»

ردت : «بيقولو في مصر . . راح يتجوز مصرية . أني ما صدّقتش . .محمد طول عمره بيحبني . . والله ماني عارفه يمكن اتجوّز . .ما هو زلمة وبيحقٍّ له ، أني أصلا بطّلت أنفع .»

توقفت لحظة كمن شعرت بضياعها ، قبل أن تستعيد لحظة وعي عابرة وتقول : «الله يرحمه عمك . .مات من زمان .»

ثم التفتت إليّ وقالت : «إنت مش وليد . . وليد عايش برّه في الغربة ما جاش من زمان غزة! إيش بدّو يجيبو .»

سألتها ولم يفاجئني ما قالته : «طيب أني مين يا مرتْ عمي؟»

أطلقت زغرودة فرح حادة . سألتها : «خير يا مرت عمي إيش فيه . . لمين بتزغرتي؟»

ردت : «مش وليد رجع م الغربه .»

ضحك كل من في بيت أبو حاتم . وملأنا نحن بيت جميل ضحكا مماثلا . واستغلّت والدته الموقف لتروي روايتها المحببة ، التي قال جميل إنها لا تحكيها إلا للضيوف الأعزاء ، فهي الحقيقة التي لا يقوى أي خلل في الهارد ديسك على لخبطتها أو التأثير في تفاصيلها :

أنا لـمّا بقيت في بيتنا اللي أخدوه اليهود سنة التمانية وأربعين ، كان عز الدين القسّام يصلي في الناس . هوّ اللي علّمهن لجيرانّا الصلاة ، علّمنا كلنا . كان هو يوقِّف قدام وإحنا وراه . إحْنا النسوان دايمن ورا . علّمهن

الصلاة . كنت في مدرسة الجمعية إسلام . وكنت اشوف بنته ميمنة في المدرسة . أنا كان عمري خمس ست سنين . ومرّة كانت لابسة أسود . سألتها : ليه لابسه أسود يا ميمنة؟ قالت لي : «قولي يا ريت يموتو اليهود» . قلت الها : «يا ريت يموتو اليهود» . «قولي يا ريت يموتو لِنجليز» . رديت : «يا ريت يموتو لنجليز» . كنت أعيد الحكي وراها . كنت ازغيرة ، وزي ما بتقول لي أقول . بعدين سألتها : «ليه قلتِ يموتو اليهود ويموتو لنجليز؟» ردّت عليّ من غير ما ينزل من عينيها نقطةِ دمع . كانت بنت قوية ، قالت لي : «عشان قتلو أبوي .»

وسكتت أم جميل ، وراحت تمسح دمعا في مقلتيها بطرف منديلها الأبيض . وتابع جميل ما أصبحت عليه ميمنة ابنة الشيخ القسام حين كبرت وكبر معها اسمها «بنت الشهيد القسام» . وروى كيف وقفت بشجاعة نادرة في أول مؤتمر نسائي عربي عقد لأجل فلسطين عام 1938 ، وكانت خطيبة وفود النساء . أثنت على والدها البطل ، وقالت ورأسها مرفوع للسماء : «الحمد لله ثم الحمد لله الذي شرفني باستشهاد أبي ، وأعزني بموته ولم يذلني بهوان وطني واستسلام أمتي» .

عادت أم جميل تكمل حكايتها التي شوهتها السنين وأعاد صياغتها مرض الزهايمر :

«ياحرام قتلوه وجابوه بالكارّة ، العرباية اللي بيجرها حمار ابعيد عن السامعين ، وأخدوه ع يعبد ، وهناك قبروه . قتلوه للقسام بحيفا وشُفت بعينيّ جثته امدّده على الكارة ، وقتها كل حيفا سكّرت .»

«مُش قلت لك الهارد دسك بتاع إمي ضارب»

همس جميل .

في نهاية سهرتنا التي امتدت إلى ما قبل منتصف الليل بقليل ، ساندت يقظتنا خلالها ، حكايات أم جميل ، قمت وجولي إلى غرفة النوم التي خصصها لنا المضيفان ، جميل ولودا . لكني لم أنم ، إذ تذكرت موعدنا

مع جنين ، في يافا . أخرجت من حقيبتي الصغيرة أوراق جنين ، وجلست إلى مكتب صغير في الغرفة ، ورحت أقرأ فصلا جديدا في «فلسطيني تيس» ، على همس أمواج البحر القريب ، فيما سبق نعاس جولي ومتاعب التنقّل قدرتها على اليقظة ، فذهبت في غفو مستعجل ، متخلّية عن أهداف سويف وأبطال روايتها للمرة الأولى منذ أن غادرنا لندن :

أسند محمود دهمان رأسه إلى حافة قبر والدته صفية ، في ذلك الصباح الغزاوي الذي تعرّف عليه بعد غياب . صباح يوقظ الأموات على أصوات زوار يحملون إليهم رحمة متأخرة لم يحصلوا عليها في دنياهم . مدد ساقيه أمامه . تأمّل قطرات ندى تكثفت على حافة القبر قبالته ، كما كانت تتكثف على أوراق شجرة التين التي زرعها جده قبل أن يزرعه أبوه في بطن أمه . كان وأشقاؤه يسمونها تينة الجد مسعود . كان لها جذع ضخم متعرج ، يشبه قوام جده في أيامه الأخيرة التي لم يعشها . قوام هزيل ضعيف يتكئ على عمر مضى . قال أبوه يصف جده ويعدد مناقبه- بعد أن ترحّم عليه سبع مرات ، وترحم الأبناء وأمهم عليه سبع مرات- إنه كان يستيقظ من طيز الليل . وكان يصلي الفجر تحت شجرة التين حتى يكون قريبا من السماء ، لا تفصله عنها سوى فروع شجرة مباركة ورد ذكرها في القرآن الكريم وأغصانها . وكان إذا ما أنهى ركعته الأخيرة وسجد وسلّم : «السلام عليكم ورحمة الله . . السلام عليكم ورحمة الله» ، نهض وفي فمه بقايا دعاء ، بينما تقترب شفتاه من ثمر الشجرة . فيأكل كمن يأكل تينا في السماء . هكذا قال أبوه . وقال أيضا ، إن جده كان يسقي شجرته بزيت الزيتون ويسمدها بالزعتر . وكان يشم روائحهما في حبات التين الخضراء الفاتحة اللون كفجر صيفي ، فينفتح صدره واسعا مثل باب رحمة الهية :

«الزعتر مقدس يا ولاد» .

يردد . ويردد من يسمعه خلفه : «الحمد لله الذي جعل لنا في هذه الأرض تينا وزيتونا وزعتر .»

ويضيف والده إلى الدعاء : «وخبز طابون يا أبي .» وكان وجه جده يضحك لخبز الطابون الساخن .

مسح بكفّيه وجهه المغمس بالندى والذكريات . وطيّب ملامحه بالفاتحة التي قرأها على روح أمه ، ولم يزل رأسه مسنودا إلى حافة قبرها . حلم عمره كله أن يضع رأسه على كتفها القوية مثل أسمنت قبرها ، مع أنه كان يهابها . أحبها كثيرا لكنه كان يخافها . كانت صفية قوية ، لها عينان سوداوان صقريتان غاضبتان بلا سبب نهارا ، وبوميتان تراقبان الجميع نياما في عتمة الليل . وكان لها أنف من زمن الرومان في بلادنا ، يشبه أنوف منحوتات زمانهم . صلب وقوي ، يمتد باستقامة عمودية تفرض رهبة على المكان .

كثيرا ما استغاب محمود وشقيقه عوني أمهما . كثيرا ما اتفقا على أنها لا تشبه النساء ، واستغربا كيف أنجبتهما . لكنهما لم يستغربا كيف تيّس والدهما إبراهيم دهمان المعروف بالشيخ إبراهيم ، وتزوجها . قال عوني لمحمود بدهشة موروثة تميز الدهامنة مثل جينة التياسة وتتحكم بانفعالاتهم :

«بتعرف يا محمود إنو إمّنا زلمه؟»

أجاب محمود بلؤم : «طبعا . . عشان هيك أبوك بطوله وعرضه بيِرْتعِش لمّا بيوقِّف يحكي معها» .

كان أبناء العائلة ينادونها حاجة صفية ، (مع أنها لم تكن «حاجة» في يوم من الأيام ، وماتت وأملها أن تؤدي فريضة الحج . وحين سمعت النداء أول مرّة «ياحاجة صفية» ، تلفّتت حواليها تبحث عمن يخصه . وكانت محقة ، فهي لم تكن قد بلغت السن التي يبحث فيها الناس عن وسيلة لغسل ضمائرهم والتخلص من ذنوب حياتهم .) أغلب الظن أن الجميع ناداها حاجة لأنها زوجة الشيخ إبراهيم ، ولها قلب أبيض مثل قلبه ، نظيف مثل قماش البفتة ، أو هكذا كانوا يظنون . وضمير صاف أنقى

من ضمائر كثيرين أدوا الفرائض ، وهرولوا ، نافضين عنهم تلالا من ذنوب تراكمت في حياتهم كما يُنفض الغبار عن سجادة قديمة ، وعاد كل منهم إلى بلده سعيدا بلقبه الديني الجديد .

منح الدهامنة ابنتهم لقب «حاجة» من دون أن تهرول أو تنفض عن جسدها ما راكمته من ذنوب ، وتعلّق حجتها مثل شهادة فخرية منحت لمن استحقها ، كما يفعل كثيرون . كانت تتعلق بالأماني مثلما يتعلق الندى بذيل الصيف ، أو بثمر التين ، وتقول «إن شاء الله . .الله يطعمنا حجة إحنا وكل الناس المسلمين» . ثم تنصت لصوتها يردد خلفها «آمين يا رب العالمين .» وتظن أن الملائكة هم من يرددون . تضع رأسها على أمنياتها وتغفو على حلمها ، إلى أن استيقظت على نفسها تحمل لقب حاجة من دون أن تقصد مكة أو تزورها .

لكن الحاجة ، حاملة اللقب الديني الفخري ، لم يرقها زواج ابنها البكر ، عوني ، من الغزاوية عائشة الفقعاوي قبل سنوات ، وقبلته في حينه مرغمة . صارت تجمع حطب كراهيتها لعايشة وتشعل النار في قلب ابنها . وجاء اليوم الذي تمنته الحاجة صفية ، عقب شهرين من ولادة حفيدها سعيد ، الابن الثاني لعوني . فسعيد لم يكن سعيدا ، إذ خرج من رحم إشاعة رافقت حمل أمه به ، وصارت حقيقة تداولها الجميع «سعيد مُش من ظهر أبوه . عايشة عشقت زلمة بالسر .» المخيم كله قال «الولد أصلا ما فيه شبه من أبوه بالمرّة .» حتى من لم يره قال ذلك . وأفتى بأن عوني لم يعد قادرا على الإنجاب بعد ابنته وابنه الذي رزق به بعد سنوات من انقطاع زوجته عن الحمل . وخلال شهرين صارت الفتوى أقوى من فتوى الشيخ أمين ، إمام مسجد المخيم . الحاجة صفية أعجبتها الإشاعة والفتوى ، وأكدت أن «عايشة عمرها ما كانت وفيّة . . من يوم اتجوّزته لعوني وهي ما بتحبُّه ولا بتطيقه» .

طلقها عوني . طلّق عايشة ، فتركت بيت الزوجية الذي ضمهما أكثر

من خمسة عشر عاما . أخذت طفل الإشاعة معها واختفت .

في خان يونس ، التي ذهب إليها محمود دهمان لكي يوصل ما تقطّع
من صلات منذ النكبة ، وجد حكاية شقيقه عوني القديمة في انتظاره .

قال له شقيقه رجب الذي يصغره بثلاث سنوات ، إن عوني جنّ
وطلّق زوجته . لكنه ندم على فعلته بعد شهر واحد فقط . صار كلما ذكر
اسم عائشة يدق رأسه بقبضتيه مضمومتين ، وأحيانا يلطم خديه بكفيه
مثل امرأة مفجوعة . وذات صباح أسود مثل ليل مخيم خان يونس قبل أن
يتعرّف على مصابيح الكهرباء ، نهض عوني باكرا وخرج تاركا ابنه فايز ذا
الأربعة أعوام نائما في فراش جدته . استقل سيارة أجرة أخذته إلى غزة .
ذهب إلى حي الشجاعية مباشرة قاصدا بيت حميه . قال لنفسه يطمئنها
إنه مستعد للركوع على قدميه أمام حميه لكي يعيد إليه طليقته .
سيتراجع ، ويستغفر ربه ، ويقول لعائشة «أرجعتك إلى عصمتي» . ويقول
له حماه : «خوذ مرتك يا عوني يا ابني وارجع ع بيتك الله يهديك
ويهديها .» فيلتقط يدها الراعشة بالرغبة في عناق يده . يحمل طفلهما
في حضنه وقد نظّفته كلماته وتراجعه عن الطلاق من الإشاعة التي
لبسته وهو في بطن أمه ، ويمضي عائدا بهما إلى خان يونس .

مرّ بدكان اللحام بشير الفحماوي (أبو عمر) . حيّاه وطلب منه إعارته
سكينا قال إنها لذبح خروف نذره ، فأعاره .

حين وصل إلى بيت حميه ، لم يطلب عوني من زوجته لمّ هدومها
وحمل الطفل والعودة إلى بيتهما في خان يونس ، بل ضربها بالسكين
وقتل الطفل ، بطريقة لم تتمكن حتى الشرطة التي حضرت إلى المكان
بعد ذلك من التعرف عليها . وظلت تفاصيل الجريمة مجهولة . واعتقل
عوني ، وبين الكشف الطبي أنه جنّ ، فأرسل بعد أسبوع إلى مستشفى
الخانكة للأمراض النفسية والعصبية في القليوبية في مصر .

ظلت تلك الواقعة جرح محمود ونكبة عمره ، ولم تفارقه مأساة ابن

أخيه فايز ، الصبي الذي تربى لأم قتيلة وأب مجنون ، وشقيق قتله أبوه بسبب إشاعة .

لم يتصور «باقي هناك» أن يصبح شقيقه عوني ، أول فلسطيني يشرِّف مستشفى المجانين ، ويرفع رأس عائلة الدهامنة عاليا بينهم . بل ويصبح سفير العائلة في المستشفى ، يسبق اعتماد أول سفير لفلسطين في القاهرة بعشرات السنين .

عوني لن يكون هناك . لن يستعدّ لاستقبال محمود في غزة . يفرح بعودته ، ويحتضنه ، ويبكي على كتفيه كما كان يفعل حين يضربه والده ، حين كان صبيا شقيا يستحق الضرب على قفاه وعلى جانبيه ، وكما صار يفعل هو نفسه مع ابنه فلسطين ، الذي أخذ عنه ملامحه وعاداته وطبائعه ، وكثيراً من تياسته وتفوّق عليه . وكثيراً ما كان فلسطين يروي لنفسه تلك الواقعة التي تذكره بتفوقه :

ذات صباح اختلفت أنا وعادل ابن جيراننا على رئاسة فريق «الطابة» في الحارة وتشاجرنا . شتمني عادل شتيمة طالت أبي . قال لي : «عامل علينا زعيم يا ابن المكوجي؟» وركض مبتعدا قليلا وراح ينظر إلي بتحدّ. غلى دمي ، وشعرت به يكاد يفجر عروقي . التقطتُ عن الأرض حجرا ورميته به فأصابه في جبينه ، ونزف فورا . رأيت دما يسيل من بين عينيه ، وقد علا صراخه . خفت أن يجمع حولي الحارة بعربها ويهودها . هربت نحو محطة اللد ، ولم أعد إلى البيت إلى أن غابت الشمس .

عرف أبي ما جرى ، وحين عدت ، صرخ في وجهي غاضبا :

«ولك إنت مجنون واللا تيس ، تطبُش الصبي بحجر في راسه وتنزّل دمه؟ امنيح اللي ما موّته وبليتنا بلْوَه .»

«أني لا مجنون يابا ولا أهبل . إنت الف مرّة قلت لي ، اوعي تسكت للي بيهينك ، واللي بيمد إيده عليك اكسرها ، ومرة قلت لي اقطعها ، وعادل سبْني وسب عليك كمان .»

«ولك يا تيس أني قلت لك اللي بيتعرّض لك ما تسكتلوش ، سبّه ، إشتْمه ، إلعن سنسفيل أبوه ، بهدْلُه ، حتى إذا بِدّك اضربه ، بس اضربه كف ع وجهه ، بوكس في صدره ، إبزُق في خلقته ، هينه وامسح فيه الأرض ، مش تفتح في راسه شارع .»

«وني إيش اعْمِلتْ؟ انت قلت لي اللي بيتعرّض لك ، كسّر راسه ، كسّرته ، والا بدك اياني اصير ملطشة لولاد الحارة؟»

« اطلع برّة يا تيس . . وإوعى تورّيني خلقتك يا جحِش يا ابن الجحش .»

هربت من وجهه عائدا إلى الحارة التي صارت نصف معتمة . ومن هناك تسللت إلى بيت جدتي لأمي ، القريب من محطة اللد ، وأمضيت الليل عندها وأخبرتها بكل شيء .

في الصباح ، دعت لي جدتي بالهداية ، ونصحتني بالعودة إلى البيت والاعتذار من أبي . لكنني أخرت عودتي إلى ما قبل الظهيرة .

كنت محظوظا إذ لم أجد أحدا في بيتنا . سرقت نقودا من درج أمي ، وركبت سيارة أجرة إلى غزة . أمضيت هناك ، يومين بصحبة فايز ابن عمي .

عدت إلى الرملة ، حاملا في داخلي جبل مخاوف . كنت مرعوبا من رد فعل أبي الذي لن يرحمني حتما . دخلت البيت متسللا مثل لص . رجل ورا ورجل قدام ، وخلفي يزحف فايز متتبّعا خطاي ، واضعا خوفه على خوفي . طلبت من فايز أن يتقدمني وتبعته . بلع أبي الطعم حين وقعت عيناه على فايز . ابتسم فاتحا شدقيه على الآخر . أغلقت الباب خلفي وتقدّمت . «زبطت با بو الفلس .» قلت لنفسي ، وكان الأولاد في الحارة ينادوني أحياناً «أبو فلس» . نعم زبطت ، فقد غيّر حضور فايز المفاجئ أبي ، حتى ظننت أنه ليس أبي . لقد عوّضه فايز عن رؤية شقيقه ، عمي عوني . كان فايز صورة مصغّرة عن والده . وقد أنسى أبي

ابن جيراننا عادل ورأسه المفتوح الذي لم يندمل جرحه بعد ، وهربي من البيت وما سرقت من نقود أمي .

ابتسمت لهذه النتيجة . فأنا من أتى بفايز وقدّمه إلى عمِّه الذي سعد به ، وراح يتشمّمه بحثا عن رائحة أخيه فيه . ووجدت في هذا فرصتي ، فصحت مخاطبا أبي بكثير من الزهو والاعتزاز : «هاي جبت لك ابن عمي ، فايز بشحمه ولحمه»

عاد أبي واحتضن فايز وراح يتشممه من جديد ، إلى أن صحت مازحا :

«خلص يابا بكفّي . . أصلا فايز ريحته معفّنة . . دشْرُه خلّي إمي تسخِّن له ميّه يتحمم .»

ابتسمت عينا أبي الدامعتان ، وهو يرد علي مهدّدا بحنان : «طيب اعبر جوّه يا سلاخي يا داشر ، واوعى تعيدها وتشرد م الدار . .هالمرة رح اسامحك عشان ابن عمّك ، المرة الجاية رح اعلقك من عرقوب رجليك في السقف إذا مديت إيدك ع ولاد الناس . . فاهم واللا أفهْمك؟»

وعاد يتأمل فايز ، يبحث في وجهه عن أخيه الذي أضاعته جدتي صفية ونميمة التجار من أصحاب مهنته ، ممّن جننوه حفاظا على مصالحهم .

وضعت الأوراق جانبا ، ونمت على حكايات جنين ، و«باقي هناك» ، ويافا التي نزورها في الصباح .

القدس

في الظهيرة المبكرة ، فتحت عيني على بشر يتدفقون فرادى وجماعات إلى شارع السلطان سليمان من كل الشوارع الفرعية ، ويتوزعون على مقاصدهم وأرزاقهم . يزحف بعضهم مثل موج إيماني متدفق باتجاه باب العامود . ورأيت القدس تحتفي بضجيج سياراتها وعربات الباعة فيها ، وتسويقهم بضائعهم بالصوت التقليدي المغنى . وزعيق معاوني السائقين الذين يجمعون الركاب من أبواب الكراجات الواسعة العريضة ، ويدخلونهم إلى الحافلات التي توزِّعهم على المدن والقرى التي يرغبون في الذهاب إليها .

زحفنا . مررنا برجل ضئيل يعتمد على إيمانه في تعويض حجمه . كان يجلس تحت شجرة زيتون لا تكفي لحمايته من شمس الظهيرة الزاحفة . شخط الرجل الضئيل في جولي ونخط : «غطي راسك يا حرمة» . تلقفت أنا الشخطة المفاجئة وأدخلتها صمتي . لم تفهم جولي ما قاله ولم تنتبه له . وهي لو فهمت ، كانت ستُأوئِو : أووو . وتقول كلاما سيكون الرجل الضئيل هو من لا يفهمه هذه المرّة : «هذا مضحك وما شأنه هو ؟» لكن الرجل افترض أن جولي تجاهلته حين لم تلتفت إليه ، ولم تُعر وعظه أي انتباه فقد تابع شخيطه ونخيطه : «إخص ع اللي رباكي وع اللي قنيكي فِ داره .» والأخير الذي يقنيها في داره ، هو أنا الذي سمع توجيهات مبعوث الآخرة إلى الدنيا مرتين . أما المشخوط به المنخوط عليه الأول ، فهو حماي المتوفى منذ سنوات طويلة ، جون ليتل هاوس .

حين التحقتُ وجولي بسلمان وعايدة اللذين هبطا الدرجات القليلة التي تسبق باب العامود واقتربا منه ، كانت القدس التي في ذاكرتي قد ابتعدت عنّي ، واستراحت في كتب المدارس التي عرّفتني عليها . وقفتُ مثل الآخرين ، مصلوبا على دهشتي أمام الباب الكبير ، أستعد للدخول إلى قلب المدينة من بين نظرات ثلاثة جنود إسرائيليين ورقابة أسلحتهم . تذكّرت :

على منحنى جانبي أسفل سفح جبل الزيتون ، أوقف سلمان سيارته . غادرناها معا ، وابتعدنا قليلا ، تاركين زوجتينا تكملان ما لم يتسع له زمن الطريق من فندق رمادا رينيسانس إلى جبل الزيتون من كلام يخصهما .

التفتَ إليّ سلمان ، بينما يشير إصبعه إلى أسفل المكان قليلا : «هدا قبر النبي زكريا . عليه السلام» .

«عليه السلام .»

ردَّدت مثله ، وسألته عن الزيتون الذي حمل الجبل اسمه . راح سلمان يفتش عن إجابة بين انفعالاته ، فلم يجد غير عجزه عن الكلام . تركته يواصل التفتيش ويتأمّل عجزه ويعتب عليه ، ورحت أراقب نظراتي تبتعد عني ، وتفتّش لي عن الشجر المقدس فلم أجد سوى مئات قبور اليهود التي ابتلعت زيتون الجبل . عدت أحدق في ما أشار إليه سلمان منذ لحظات . كان ثمة قبران فعلا ، قرأت عنهما ضمن قراءاتي المكثّفة عن القدس في الأسابيع الأخيرة التي سبقت حضوري وجولي إلى البلاد : واحد لبني هيزر ، يعود للقرن الثاني قبل الميلاد ، إلى زمن «الهيكل الثاني» - مع أن أحدا لم يعثر على الهيكل الأول - وكان كتلة حجرية صمّاء ، في واجهتها ثلاثة أعمدة إغريقية الطراز ، لا مكان فيها لجثة ، لكنها تتسع لاعتقاد بشري بأنها قبر . ووفقا للمعتقدات المسيحية ، فإنه المكان الذي ظهر فيه السيد المسيح لحواريه القديس جيمس .

أما القبر الثاني ، فهو قبر النبي زكريا الذي أشار إليه سلمان : «سلام

عليك أيها النبي .» ردّدت مرة أخرى ، وتأملت القبر : صخرة نبتت في الصخر ، تسلّقته وجلست عليه . ثلاث درجات تصعد عليها كتلة حجرية أخرى ، تنتهي في الأعلى ، برأس مخروطي . تزين حوافه الخارجية ، زخارف فرعونية . أما أعمدته فإغريقية . استوقفني كوكتيل التاريخ والحضارات الذي رأيته هنا ، وسأراه في معظم ابنية المدينة القديمة وشوارعها : يوناني إغريقي ، بيزنطي ، روماني ، مصري فرعوني ، عربي ، إسلامي .

في عتمة التاريخ البعيد ، تصعب رؤية التفاصيل ، وفي وضح نهار الحاضر ، يحجب جنود الاحتلال الرؤية . لم أر أنبياء آخرين في المدينة ولم يرحّب بي أحد . أنا العائد إليهم أسألهم عن سلام مدينة السلام . عما فعلوه لأجلها منذ أقاموا فيها حتى رحلوا تاركين للبشرية الكثير مما تختلف عليه .

***

عند مدخل سوق خان الزيت ، استقبلتنا فلاحات ، جئن من القرى المحيطة بالخليل . تسللن ، كما العادة ، من طرق التفافية بعيدا عن حواجز الجيش الإسرائيلي . هرّبن أنفسهن وروائح النعناع والزعتر والنباتات الخضراء الأخرى بعيدا عن أنظار الجنود وأنوفهم ، ونشرنها في كل مكان مررن به في المدينة . بدا السوق حين عبرناه ، مطرزا بالفلاحات ، وهن مطرزات بأثوابهن ، وأثوابهن بحرير بلدي . نساء يشبهن أمي تربّعن داخل مساحات صغيرة أمام ربطات الخضار ، وصرن جزءا مألوفا من المشهد الجميل .

اجتزنا الفلاحات . لحقت بنا روائح أخرى كثيرة تجولت معنا في شارع يتسع للدهشة أكثر مما يتسع لأقدام الزائرين . انشغلت أنا بالتقاط تفاصيل المكان . وانشغل سلمان بتفصيل ما أنا منشغل به . وغرقت جولي وعايدة في تأمل التوابل والبهارات والمكسرات ومناقشة أفضلها واستخدامات كل

منها ، وما يمكن لجولي أن تأخذه معها إلى لندن .

«هذا جعفر يا سيدي . . أنا مش وصيتك اتذكرني ناكل كنافة عنده؟ . . طبعا انسيت؟» قال سلمان معاتبا ذاكرتي . تسلّلنا جميعا بين الأجساد المتزاحمة وصوت قدوم الكنافة يلامس قاع الصينية الكبيرة ، في ضربات متتالية ، تحصي أعداد الداخلين .

«أكم صنية كنافة بتعملو في اليوم يا معلِّم؟»

سألت الشاب الأسمراني الذي فتل قدوم الكنافة عضلاته .

«في يوم جمعه مِثل اليوم . . بدّك تقول ميتين صدر حبيبي . . . الناس بتخلص صلاة ، بتوكل لقمتين وبتيجي لَعِنّا تتحلى كنافة»

أجابني من بين ضربات القدوم التي لا تنقطع إلا لاستبدال صينية بأخرى .

همست في أذن سلمان : «بتعرف أبو السلم . . لو مر على إسرائيل ألف حكومة يمينية او حتى يسارية ، عاقلة أو مجنونة ، رح اتضل ريحة القدس كعك بسمسم ، وكنافة ، وزعتر . رح اتْضَلها مطرزة بالفلاحات . عليّ الطلاق عمر اليهود في ها البلد قصير .»

«اسكت ليسمعك الشاعر منير طبراني . هداك اليوم قريت خبر بقول إنه كان في أمسية للروائي ربعي المدهون ، أكيد ابتعرفه ، الكاتب اللي حكينا عنّه في الطريق . . المهم كان له أمسية ، في قاعة أبو سلمى في الناصرة . صاحبنا المدهون ، باينِّه كان سالخ صحنين حمص ، ومازع وراهم صحنين كنافة ، وشارب ابريق ميْ ، اتحمس وبلّش يخطب : الحمص لنا ، الكنافة لنا من موطنها النابلسي إلى مقدسها . الأزياء لنا . ولنا غرز تطريزها وحريرها وأقواس قزحها على صدور فلاحاتنا لنا . ولنا القدس كلها وأرواح الأنبياء التي غادرت مقراتها في الصخر للناس يتقاتلون عليها . وطالما بقيت سيدات ريفنا المقدس يأتين بخضارهن وزعترهن وريحانهن ونكهتهن ، ونشمّها في خان الزيت والأزقة القديمة ، فلن يبقى إلا تاريخنا

تاريخ طويل ، إلى أن وصلنا أحد معالم القدس الكبرى : كنيسة القيامة .
توقفنا في الساحة التي تسبقها ، أمام كيان يلمّ المسيحيين من كل العالم ،
فيتقاسمونه ما إن يصبحوا في داخله .

رسمت جولي علامة الصليب على صدرها وبكت . بدأت صلاتها
على روح إيفانا قبل أن تغتسل قدماها بطهارة الكنيسة .

قال سلمان إنه زارها وزوجته عايدة مرارا ، وراحا يتجولان في الجوار .
رحت أتأمل الكنيسة التي اختلفت طوائفها فيما بينها ، فتسلمت عائلة
فلسطينية مسلمة مفتاحها . يقوم وجيه نسيبة ، بفتح أبواب الكنيسة
وغلقها يوميا . كما يتولى مسلمون حراستها في تقليد متوارث منذ سنة
638 ، حين سلّم الخليفة عمر بن الخطاب المفتاح لعبدالله بن نسيبة
المازنية ، بعدما تسلمه من البطريرك صفرونيوس – إضافة إلى مفاتيح مدينة
القدس نفسها . وتجمع الطوائف المسيحية على إبقاء هذه المهمة لعائلتين
مسلمتين ، هما جودة ونسيبة . تتولى الأولى أمانة مفتاح الكنيسة ،
والثانية فتح الباب . وهذا الإجراء الحكيم ، حل الإشكالات التي تقع بين
الطوائف ، كما في صيف العام 2002 ، حين حرك كاهن قبطي مقعده من
المكان المتفق عليه حيث كان يجلس ، إلى الظل ، فاعتبره الاثيوبيون تعديا
عدائيا . ونشبت معركة انتهت بجرح أحد عشر شخصا .

مشت جولي نحو باب الكنيسة واختفت في الداخل ، وبقيت وحدي
أتأمل الجموع التي تدخل خاشعة وتخرج أكثر خشوعا . وعندما عادت ،
كانت قد انهكتها انفعالاتها لدرجة أنها عبّرت عن رغبتها في مغادرة
المكان بسرعة . لم أسألها عن ذلك ، بل سألتها عن البخور المقدس . أكدت
أنها اشترت بعضه . استدرنا بعدها لنجد سلمان وعايدة بانتظارنا عند
الزاوية . ومشينا جميعا معا صامتين إلى أن خرجنا من باب العامود .

❋❋❋

أوقف سلمان سيارته وسط الهضبة : «هذا هو العنوان يا سيدي . .هذا

219

بيت الدكتور فهمي . وهداك الدكتور ومرْتُه مستنيينا هناك .»

كـان المشـهد غـريبـا . الدكـتـور فـهـمي وزوجـتـه يجلسـان إلى طاولة مستطيلة كبيرة وضعت وسط «عريشة» تستند في جانب منها إلى جدار ، وفي الجانب الآخر ، إلى قائمتين معدنيتين ، كمن يجلسان في حارة على حـافة طريق عـام . لا أثر لبيت أو بناء سوى ذلك الجدار . في مسـاحـة جانبية ، سيارتان لابد أنهما للزوجين . أدخل سلمان سيارته وأوقفها خلف إحدى السيارتين ، وهبط منها وتبعناه ، جولي بباقة ورد كبيرة ابتعناها في طريقنا إلى البيت ، وأنا وبين يدي التمـثال الخزفي ، بعد أن أخـرجناه من العلبة التي كـان في داخلها محـاطا بقطع اسـفنجية لحمايته من الكسر ولفـفناه بورق ملوّن جميل . وكـان أول ما قلته بعد أن انتـهى الجميع من المصافحة وتبادل القبلات : «وين البيت يا دكتور؟!»

ضحك عميقا وقال مازحا : «تحتينا يا زلمة . .أكيد سلمان فهّمك انه احنا ساكنين في الحارة؟»

كـان البـيت مـعلقـا على سـفح الجـبـل . مـرآبه أعـلاه وليس أسـفله كالعادة . يدخل إليه قاطنوه من سطح طابقه الثالث ، الذي يصعدون إليه من الطوابق الأخرى حين يرغب أحدهم في الخروج .

تلقّت الدكـتـورة ندى الزهور بابتـسامـة ورديّة تشـبـهـهـا . وضـعـت أنا التـمـثال جـانبـا . وفـيـمـا كنا نتـخـذ أمـاكننا حول الطاولة التي حفلت بزجـاجـات النبـيـذ والمقـبـلات الخـفـيـفـة ، لاحظت ارتيـاحـا على مـلامح الدكـتورة ندى ، جعلها لا تشـبه المرأة التي التـقيناها على عشـاء أمس . شعرت بالاطمئنان ، وأسقطت من ذهني تلك النظرة الممتعضة التي رأيتها في عينيـهـا ، حين طرح سلمـان مـوضـوع رمـاد إيفـانا . التـفتُ إلى جـولي فرأيت ارتياحا على ملامحها يشبه ما في داخلي .

تحدثنا في عموميات تشبه مقدمات لا لزوم لها . تناولنا بين الكلام بعض النبـيـذ وشـيـئـا من هذا وذاك من المقبـلات . ثمّ نهضت جولي عن

كرسيها . أدركتُ أن اللحظة داهمتنا ، وأن ما كان مقدمات طال وصار حكايات ، وأن جولي قررت أن تبدأ طقوس وداع إيفانا الثالث والأخير ، بعد طقوس وداع حرق جثتها ، ووداع نصف رمادها الذي نثرته فوق نهر التايمز .

تناولت جولي كأسها وطلبت من الآخرين ، أن يرفعوا كؤوسهم احتفاء بلحظات تذهب في الأبد . تأملت جولي ، ورأيت أمامي حماتي : الوقفة الواثقة ذاتها ، الشموخ العكاوي المتواضع ، النظرة التي تستوعب الآخرين . وسمعت الكلمات التي تستعيد ، بحميميّة ، وقع كلماتها : «لنشرب أعزائي نخب امرأة أرادت العودة إلى بلدها ، ولو نصف رماد جسد ونصف روح مذنبة ، نودّعها ونترحم عليها ونطلب لها المغفرة .»

وفيما كانت عبارات الرحمة تنطلق خاشعة من بين شفاهنا إلى فضاء المكان مثل صلاة ، كانت جولي تخرج عود بخور وعود ثقاب وتشعله . أزحتُ كأسي وبعض الأطباق من على الطاولة أمامي ، فسارعت الدكتورة ندى تساعدني . تناولتُ التمثال ووضعته على الطاولة . ورحتُ أمزق الورق الذي لف به ببطء كمن يقشر حبّة فاكهة . بدأ جسد إيفانا الخزفي يمتشق أمامنا . كبرت عينا الدكتورة ندى وامتلأتا دهشة فاجأتني ، وربما فـاجـأت الآخـريـن . هتـفـت : «مش مـعـقـول . .هادي مـزهـرية خزف . .بتجنّن . .تحفة .» وطلبت أن تأخذ التمثال إلى حضنها . وحين انتهيت من نزع الورق وبدا التمثال كاملا ، قدمته لربة البيت التي وقفت وتناولته ، واحتضنته ، وقبلته بشفتيها وعينيها وفيهما بعض الدموع . أشارت ندى إلى جولي أن تقترب منها ففعلت . تجاورت المرأتان ، ندى والتمثال مرفوع الرأس بين يديها ، وجولي وبيدها عود البخور المشتعل وقد بدأ يطلق سحابات دخان مقدّسة تفتح روائحها الصدور . اقتربتُ من الدكتور فهمي بعفوية ، ووقفنا معا خلف المرأتين ، بينما وقف سلمان وزوجته عايدة خلفنا .

قالت ندى تخاطب الجميع : «هلأ ابننزل درجة درجة لنوصل لغرفة لِقعود في الطابق الثالث . بنصلي لروحها وبنحط التمثال في صدر الصالون ، عشان كل مِن زارنا ، يشوفه ويسمع منّي أو من الدكتور ، أو حتى من ولادنا اللي رح نحكيلهم كل شي ، بس يرجعو المساع البيت ، حكايته . . .» كان الآخرون ينصتون ، وكنت أنا أبحث عن أغنية فيروز «زهرة المدائن» وأحمّلها على هاتفي الجوّال . وما إن انتهت الدكتورة من كلامها ، حتى تحركت وتبعها الجميع على وقع صوت فيروز :

لأجلك يااا مدينة الصلاااااااااة أصلللي

لأجلك يااا بهيّة المساكن . . يا زهرة المداااائن

يااا قدس . . يااا قدس . . يا مدينة الصلااااااة أصللييييي

ابتعدنا عن العريشة حيث كنا . استدرنا في طابورنا العفوي ، تتقدّمنا ندى وجولي . وما إن أصبحنا جميعا موزعين على سلم البيت الرخامي الخارجي ، حتى ظهر أمامنا مشهد بانورامي جميل ،لبنايات من ثلاثة طوابق وأربعة ، تتسلق هضبة عريضة ، وقد تسابقت أشجار زيتون لتلحق بها . عند قدميها ، يتمدد واد هو امتداد لوادي الجوز ، يتصاعد من موقع فيه قبالتنا ، دخان إطارات سيارات مشتعلة . على بعد أمتار منها ، ظهر تجمع بشري صغير ، ستقول الدكتورة ندى ، حين نهبط إلى الحديقة المعلقة على سفح الجبل بعد قليل : «هاي مجموعات فلسطينية ويهود يساريين ، بَعِدهُم عم بتجمعو . متظاهرين احتجاجا على خطة الحكومة الاستيلاء على قطعة أرض في الواد .»

هبطنا الدرجات تباعا على وقع أقدامنا الجنائزي وصوت فيروز ، تظللنا سحابات صغيرة من بخور مقدس . وصلنا الطابق الثالث . اجتازت جنازتنا الصغيرة باب صالة الضيوف إلى الداخل . توقفت ندى فتوقفنا . قدمت التمثال إلى جولي وطلبت منها وضعه بنفسها في ركن في زاوية الصالة ، ففعلت . ووقفنا من دون اتفاق دقيقة صمت حقيقي ، تقبّلت جولي

بعدها ، عزاء أخيرا لروح إيفانا التي شعرتُ- ولا بد أن يكون الآخرون قد شعروا مثلي- بأنها تحوم الآن فوق رؤوس المتظاهرين ، قبل أن تبدأ طوافها الأبدي فوق زهرة المدائن .

هبطنا إلى الحديقة . أحضرت ندى شايا أعدته . استمعنا من الدكتور فهمي إلى سيرة العائلة التي توقف عند آخر تفاصيلها ليقول بمرارة :

«وهاي خسارتنا الأخيرة . . شايفين البيت اللي هناك . .ع إيدي الشمال لفوق شوي؟»

التفت الجميع حيث أشار ، فتابع : « هذا بيت أخويْ مصطفى الأزغر منّي . هاجر من سنة على أميركا . قال مش قادر يتحمل الوضع في لِبلاد . كنت كل يوم الصبح أشرب قهوتي هون في الجنينة ، أشاور له بإيدي أو ينادي لي هوّ ونصبّح ع بعض . الله يسامحه . . ما سمعش نصيحتي . دشّر البيت وهاجر هوّ وعيلته . . قبل كم شهر ، كنت واقف الصبح وفي إيدي فنجان القهوة ، مثل العادة ، ومش ابعيد أكون استفقدته لمصطفى ، اتْلَفَّتِ جهة البيت ، شفت يهودي حاطط كرسي ع الباب وقاعد كأنه في بيتَ اللي خلّفوه . انجنيت وهسترت . اتصلت بالشرطة ، وقدّمت شكوى . وهاي صار الها شهور ، والحقير لا بدّو يطلع م البيت اللي خلع بابه وقعد فيه ، ولا الشرطة راضية تأخد اجراء ضده وتشحطه منه . وهيانا بنستنى قرار المحكمة . ويا خوفي يصير في مصطفى زي ما صار مع ألوف الفلسطينيين اللي دشّروا بيوتهم وراهم وأخذو معهم المفاتيح .»

***

صباح اليوم التالي ، قرّرت جولي وعايدة العودة إلى سوق خان الزيت لشراء التوابل والبهارات . قالت عايدة إن جولي تصرّ على ذلك ، وإن محلات عبد المنعم قاسم ، أعجبتها كثيرا . وافق سلمان على اصطحابهما وأعفاني من تحمل انتظار امرأتين تتسوقان في مكان يمكنك أن تشتري منه الكثير ، وقال إنه سيمر على عدد من مكتبات القدس ، لتسويق بعض

مطبوعاته الجديدة . منحني ذلك فرصة لزيارة الحرم القدسي الشريف ، ومسجد قبة الصخرة وحدي .

اجتزنا أربعتنا باب العامود ، من بين الزحام المراقب من ثلاثة جنود إسرائيليين مدججين بأسلحتهم ، ومشينا نهبط الدرجات القليلة التي تسبق مفرق طريق الواد وسوق خان الزيت ، وصرنا جزءا من المتزاحمين للحصول على حصصهم من متعة التسوق ، أو حتى التسكع التاريخي الجميل ، ولم تكن جولي وعايدة بحاجة إلى دليل يقودهما إلى سوق العطارين في الداخل ، ولا حتى لمساعدة سلمان ، فروائح التوابل والبهارات الفلسطينية المميزة ، كفيلة بسحب الجميع من أنوفهم إلى ما تبقى في السوق من محلات العطارة ، بعد أن أغلق العديد منها بسبب الضرائب والمضايقات والاعتداءات الإسرائيلية المستمرة .

حين وصلت الروائح إلى أنفي ، تركت الجميع ، وانطلقت باتجاه مسجد قبة الصخرة عبر سوق القطانين ، بعد أن اتفقنا على أن يزوروا ثلاثتهم الأقصى ومسجد قبة الصخرة لاحقا ، فيما أذهب وحدي إلى متحف ضحايا المحرقة المعروف بـ«يد فَشم» ، ونلتقي جميعنا في فندق رمادا رينايسانس مساء .

✳ ✳ ✳

أنا الآن داخل سوق القطانين ، أجمل أسواق القدس . بناه سيف الدين تنكز الناصري ، نائب الشام في عهد السلطان الناصر محمد قلاوون ، سنة 1336 . أتأمل حجارته الملوّنه ، وسقفه نصف البرميلي الشكل ، المحمول على عقود مدببة . أتمشى على مهل تحت فتحاته الثمانية التي يدخل عبرها الضوء وتسمح بتهوية السوق المكتظ بالبشر . أغني لي وللمدينة التي عشقتها مثل ملايين البشر :

لأجلك يااا مدينة الصلااااااااة أصلللي
لأجلك يااابهيّة المساكن . . يا زهرة المدااائن
ياا قدس . . يااااقدس . . يا مدينة الصلاااااة أصلليييي

أغني وأجدد غناء ما حفظته كلما اصطدمت بما لم أحفظه . إلى أن بلغت نهاية الشارع وما زلت أغني . صعدت الدرجات الأولى التي تفضي عند نهايتها إلى مسجد قبة الصخرة . أوقف شرطي إسرائيلي ثرثرة بينه وبين شرطية سحنتها إثيوبية ، وأشار إليّ بالتوقف . توقفت وتوقف إلى جانبي ، غنائي عند «يا مدينة الصلاة أصلي» .

«Hey you, where are you going?»

. «To the mosque »

«ممنوع .»

«لماذا؟»

«لأنه ممنوع . .ألم تفهم؟»

«غريب . .هل تتفضل أنت وتفهمني لماذا ممنوع؟»

اعترضني ببندقيته إم-16 .

«قلت لك ممنوع .»

«ليتك تملك الجرأة نفسها لتقول هذا الكلام أمام أمي . أتدري ، لو كانت حكومتكم منحت أمي تصريحا لزيارة الأماكن المقدسة ، كما اشتهت قبل سنوات ، لصرخت في وجهك : زيح . .زيح في هالخلقة الناشفة اللي بتقطع الميّة من الزير . . في حدن في الدنيا بيمنع عباد الله من زيارة بيوت الله غير احتلالكم الوسخ زيْكُم . . زيح من وجهي لَشْلَح الصرماية من رجلي ووريك .»

«لكنك لم تقل لي لماذا ممنوع!»

«من أين أنت؟»

«من هذا البلد . . فلسطيني إذا أعجبك ذلك .»

«معك هوية؟»

«أنا فلسطيني بريطاني .»

رفعت رأسي إلى أعلى . مر إلى عيني من بين الأجساد الصاعدة إلى المسجد ملمح رجل عربي . هممت بوضع قدمي على الدرجة الأعلى مجددا . دفع الشرطي بندقيته حتى لامست صدري ، وفاجأني بطلبه لي بقراءة الفاتحة .

«لماذا . . هل توفي أحد؟ ثم إنني سأقرأها حتما ، بعد دخولي المسجد ، حمدا لله على زيارتي له .»

«إن لم تقرأ الفاتحة لن أسمح لك بالمرور .»

دهشت إلى حافة الغضب . هذا الغريب يريد أن أبرهن له على إسلامي . هل يعلّمون الشرطة الإسرائيلية الفاتحة لهذا الغرض؟!»

«بهمِّش يا أستاذ . . إقرأ سورة الفاتحة ما رح تخسر إشي ، برضو بينوبك ثواب .»

تدخل الرجل الغريب الذي بان لي جالسا على حافة حائط حجري واطئ عند نهاية الدرج .

«يعني حضرتك اللي رح تحكُم عليّ وتخبّر الشرطي» . همست لي . ثم قرأت الفاتحة بهدوء يشبه التأمل .

«تفضل .»

قال الشرطي الذي تراجع إلى وراء قليلاً .

وشوشت نفسي : «هذا مخبر ديني .» وتابعت صعود ما تبقى من الدرجات الإحدى عشرة ، مارا من بين بندقية الشرطي وكراهيته ، ثم توقفت قبالة المخبر الديني مباشرة ، ورمقته بنظرات استهجنت وساطته الغريبة . ابتسم الرجل الخمسيني وخاطبني بكلمات هادئة :

«يا أستاذ . . إحنا اللي بنطلب منهم؟ أنا مندوب الأوقاف الإسلامية .»

226

«يا سيدي تشرّفنا . . بس ليش لتطلبو منهم . . افرض إني مسيحي وبدي أزور الأقصى ، أو حتى ملحد . . . من إيمتن زيارة الأماكن الدينية ممنوعة!»

«لأ يا أستاذ ما تفهمناش غلط . . احنا بس بنخاف من تسلل المستوطنين والأصوليين اليهود . . بتعرف الوضع ، كل يوم والثاني بحاولو يقومو باقتحام . . .»

جلست على الدرج الجانبي العريض الذي يتقدم مسجد قبة الصخرة ويقود إليه ، وهاتفت أمي :

«كأنك مبسوط هالمرّة . . صوتك بضحك . .ها!»

«في حدن في الدنيا بكون في القدس يمه وما بكون مبسوط؟!»

«هيييييييييييييييييييه . . إجتني من عند الله ، بدهمش يعطوني تصريح أزور القدس . . ابني بزورها وبِهْديني زيارته .»

«طبعا يمه . . اعتبريها زيارتك وتقديس لحجتك لمكّة . . أني داخل بعد شويّة ع مسجد قبة الصخرة ، رح أصلي إلك ركعتين ، وركعتين ثانيين في الحرم . . امنيح؟»

«طيب وإنت . . بِدْكيش اتصلّي لَكْ ركعتين بنوبك ثواب عند الله؟!»

«يمه . . أنت إيش بِدِّك فيّ . . أني رح أصلي إلك زي ما وصيتيني . . انبسطي .»

«طب وجالا . . جولو . . قصدي جولي . .يقطع لساني بَظَلّني أنسى . . آه صحيح مَهي مسيحية . . والله يمه اثنيناتكُم اظرط من بعظ . . . . روحو إلكم رب يحاسبكم .»

***

وقفت داخل مسجد قبة الصخرة ، غير البعيد عن الباب الذي خرجت منه ، تسندني انفعالاتي . خلعت حذائي ووضعته على حامل خشبي قرب المدخل . ومشيت كمن يمشي بين زمنين ، وربما أزمنة ، لا

أقبض على أي منها ولا حتى الحاضر الذي أنا فيه ، إلى ركن جانبي ، وصلّيت ركعتين . وحين انتهيت ، وسلّمت مرّتين : «السلام عليكم ورحمة الله . السلام عليكم ورحمة الله .» بقيت جالسا لدقائق ، أتأمل القبة الذهبية من الداخل والآيات التي تزينها . وأنظر جهة الصخرة ، التي لم أتبينها تماما بسبب الترميمات التي يقوم بها فريق عمل فني أردني ، للسقف . نهضت واقتربت من مكان الصخرة ، وهي غير منتظمة الشكل ، يبلغ أقصى ارتفاع لها عن سطح الأرض ، مترا ونصف المتر . ويقع أسفلها كهف صغير ، لا تزيد مساحته على 25.5 متراً مربعاً ، ما يجعلها تبدو معلّقة ، ويثير حولها الكثير من التخيلات والأساطير التي جعلت من لم يزرها يخلط الخرافة بالدين بالحقيقة بالخيال ، وينتج قصصا وحكايات حولها تنتشر في ربوع البلاد .

«معك خبر يا أمينة ، أنه الصخرة طارت ولحقت النبي ، عليه الصلاة وأفضل السلام ، ليلة الإسراء والمعراج . فنَهَرها عليه الصلاة وأفضل السلام : اتأدبي . فوِقْفتْ مطرحها . . آه طبعا ، وظلّت معلقة في الهواء .»

روت زوجة عمي ذلك لأمي ، مستغلة جهلها وتفوقها عليها في الدراسة حتى الصف السادس الابتدائي . ولّما لم تعقب أمي ، التي يبدو أنها شكّكت في ما سمعته ، واصلت زوجة عمي كلامها :

«وابتعرفي يا أمينة . . إنه الحامل اذا مرَقَتْ من تحت الصخرة بتطرح وبِتسقِّط اللي في بطنها .»

«هيييييييه . . استغفر الله العظيم . . استرنا يا رب .»

صدّقت أمي ذلك ، وعقبت على كلام سلفتها بسذاجة تناطح سذاجتها التي لم أنتبه لها : «ابتعرفي يا ام حاتم ، إن الله أعطاني عُمُر وزرت القدس . . ما رح ازورها وأني حامل . . طبعا . . بخاف ع اللي في بَطني .»

حمدتُ الله حين سمعت ذلك ، أن زوجة عمي لم تقل هذا الكلام

لأمي في أثناء حملها بي ، لكانت المرأتان طوّرتا معا ، معتقدا عجيبا يقضي عليّ بينما لم أزل جنينا .

غادرت مسجد قبة الصخرة محمولا على دهشتي لتصميم بنائه الفريد ، وزخارفه الداخلية ، وقبّته التي ترفع الناظر إليها إلى ذرى متعة التأمل الفني ، واتجهت صوب الحرم في الجهة الجنوبية الشرقية . دخلت المسجد وصلّيت ركعتين ، وخرجت منه يحملني أثير راحتي التي تولّدت من الزيارتين .

في طريق عودتي إلى سوق القطانين ، التفت يسارا إلى الجهة الغربية حيث يقع حائط البراق . أخذني فضول غريب إلى التعرّف على المكان ، الذي صار «حائط المبكى» ، يؤمّه المتدينون اليهود ، ويبكون خسارة الهيكل . لكن فضولي لم يتغلب على حقيقة أن تلك الزيارة لن تفيدني بشيء ، ولا تنطوي على أية متعة خاصة ، بل تقدّم لزائرها نكدا وطنيا استراتيجيا ، بدءا من حاجز التفتيش الإلكتروني المحروس بمجموعة من الجنود المسلحين عند المدخل ، انتهاء بالحائط الذي كلفنا تهويد معظم القدس ، والمساعي الحميمة لاضفاء طابع أصولي ديني على الدولة بأكملها .

تابعت طريقي في الجهة الأخرى عبر شارع الواد وغادرت المنطقة من باب العامود إلى موقف للسيارات ، حيث أخذني سائق إلى متحف ضحايا المحرقة النازية ، أو «يد فشم» كما يطلقون عليه .

حيفا

أوصلنا جميل حمدان بسيارته الفيات الصغيرة ، إلى محطة «مركاز هشمونا» ، وعاد إلى عمله في وزارة التربية . ابتعت تذكرتي سفر لي ولجولي ، إلى «مركاز سافيدور» في تل أبيب ذهابا وإيابا . في التاسعة وإحدى عشرة دقيقة ، وصل القطار رقم 107 إلى المحطة ، ووجهته الأخيرة مدينة بئر السبع في النقب . صعدنا معا واتخذنا مكانين متقابلين قرب نافذة .

كان القطار غريبا وجميلا أيضا ، كأنه سلسلة من حافلات لندن الحمراء الشهيرة ، ذات الطابقين ، تمسك بتلابيب بعضها ، مع أنه فضي باهت مثل قطارات كثيرة . ركبت وجولي قطارا مثله مرة واحدة في باريس ، قبل عامين . كنا أمضينا يومين نرسم بأقدامنا خرائط لجغرافية المدينة ومعالمها . مساء اليوم الثالث ، ضلّت أقدامنا ، إذ ابتلعتنا جولة مسائية عشوائية حمقاء ، أجبرتنا على التخلّي عما تبقى من المساء ، والبحث عن محطة مترو قريبة ، نعود منها إلى «مونبارناس» حيث يقع الفندق الذي نزلنا فيه . قادتنا أقدامنا ، من دون علم منها أو منّا ، إلى محطة أشبه بقلعة قديمة . اجتزنا مدخلها الرئيس . ابتلعتنا متاهة من سراديب وممرات داخلية تدور على نفسها وعلينا . دارت ودُرنا معها ، إلى أن انتهينا دائخين أمام لوحة معلقة على جدار ، تقدم للركاب خارطة لسير القطارات . أخبرتنا غير آسفة لحالنا أو مشفقة علينا ، أننا في مكان ما في ضاحية بعيدة ، لا يمرّ بها المترو ، وأن أقصى مساعدة تقدمها الخريطة لنا ،

230

هي تعريفنا بالقطارات التي تمرُّ من المحطة ، وتتقاطع مع محطة مترو ، نستقله ونكمل رحلتنا العجيبة إلى الفندق .

وصل القطار . بدا كئيبا ينظر إلينا من نوافذ طابقين مفتوحين على توجس . قلت لنفسي ، إنه يصلح لنقل نزلاء سجن «ليمان طرة» المصري ، الذين يجبرون على قطع صخور جبلية لا حاجة لقطعها أصلا ، سوى تنفيذ أحكام بالأشغال الشاقة صدرت بحقهم ، لا لنقل شخصين مثلنا ، وإن كنت تذكرت ، أن باريس لا يمكن التعرف عليها وقراءة تاريخها ، من دون تذكر «الباستيل» أيضا ، والرابع عشر من تموز سنة 1789 ، حين انطلقت منه الشرارة الأولى للثورة الفرنسية ، واقتُحم السجن ، وصار تاريخه ، يوما وطنيا تحتفل به فرنسا كلّها .

كان قطار حيفا جميلا يعد برحلة هادئة ، نظيفًا من الداخل . مقاعده المتقابلة زرقاء غامقة بلون بحر يذهب إلى أعماقه ، كل منها مخصص لراكبين . تتوسط كل مقعدين طاولة تغري بوجبة غداء لأربعة . على مسافة سنتيمترات من النافذة ، يوجد مقبس كهرباء للراغبين في استخدام الكمبيوتر ، أو شحن جوالاتهم خلال الرحلة .

جلست جولي في مقعد يدير ظهره لاتجاه سير القطار ولا يهتم له . جلست أنا قبالتها أستقبل ، عبر نافذة زجاجية مستطيلة واسعة ، مشاهد من البلاد تتعرف عليَّ للمرة الأولى ، وتقدِّم ملامحها التي قرأت الكثير عنها في الكتب حين كنت صبيا ، وكبرت على خطوط جغرافيتها على الورق .

حدّثت نفسي على مسمع من جولي ، وقلت إننا سنهبط في «مركاز سافيدور» في مدينة تل أبيب التي أقيمت على أنقاض قرى الشيخ مؤنس ، والمنشية ، وكرم جبلي ، وكانت أراضيها تابعة ليافا . نغادر المحطة إلى شارع لا نعرفه . نستقل سيارة أجرة تأخذنا إلى مقهى «دينا» ، الكائن في 34 شارع يهودا هيميت في يافا . وكان اسمه شارع الملك فيصل . وما

يزال العديد من سكان يافا العرب في المدينة ، يستخدمون اسمه القديم ، ويتجاهلون اسمه الإسرائيلي المعلق على يافطة رسمية ثبتت عند زواياه . هناك ، نلتقي في العاشرة والنصف ، جنين دهمان على فنجان قهوة كما اقترحت ، ومن ثمّ نمضي حسب البرنامج الذي رتّبته لنا . أعتقد أنها ستأخذنا في جولة بسيارتها ، ثم نذهب إلى الميناء ثم إلى القلعة القديمة نتجول فيها قليلاً قبل أن تأخذنا إلى بيتها فيها . وقد نلتقي باسم إن كان هناك .

«ولماذا لا يكون هناك؟» سألتني جولي

«حقيقة ، لا أدري . جنين لم تأت على سيرة زوجها في إيميلاتها الأخيرة لي . وكل أحاديثها عبر الإيميلات انصّبت على باسم بطل روايتها ، وليس باسم زوجها .»

«كان بإمكانها أن تعطي لبطلها اسما آخر .»

«نعم . ولكنها اعتمدت هذه الثنائيات منذ البداية ، ربما لأغراض تقنية . فهناك جنين المؤلفة وجنين البطلة . وباسم الزوج وباسم الرواية ، و(باقي هناك) الأب و(باقي هناك) الرواية .»

اجتاز القطار محطة «حيفا بيت غاليم» . توقف عند «حيفا حوف هكرميل» لدقائق ، قبل أن يتابع رحلته .

قالت جولي بثقة لا أعرف مصدرها : «سنصل في الوقت المحدد .»

سألتها : «هل تعتقدين ذلك؟»

همهمت : «أهمم .»

عند محطة «عتليت» (التي جاءتني بأسوأ ما في الذاكرة من أشكال اضطهاد البشر للبشر ، وعرضت عليّ مشاهد مما يقال ويروى عن سجنها الشهير ، وهو من أكثر السجون الإسرائيلية بشاعة) ، صعد إلى القطار مجند شاب ، يمسك بيده صحيفة «يسرائيل هيوم» ، اليمينية المجانية الأكثر توزيعا ، ويعلّق على كتفه رشاشا متوسط الحجم .

اختار المجنّد الشاب مقعده إلى جواري . أنزل سلاحه عن كتفه ومدده على فخذيه ، جاعلا أخمصه باتجاهي يلامس خاصرتي اليسرى ، ولم أجرؤ على الطلب إليه أن يبعده . تقبّلت الوضع مجبرا ، فيما راح هو يقلب صفحات الجريدة باهتمام .

خارج القطار ، لم تقدم لنا النافذة الكثير : أراض زراعية وأخرى غير مزروعة وبلدات بعيدة ، ومحطات متشابهة .

مضى الوقت عاديا في رحلة عادية في قطار مكيف ، مع أن الجو كان معتدلا في الخارج . وعلى الرغم من ثرثرتنا العادية أيضا ، إلا أن زوجتي وأنا ، حرصنا على الإنصات جيدا لميكروفون القطار كلما أعلن عن اسم المحطة التي سيتوقف عندها قبل أن يواصل رحلته .

اجتاز القطار محطات «تل أبيب يونيفيرستي» و«تل أبيب هغناه» ، من دون أن نسمع اسم «مركاز سافيدور» ، أو نقرأه على يافطة ، مع أن عيني تلوثتا بكل الأسماء التي كرهتها : هغناه ، شتيرن ، ليحي ، وكل العصابات القديمة والجديدة ، التي صارت عناوين بارزة لأكبر خريطة تزوير للتاريخ والجغرافيا في عصرنا الراهن . في تلك اللحظات شعرت بعجلات القطار الفولاذية ، تطحن عظام موتى القرى الفلسطينية الثلاث المدفونة تحت تل أبيب . وشعرت بمشاعري مطحونة ومسحوقة تحت وطأة ما شعرت .

قالت زوجتي : «صار النا اكتر من ساعة يا زلمي ، أنت متأكد إنه ما مرّينا ألى مهطة بتاء إهنا؟»

صادر المجند الإسرائيلي حقي في الإجابة عن سؤال زوجتي من دون استئذان ، كما تصادر إسرائيل قطعة أرض في القدس الشرقية ، ورد مستفسرا بلهجة فلسطينية لا يمكن أن يكون قد تعلّمها ، حتى لو عاش مئة عام بين الفلسطينيين : «انتو لوين رايحين؟»

أجابته جولي وسط دهشتها ودهشتي المكتومتين : «أ مركاز سافيدور .»

قال بشيء من أسف مجاني لا يخلو من عتب : «قلطتوها (اجتزتوها) من زمـان ، إسّـه انتـو رايحين ع اللد . . بدكم تنزلو المحطة اللي جـاي ، ضروري تنزلو وترجعو بالقطار ارجوع ، وتنزلو في مركز سافيدور» .

قلت له متحررا من دهشتي : «بس احنا لا اسمعنا اسم المحطة ولا قريناه على يافطة!»

أجاب بثقة : «آولِلا! مرّت قبل شوي . . قوم أوريّك .»

نهض وتبعته باتجاه خريطة لسير القطارات أشار إليها ، معلقة في المسافة الفاصلة بين عربتنا والعربة التي تسبقها . .حقا هو يعرف أكثر مني ، هو ابن البلاد وأنا غريب ، سايح ضايع في البلاد . حدّد لي الجندي آخر محطة اجتزناها ، ثم وضع اصبعه على اسم المحطة التي كان من المفترض أن نهبط فيها ، وذكّرني بالنزول في المحطة التالية والعودة إلى مركاز سافيدور . انكفأنا معا عائدين إلى مقعدنا ، ولم أزل غير مصدق كيف فاتني وزوجتي سماع اسم المحطة ، أو قراءته على اليافطة المعلقة على الرصيف .

قبل أن نصل إلى مقعدنا المشترك ، استفسرته بحذر معيّن : «شايفك بتحكي عربي أحسن مني . . إنت فلسطيني؟!»

رد بتقريرية خالية من أي انفعال ، مفعمة بثقة استفزّتني : «لأ . . أني إسرائيلي .»

ابتلعت غصة بحجم الكون كله .

عدت إلى مكاني وجلست صامتا ، وعاد المجنّد إلى مكانه وتابع قراءة جريدته المجانية .

حشرت جولي نفسها في ما لا ينحشر فيه إنسان ، وسألت المجند بصوت ينطوي على دهشة لم تعلن عنها ، وبعربية حاؤها هاء كالعادة .

«بدّي أسألك . .ليه إنت بيهمل سلاه؟»

تحركت قدمي أسفل الطاولة تُسكت قدمها . لم تستجب قدمها أو

تسمع الكلام . تردد الشاب في الإجابة . عادت جولي تلكزه بلسانها : «نهار هلو ، دُنيا منوّر كتير ، ترين هادي ، ووين ما رهنا ناس آيشين آدي (عادي) . . آدي جدا . . لشو انت بهمل سلاه؟»

عادت قدمي تحذر قدمها هذه المرة ، وتعاتبها بقوة ، كأنما تقول لها : هلأ ضروري نتمشكل مع جندي إسرائيلي ونجيب لحالنا وجع راس؟!»

«طبْـــــــــــأن . . السلاح ضروري . . لازم . . إلا!»

رد المجند .

فشلت محاولاتي في وقف أسئلة جولي التي تعرف أجوبتها . ومع لكزة أقوى من قدمي ، أصرَّت جولي على الحصول على جواب واضح ومباشر من المجند نفسه : «آه . . تيب ليش لازم سلاه . . ما في هـَرْب (حرب) هون ما فيه مشاكلّ .»

«بس في أي لحظة ممكن يصير حرب ومشاكل . .ما بنعرف . .لازم انكون جاهزين .»

تلقّت جولي الجواب مثل صفعة مكرّرة أسكتت أسئلتها . أما أنا ، فقلبتُ سحنة الشاب بعيني وغربلت ملامحه ، محاولا وضعها ولهجته في مكان ما يدلُّني عليه .

في النهاية التي جاءت أسرع من محاولتي نفسها ، أدركت ما كان ينبغي أن أدركه منذ البداية : هذا المجند في الجيش الإسرائيلي ، فلسطيني من منطقة الجليل ، والأغلب أنه من أبناء الطائفة الدرزية ، التي فُرض على أبنائها الخدمة في الجيش الإسرائيلي ، مع بعض البدو أيضا ، منذ أن صادر عدد من شيوخ الطائفة التقليديين ، حق الجميع في التعبير وصادقوا ، بالنيابة عنهم ، على قرار التجنيد الإجباري .

صرخت صامتا في وجه الجندي ، ومن دون أن ألتفت نحوه أو أنظر إليه ، بينما تكتم خاصرتي استياءها من مؤخرة بندقيته التي تمازحها بسماجة مرعبة طيلة الوقت : لماذا لم تفعل ما فعله بطل الكاتب سلمان

الناطور ، وتصرخ صرختـه التي رماها في وجه الشيخ فهد الفارس مثل إدانة أزليـة : «قتلتنا يا شيخ»؟! لملم الناطور أصوات من رفضوا التجنيد وقاوموه ، وطالبوا بتحرير الطائفة من الخضوع لقوانينه ، وقذفها في وجه الفارس : «أنت القاتل يا شيخ» . لماذا لم ترفض أنت الخدمة وتدخل السجن لتخرج منه متحررا من توقيع الشيخ؟

انشغلت جولي بتصفح خارطة المكان التي تقلبها أمام عينيها نافذة القطار على عجل ، وتناست المجنّد أو تجاهلته ، والأغلب أنها تركته لي أعيد تقليبه . قلت لنفسي اذكِّرها لتشاركني المفارقة : هل يتذكّر هذا الشاب زميله سمير سعد أو سمع عنه؟ هل ينبغي عليّ أنا أن أذكّره وأمثاله؟ حسن ، سمير ابن طائفته ، قتله فلسطينيون مثله . ظنّوه إسرائيليا ولم يخطئوا ، إذ لم يتبق من فلسطينيته سوى الاسم والماضي . وهو لا يختلف عن إسرائيلي أصلي - مع أنه لا يوجد إسرائيلي أصلي . سمير كان جنديا متحمسا لخدمة «جيش الدفاع» عن الاحتلال ، أو مجبرا ورث توقيع عدد من شيوخ الطائفة الدرزية على شطب شهادة ميلاده الفلسطينية ، وسكت ، قبِل شطبها ، فشطبه فلسطينيون مثله في الجهة اللبنانية .

في 13 سبتمبر (أيلول) 1991 ، تسلّمت إسرائيل جثة الجندي الدرزي سمير سعد ، وهو من أبناء قرية بيت جن ، وكانت تحتجزها الجبهة الديمقراطية لتحرير فلسطين ، إحدى فصائل منظمة التحرير الفلسطينية ، منذ العام 1983 ، في مقابل سماح إسرائيل بعودة النقابي علي عبد الله أبو هلال ، من أبو ديس . وهو عضو في الجبهة أبعدته إسرائيل في العام 1986 ، حينذاك كانت الصفقة واضحة : فلسطيني مقابل إسرائيلي ، ولم يدخل الاسم العربي او الانتماء الطائفي في حسابات الصفقة . لقد محت الجندية أصل الشاب القتيل الذي فرح أهله باستعادة جثته ، لكنهم كانوا سيفرحون به شهيدا لو كان احترم فلسطينيته ، لكنه لم يفعل ، ووقف في الجهة الأخرى من الجبهة ، كان مثل جاري في المقعد بالضبط ،

إسرائيلي معجب بإسرائيليته أو مجبر على الإعجاب بها .

وصل القطار إلى محطة اللد وتوقف . قطع مسافة طويلة بالفعل ، لم يعد ممكنا بعدها ، التحدث عن تأخير عن موعدنا يقل عن نصف ساعة . غادرنا المحطة بعد أن أضعنا خمس دقائق أخرى في العثور على مخرج ، لنجد أنفسنا على مقربة من موقف سيارات ، تسبقه إلينا مجموعة من السائقين يدخنون ويتجادلون بطريقة صاخبة بدا معها جدلهم مثل سلَطة كلام بألفاظ حارقة .

سألت أقرب المتجادلين إليّ- وخفف ذلك من صخب الكلام- عن إمكانية أخذنا إلى يافا ، فأشار إلى كشك إلى اليمين يطل من نافذته المستطيلة رجل خمسيني ، له مظهر متدين . صرخ في زملائه الآخرين كي يسمحوا لسؤالي بالمرور إليه . وحين استوعب الكلام بالإنجليزية ، طلب العنوان الذي نقصده وثمانين شيكلا إسرائيليا ، وأشار إلى سائق مربوع القامة ، قمحي اللون بسحنة مغربية ، أخذنا إلى سيارة قديمة «مهكّعة» أمضت معظم سنوات عمرها في مرآب للعناية الفائقة . وبالنتيجة لم تبخل علينا السيارة ، التي لم تتعرف على الطريق بسهولة ، ولا استطعنا التفاهم مع سائقها الذي لا يتحدث سوى العبرية ، في تأخيرنا عشر دقائق أخرى ، أضافت إليها عمليات إصلاح للمجاري في المنطقة ، خمس دقائق أخرى ، وأضفنا نحن إليها خمس دقائق للوصول إلى المقهى عبر طريق التفافي ، فوصلنا مدينين لجنين بتأخير يقارب الأربعين دقيقة ، وكان في استقبالنا عند بلوغنا زاوية الشارع ، صوت حفارة تغرس أنيابها في جسد الطريق .

القدس

كانوا أربعة ، يتحلقون حول أمنياتهم براكب أنهى زيارته للمتحف . يتجادلون بالعربية . حين اقتربت منهم صرت الأمنية ، الراكب المنتظر ، مع أنني جئت من اتجاه القادمين إلى المتحف . نهض اثنان منهم عن كرسييهما البلاستيكيين ، واستقبلاني بسؤال ترحيبي واحد سبقته ابتسامتان متحفزتان لاصطيادي :

«بدّك تاكسي يا حاج؟»

قلت لنفسي : «ما شاء الله ، كأنه كل مِن إجا ع القدس صار حاج حتى لو وقف ع باب متحف المحرقة .» وأضفت لنفسي ما أزعجها قليلا : «والله وختَّيَرت يا وليد وصاروا ينادوك حاج!»

سألتهم مخيبا أملهم فيّ : «لو سمحتو . . وين دير ياسين؟»

همس أحدهما بكلام لا مبال سمعته : «هالزلمة باينو مهاجر من دير ياسين وجاي يسأل عنها!»

هو نفسه رد عليّ يسألني : «يا خوي من هان ما بتقدر تشوف إشي . أصلا ما ضل منها غير شوية حجار . إذا بِدّك بوخدك على غفعات شاؤل-ب ، جنب مستشفى الأمراض النفسية ، لا مؤاخزة مستشفى المجانين يعني ، ما هي قريبة عليها .» وسكت .

ولـمّا لم يتلق مني ردا أو تعليقا ، تابع قائلا كمن تراجع عما عرضه : «على كل حال . . دير ياسين ورا المبنى .» وأشار إلى القسم الجنوبي من المتحف .

«ابهذيك الجهة . روح ورا المبنى وقّف واتطلّع جهة الشمـال ، بس ما
رح تشوف إشي . . القرية ابعيدة أكثر من ثلاثة كيلومتر ، وأصلا ما ضل
منها إلا خرابة وشوية حجار .»

«حسنا ، ما دام الأمر كذلك ، سأرجئ تلك المشاهدة التي حلمت بها
وجئت من أجلها ، وأتجول داخل يد فشم ، فهذا جزء من رحلتي على أية
حال . .»

قلت لنفسي . ثم عدت أسألها عن جدوى مـثل هذه الزيارة! وهل
كنت صادقا ومقنعا حين قلت لسلمان الذي سألني إن كنت سأزور «يد
فشم» فعلا ، إنني أريد أن أختبر موقف من يتذكّر الضحايا الذين أزورهم
من الضحايا في الجهة الأخرى؟ وكيف يمكن إبقاء ذكرى من أبادتهم
النازية الألمانية حية ، بقصف غزة مثلا؟ وما الفرق بين الحرق في أفران
الغاز أو الحرق بصواريخ الأباتشي؟ ثم ما الذي ربحته عندما تخلّيت عن
جمـع عـدد من التـحـف الـتـذكـاريـة والهـدايا النـادرة ، وروائح التـوابل
والبهارات ، وابتسامات الفلاحات الفلسطينيات المطرزة بالنعناع والزعتر ،
وجئت إلى هنا .

عند المدخل ، سقطت منّي تساؤلاتي ولم أنتبه لها . اجتزت مكتبا
زجاجيا صغيرا يجلس بداخله شاب بلباس مدني يقرأ جريدة . لم يسألني
شيئا ، ولم يلتفت إليّ أصلا حين مررت . دخلت المتحف من ممره الداخلي
الطويل المنكسر بزاوية حادة ، إلى حيث تتوزع محتوياته على قاعات
مصممة بطريقة فنية رائعة . مررت بمعظم القاعات الكبيرة والصغيرة ،
وتوقفت أمام العديد من الطاولات التي تقدم معلومات من خلال كتيبات
أو أجهزة كمبيوتر . استوقفتني «قاعة الأسماء» واستولت على مشاعري .
قلبت الأسمـاء وتصفحت مـلامح ضحـايا ظلوا يراقبونني بينمـا أتأمل
وجوههم وأتحسس مشاعرهم وأتخيّلهم في لحظات التقاط صور لهم .
لحظات لم تتوفر لمن تحولوا إلى عظام أو اختفت جثثهم . رفعت رأسي إلى

239

أعلى أتابع الملامح والأسماء صعودا إلى أن بلغ نظري نهايتها الدائرية المفتوحة على السماء . في تلك اللحظة أطلّت عليّ وجوه آلاف الفلسطينيين الذين عرفت بعضهم ولم أعرف الكثيرين منهم . كانوا يتزاحمون كمن يرغبون في النزول إلى قاعات المتحف والتوزع عليها ، واحتلال أماكنهم كضحايا . حزنت على من هم منّا وعلى من هم منهم ، وبكيت على أولئك المتزاحمين في السماء يبحثون عن مكان يلمّ أسماءهم . أفقت من غيبوبتي في السماء . وهمست لي كمن يعاتبني أو يعاقبني : في هذا المتحف الذي تزوره يا وليد ، باسم كل اسم فيه ، يُقتل منكم اسم ، وأحيانا أسماء . ولكي لا تتكرر محرقة النازية لليهود ، يشعل الإسرائيليون باسم ضحاياها ، محارق كثيرة في بلادنا قد تصبح في النهاية محرقة .

وسكت .

غادرت المبنى الرئيس نهائيا ، مهموما منكسرا ، واستدرت يمينا ، وسرت في الاتجاه الذي دلّني عليه السائق الفلسطيني . وأخذني الطريق نصف الدائري بنفسه إلى خلف المبنى ، حيث وجدتني على مقربة من شريط أرض مشجرة لا يزيد عرضها على بضعة أمتار ، تحاذي المبنى ، وتنتهي بمنحدرات تغطيها غابات تمتد لمسافات بعيدة نسبيا ، قد تصل إلى ثلاثة كيلومترات كما قدّر السائق . على امتداد الشريط زرعت تحت أشجاره يافطات صغيرة . اقتربت منها ، وبدأت ألمّ بعيني الأسماء عنها ، وهي ليهود من بين ضحايا المذابح النازية ، وقد دوّن أسفل كل اسم تاريخ مقتله . غير أن بعضها كان بلا تاريخ . وثمة يافطات حملت أسماء عائلات يهودية أبيد جميع أفرادها . وفي الجهة المقابلة المحاذية لجدران المبنى من الخلف ، عرضت أسماء الضحايا بطريقة أخرى . فثمة كوخ صغير من الحجارة ، ذو سقف شبه دائري متعرج ، ينتهي بفتحة دائرية مثل ثقب كبير . وقفت داخل الكوخ لدقائق ، أتأمل تحفة فنية حرّكت

لدي خليطا من مشاعر الإعجاب بالفكرة والألم الذي بعثته . فقد بُعثِرت على جدران الكوخ التي لا شكل محدداً لها ، بطاقات شخصية ووثائق ، وقصاصات ورقية مختلفة الأشكال والأحجام ، كتبت عليها عبارات مثل الوصايا ، وأسماء ضحايا بعضها بخط اليد ، تتجاور وتتكاثف كلما اقتربت من فتحة السقف . ووجدتني أتابع قراءتها ورقة ورقة بفضول غريب ، لينتهي بي المطاف ، أحدق في سماء زرقاء بعيدة حددت فتحة السقف شكلها ومساحتها . فنيا ، وصلتني الرسالة . وإنسانيا فهمتها : عليّ أن أتذكر هؤلاء الضحايا ، وكلماتهم الأخيرة المهربة . طلبتُ لهم الرحمة من الله كضحايا للنازيين مرّة ، وضحايا من يتاجرون بمأساتهم مرة ثانية .

أخذت حزني وقلقي وغضبي معي ، وخرجت من «كوخ الرحمة» كما خطر لي أن أطلق عليه ، وتابعت السير حول المبنى حتى بلغت نهايته الشمالية الغربية .

استدرت قليلا إلى اليمين . تكشف المشهد عن مجموعات من البشر تنتظر في طابورين صغيرين ، أمام بوابتين . اقتربت من سيدة رأيت على ملامحها لهفة وترقّبا وسألتها :

«سالخي لي غفرتي (المعذرة يا سيدتي) ، لماذا يتجمع الناس هناك؟»

التفتت إليّ وقد أضافت على ملامحها اندهاشا ، أشعرني بأنني قادم من زمن آخر . ومع ذلك ، أجابتني بمرح لا دهشة فيه ولا ترقّب : «إنهم يريدون زيارة المتحف الآخر ، في الجهة الأخرى المقابلة هناك .» وأشارت إلى منطقة بعيدة تقع على مسطحات جبلية يصعب التعرف على تفاصيلها . وشرحت لي ما عنته ولم أقاطعها :

«اسمع أيها السيد الغريب . .تبدو غريبا بالفعل . هؤلاء الناس ينتظرون دورهم لزيارة متحف (زخروت هفلسطينيم) ، إنه متحف ذاكرة الفلسطينيين . بني حديثا في أعقاب المصالحة التاريخية التي وقعت قبل سنتين فقط ، بين الشعبين في البلاد ، وأنهت صراعا دمويا استمر أكثر من

مئة عام . هناك ناقلات كهربائية حديثة جدا تشبه الحافلة ، ستراها حين نقترب ، يطلقون عليها (تلي باص) ، تتسع كل منها لعشرين راكبا ، تنقل الزوار إلى هناك عبر سكك هوائية تمتد مسافة لا تقل عن ثلاثة كيلومترات ، وتعمل في الاتجاهين طبعا . . أليس هذا رائعا؟»

وقبل أن أجيبها ، صدرت إشارة مسموعة من جهاز صغير تحمله ، فاعتذرت لي ونظرت إلى جهازها ، وراحت تتمتم بسعادة كأنها لي ولها : «هذه حفيدتي أبيغيل ، تعتذر . . كانت سترافقني في زيارتي للمتحف الآخر ، لكنها غيّرت رأيها ، إنها في الداخل تتجوّل مع أصدقائها . . ربما لم تجد في صحبتي ما هو مسلّ . . إنها محقّة ، صحبتي ليست مسلية أبدا لأمثالها ، لكنها قد تروق لك أنت ، أليس ذلك؟»

«تروقني أنا!؟» سألت .

«ولم لا . . التذكرة الإلكترونية محجوزة على أية حال . . .»

ثم قاطعت نفسها مجددا ، لتمد لي يدها بجوالها قائلة : «كما ترى ، هناك مجموعتان من أرقام كل منها يضم خمسة ، ما إن تلمس إحداها حتى ينفتح لك باب الدخول وتمضي إلى التلي باص ، وتختفي مجموعة الأرقام من شاشة الجهاز وتمحى من ذاكرته .»

ثم استأنفت قائلة : «قد تروقك مرافقتي أدون . . .»

«وليد دهمان .» سارعت أملأ فراغ عبارتها ، وأرحّب بدعوتها وأشكرها عليها . عندها قدّمت لي نفسها : «تالا . . تالا رابينوفتش .»

أخذنا معنا ما تبقى من كلام لم نقله ، ومشينا نحو التجمع ، والتحقنا بواحدة من المجموعتين عند بوابة للدخول ، زوّدت بشاشة رقمية صغيرة . نظرت تالا إلى هاتفها ولمست موضعا ما على شاشته ، فظهر رقم لونه أخضر على الشاشة المقابلة ، وانفتحت بوابة الدخول . قالت تفضل بالمرور . اجتزت الحاجز الصليبي الشكل الذي انغلق خلفي ، وانتظرت مرور تالا . أعادت تكرار ما فعلته ، فانفتح الباب ثانية واجتازته .

242

وهكذا وجدنا نفسينا على مقربة من أبواب تفتح إلكترونيّا بمجرد الاقتراب منها . ودخلنا من أحدها لنجد نفسينا أمام باب التلي باص مباشرة ، وقد سبقنا إلى الصعود عدد آخر من الزوار . وخلال أقل من دقيقتين تحركت الحافلة التي تشبه التليفريك السياحي .

بدا المشهد من أعلى مذهلا يخطف الأنفاس . وبينما المنطقة المقابلة تقترب منّا ببطء يسمح بالتأمل ، راحت تالا تشرح لي :

«قبل سنوات ، كانت تلك-وأشارت بيدها إلى الموقع البعيد الذي نقصده على الأغلب- مستوطنة غفعات شاؤل ب ، الآن نسميها «عير شل سلحانوت» ، يعني مدينة التسامح . لم يعد أحد يستخدم كلمة مستوطنة التي تذكر بزمن صراع لا يرغب أحد في تذكره . اليوم يقيم في المدينة عرب فلسطينيون أيضا . بالمناسبة سيد وليد ، يستطيع أي من مواطني الدولة الجديدة الإقامة في أي مكان في البلاد ، ويتبع بلديته ، لكنه يبقى مسجلا في الدائرة الانتخابية للمنطقة التي شهدت ولادته ، أو التي سجل فيها اسمه بعد الإحصاء العام الذي أجري بعد شهور من توحيد شعبي البلاد .»

كان ذلك مثيرا جدا . بل شعرت بجدوى زيارتي «يد فشم» . ولا بد أن زوار المتحف الفلسطيني الذي نتجه نحوه ، سيشعرون بالراحة بعد زيارتهم له ، تهيئهم لزيارة المتحف المقابل . قلت لنفسي : «حقا تتساوى حقوق الضحايا من الأموات عندما تتساوى حقوق الأحياء .»

ثم التفت إلى تالا وقلت : «أخيرا أصبح هذا الوطن للجميع . . أليس كذلك؟»

«تماما يا سيدي . ولكن مع قدر من التمايز المقبول والمرحب به لجهة الحقوق القومية والتعبير عن الهوية بتلاوينها ، بما في ذلك اللغة ، العربية أصبحت لغة رسمية في البلاد ، والجميع يتحدث هنا باللغتين . أصبحنا سويسريين بلغتين العربية والعبرية» .

وهل تتحدثين العربية سيدتي؟

«أتحدثها قليلا ، فأنا من جيل سابق ، من زمن الصراع كما يطلق علينا من يطلقون على أنفسهم جيل المصالحة التاريخية . أو «التصالحيون» ، كما يطلق المثقفون منهم على أنفسهم . لكنك لو تحدثت بالعربية إلى أي طالب مدرسة ، فسوف يرد عليك بعربية سليمة .»

اقترب «التلي باص» من محطة الوصول ، ثمّ انزلق بنعومة وسلاسة على المنصّة الأرضية داخل غرفة نظيفة بنيت بحجارة فلسطينية بيضاء .

غادرنا المحطة معا إلى مبنى كبير يضم أجنحة ومكاتب عدة . استغرق خروجنا منه بعض الوقت . مشيت حاملا معي سؤالي الذي طرحته على السائقين الأربعة ، ولم أحصل على جواب واضح عليه : «وين دير ياسين؟» . نقلت السؤال إلى تالا ، فمطّت شفتين مستهلكتين لأسباب كثيرة ، من بينها حب الثرثرة . لكنّ هذه المرأة التي حدّثتني للتو عن دولة الجميع والحقوق المتساوية ، لم يرقها التحدّث عن قرية دير ياسين ، وبدت كأنها لم تسمع بها . ألأنها من جيل يبدأ تاريخ البلاد بالنسبة له ، بإعلان قيام دولة إسرائيل في 15 مايو (أيار) 1948 ، ذكرى النكبة الفلسطينية ، ويعتبر ما قبل ذلك التاريخ فراغًا ، أو «ثقب أسود» ابتلع كل ما كان .

التفت إلى تالا ، وقلت : «يا سيدتي ، إن لم تفهمي ما جرى في دير ياسين وتحفظي درسه جيدا ، لن يفهم الآخرون ما جرى لأولئك الضحايا في يد فشم .»

في تلك اللحظة ، تقدّمت منّي سيدة ظهرت من خلفي ، وسألتني بلكنة فلاحة :

«بدّك دير ياسين يا حاج؟!»

«الظاهر إنه كل الناس في هالبلد حجاج . . بَيِنَّك خرْفَنْت يا وليد . . ما تكون حجّيت وناسي .»

«إيه يا ست ابتعرفيها وين؟»

«والله فيه الخير هالزلمة . .حجّجتُه قام ستَّتني . . . كثّر ألف خيره ، محدّش عمره ناداني يا ست . كنت رح أموت قبل ما اسمعها .» حدثت نفسها :

«أنا أصلي من دير ياسين يا أستاذ . . من بيت درويش . إسمي وداد . بس إمي من بيت زهران . عيلتها كلها راحت في المذبحة . . قتلوهم اليهود وكوّموهم فوق بعضهم ازغيرع كبير مره فوق زلمة . . إسّه دير ياسين ملهاش أثر ، مش عشان اليهود دمروها زمان ، بس لأنه صار مطرحها متحف الذاكرة إللى احنا رايحين عليه . .هلأ بتشوفه . . . بجنن . أنا بشتغل هناك .»

غادرنا مبنى «المحطة الهوائية» . تلفت حولي أبحث عن تالا التي لم أسمع صوتها منذ ظهرت الديرياسينية الأصل ، فلم أجدها . اختفت كأنها مرّت في حلم حلمته وأيقظتني منه صرخة وداد : «هاي النصب التذكاري يا خيي . . المتحف بيجي وراه . هداك طرفه امبيّن من هون» رفعت رأسي إلى أعلى . استقبلني مشهد يربط الأرض بالسماء كما ترتبط الدنيا بالآخرة . رأيتني في مواجهة نصب تذكاري عملاق ، تقارب مساحة قاعدته الستة عشر مترا مربعا ، وترتفع مترا ونصف المتر . وقد صمم النصب على شكل صاروخ مربع الأضلاع ، تضيق مساحته كلما ارتفع إلى أعلى ، إلى أن يصبح خيطا رفيعا يختفي في السماء . ينطلق من بداية المجسم الصاروخي ذي الأضلاع الأربعة ، شريط ضوئي متحرك إلى أعلى ، يعرض تباعا ، داخل مستطيل ضوئي مربع ، إسما لأحد الضحايا الفلسطينيين يومض لثوان ، ثم يتحرك إلى أعلى ويحل مكانه اسم آخر ، ويظهر أسفل كل اسم تاريخ ميلاد صاحبه وتاريخ وفاته ، أو مقتله .

رحت أتابع الأسماء تومض وتصعد إلى أعلى ، وقد رتبت بشكل عشوائي ، يشير إلى رغبة المصممين في مساواة الجميع :

بشير زقوت ، ياسر عرفات ، جياب التونسي ، خليل الوزير (أبو جهاد) ، غسان كنفاني ، وفاء إدريس ، كمال ناصر ، عبد القادر الحسيني ، صلاح خلف «أبو إياد» ، علي أبو طوق ، ماجد أبو شرار ، ضياء المدهون ، تغريد البطمة ، محمد يوسف النجار ، ممدوح صيدم ، شادية أبو غزالة ، دارين أبو عيشة ، كمال عدوان ، آيات الأخرس ، سعد صايل ، دلال المغربي ، ثابت ثابت ، رائد الكرمي ، محمد الأسمر (غيفارا غزة) ، أحمد ياسين ، علي حسن سلامة ، وديع حداد ، صلاح شحادة ، عبد العزيز الرنتيسي ، يحيى عيّاش ، عادل عوض الله ، جمال منصور ، جمال سليم ، أيمن حلاوة ، مصطفى علي الزِبري (أبو علي مصطفى) . . .

تتابعت الأسماء تومض في عينيّ ، توقظ ذاكرتي قبل أن تصعد : فاطمة جمعة زهران ، صفية جمعة . . وفجأة صاحت وداد : «هادول قرايبي كلهم .» وراحت تردد الأسماء وتبكي : فتحي جمعة زهران ، فتحية جمعة . . . يسري ، فاطمة ، . . سميحة . . نظمي . . وتبكي .

لملمت وداد دموعها بعد لحظات من على شريط الأسماء وقالت : «لا تآخذني يا استاذ ، مع إني بشتغل هون ، وبمر كل يوم ، بس بعْرِفش ليش اليوم بالذات انفجر حزني كله .»

ساعدت وداد بدمعتين ، وجاملتها بعبارات تليق بمشاعرها . ثم ابتعدنا معا عن النصب التذكاري . فظهر أمامنا من مسافة غير بعيدة ، بناء ضخم يشي بالعظمة والفخامة ، يحتل الجزء الأكبر من الهضبة المواجهة التي يكسو ما تبقى منها غابات كثيفة . إنه المتحف وقد بني بشكل مائل ، على منحدر جبل المشرف الذي يرتفع 780 مترا عن سطح البحر . واتخذ سقفه شكل المنحدر نفسه ، ما يسمح لكل من يتجاوز النصب التذكاري ، برؤية سطحه الثمانيّ الشكل والأعلام الفلسطينية الثمانية التي ترفرف على كل زاوية من زاوياه .

اقتربت من وداد ، وهمست لها :

«طالما أصلك من دير ياسين ، وبتشتغلي في المتحف معناتو فيكي تحكيلي إيش كانو أهلك يقولو عن المذبحة . أنا بعرف كل شي . . بدي اسمع إشي غير اللي في الكتب والتلفزيونات؟»

سرنا معا في ممر طويل مرصوف بطوب أحمر ، يحيط به حائطان من الحجارة بارتفاع متر تقريبا ، وقد وضعت عليهما مزهريات تفصل بينها مسافات متساوية ، نبتت فيها ورود مختلفة . يحاذي السور من الجانبين أشجار زيتون تنتشر على مساحات تصعد حتى حافة الهضاب القريبة من الجهتين الشرقية والغربية ، وتأخذ حصّتها من أرض الغابات المجاورة . يمضي السور صعودا مع الهضبة في اتجاه المبنى العملاق ، في التفافات فرضتها الطبيعة على ما يبدو ، أو لعل من وضع تصميماته ، أراد القول بأن الوصول إلى هذه المرحلة التي سمحت بإقامة متحف «ذاكرة» للفلسطينيين ، استغرق الكثير من الجهد ، وتطلب التضحية بمئات آلاف الفلسطينيين . وقد لاحظت وجود أسماء وتواريخ محفورة على المزهريات ، من الواضح أنها لفلسطينيين سقطوا في طريق الثورة الفلسطينية المعاصرة في مناطق عدة وأوقات مختلفة ، داخل فلسطين في مواجهة الاحتلال ، وفي زمن المقاومة في مراحل شتاتها .

وقبل أن أتابع وضع تفسيرات وشروحات ، من عندي ، لكل ما أراه ، قالت وداد إنها ستقص عليّ كل ما سمعته ، معتذرة عن كونها لم تعش تلك الفترة ، وأن كل ما ستوريه منقول عن لسان والدتها . قالت : «أني بصراحة بَوْعاش ع اللى صار . أصلا ما بقيتش مولودة . هدا حكي إمي نقلته عن إمها ، هيّ كمان بقت ازغيرة . قالت إنه أهل البلد وسكان مستوطنة (غفعات شاؤل) ، وقّعوا بيناتهم ، بعد خلافات وصدامات ، وثيقة عدم اعتداء . أهل دير ياسين كانو على نيّتاهم واطمأنّو للاتفاق اللي كان عمره قصير . والمستوطنة اللي أمّنولها ، هيّ اللي طلع منها الهجوم عليهم صباح يوم 9 إبريل سنة النكبة . من المستوطنة نزلو جماعة منظمة

الإرغون ، اللي كان زعيمها مناحم بيغن ، الله يجحمو فِ قبره مطرح ما هو مدفون ، وهجموع القرية . . .» .

قاطعتها : «بس الله ما دشّرش بيغن يا ست وداد . ماتت عليزة مرَتُه ، وصابته كآبة اتلبّسَتُه عشر سنين من عمره لحدّ ما مات سنة الثلاثة وتسعين ، ودفنوه هناك مقابل القرية اللي كان هوّ وجماعته سبب خرابها وخراب غيرها .»

لم تعقب وداد ، وتابعت :

«إمي قالت إنه لما ستي (جدتي) زينب طِلعت من دير ياسين ، كان عمرها عشرين سنة ، وإمي بقت يدوب أربع سنين . بَقو مجمعين في بيت للعيلة ، قالو يا بنعيش سوا يا بنموت سوا . إمي قالت ع لسان جدتي ، انه المذبحة وقعت بين الساعة ثلاثة ونص وأربعة وِجْه الصبح . والناس هربت نواحي عين كارم . نزلو عليها من التلة من فوق . مسكوهم جماعة البالماخ ، ودبحوا من عيلة زهران ، عيلة جوزي لحالها ، سبعة وعشرين نفر ، كوّموهم قدام باب الدار . سيده (جده) لجوزي انقتل معهم ، وكان أبوه لجوزي طفل تربى في دار للأيتام في القدس . وراح لأمي اخوال اثنين ، اخوات ستي . الله يرحمهم .»

قلت لوداد ، إن كلامها ذكّرني بـ«باقي هناك» ، وان «باقي هناك» شخصية في رواية ستنشر قريبا عنوانها «فلسطيني تيس» ، وهي لقريبتي جنين دهمان . تقول الرواية إن «باقي هناك» كان يذهب إلى القدس القديمة كل يوم جمعة ، ويصلها قبل ساعة أو ساعتين من موعد صلاة الظهر . يتمشى في شوارعها ويتجول في أسواقها إلى أن يحين موعد صلاة الجمعة ، فيتوجه إلى الحرم القدسي الشريف . وكان يستقل ، بعدها ، سيارة أجرة تأخذه إلى مستوطنة «غفعات شاؤل- ب» . من هناك يتمشى باتجاه خرائب قرية دير ياسين . يمر بأشجار الخروب واللوز ، ويتوقف قليلا عند شجرة السرو المتبقية في المكان . كان يحب تلك الشجرة بالذات .

وكان كلما بلغها ، احتضن جذعها بين ذراعيه وقبّله ، قبل أن يمضي ويلتقط حجرا كلسيا أبيض كبيرا ، يعود به ويجلس تحت الشجرة . يكتب عليه بدهان أسود اسم واحد من ضحايا مجزرة دير ياسين ، ويروي لنفسه إحدى الحكايات المروّعة التي يقول إنها فتحت طريق النكبة ، لأن كل من سمع بما حدث في دير ياسين ، في ذلك الوقت ، ترك بيته وهرب . كان «باقي هناك» يفعل هذا كل جمعة ، وبانتظام ، إلى أن كتب أسماء أكثر من مائة وستين ضحية ، كل اسم منها على حجر ، لم تزل قائمة في شكل هرم صغير قريبة من شجرة السرو .

«هذا رجل أسطوري يا استاذ . . يا ريت في منّه كثير . بس السجرة شالوها من زمان بعدو عايش باقي هناك؟» سألت .

«قصدِك في الرواية؟ مش عارف . . ما كمّلْتش قراية النص كله . . بس عندي انطباع انه جنين إذا ما رح تخلّيه عايش رح ترسم له نهاية أسطورية فعلا ، لأنه أسطوري زي ما قلت .»

أفقت على نفسي أتأمل المنطقة المقابلة التي قال لي السائق إن دير ياسين تقع فيها ، فلم أر سوى غابات ومستوطنة بعيدة ، لعلها غفعات شاؤل- ب التي يتحدثون عنها ، أو أي مستوطنة قريبة في المنطقة . فالاستيطان يزحف في كل مكان ويبتلع ، ولم يعد الفلسطينيون قادرين على المتابعة وحفظ أسماء المستوطنات ، ولا وقف زحف المستوطنين .

استدرت يمينا مرّة أخرى ، وأكملت طريقي التفافا ، إلى أن عدت من الجهة الأخرى إلى حيث كان السائقون الأربعة جالسين . تذكّرت لهفتهم على راكب «حاج» مثلي كما خاطبوني ، فلم أجد سوى واحد ، طلبت منه أن يأخذني إلى فندق رمادا رينيسانس ، فرحب بي كأنه زملاؤه الأربعة .

يافا

قالت جولي لجنين بينما تحتضنها وتقبّلها وتتلقى وجنتاها قبلاتها ، إنها أجمل منها في روايتها التي عرّفتها أنا ، عليها وعلى شخصياتها وأحداثها . ثم التفتت إليّ بينما تفضان اشتباكهما الإعجابي الأول : «أنا كتير هبيته جنين . . جنينو بيجنن .»

ردت جنين التي أطربها الكلام : «طبعا . . أنا اللي خلقت جنين ولا يمكن أخليها تعجب القراء أكثر منّي .»

عادت الحفارة تستأنف نشاطها ، فتدخلت لأعيد ترتيب المشهد ، وقلت لجنين وجولي : «أعتقد أن فنجان قهوة في دينا لا يستحق هذا الضجيج .»

وافقتاني كلتاهما ، ورأت جنين أن تصطحبنا بسيارتها التي أوقفتها قريبا من زاوية الشارع ، في جولة تعرفنا فيها على المعالم الرئيسة في يافا ، ثم تأخذنا إلى ميناء الصيادين ، وبعد ذلك نذهب إلى القلعة حيث نزور بيتها ، قبل أن نذهب لتناول غداء السمك اليافاوي «اللي ما رح يطلع م البحر إلا لـمّا نوصل» ، كما قالت ، في مطعم «العجوز والبحر» .

لم تدم جولتنا في شوارع المدينة طويلا ، إذ لا يوجد الكثير مما يمكن التوقف عنده ، باستثناء ميدان الساعة ، وسوق البرغوث المزدحم ، ومطعم «أبو العافية» الذي أصبح من معالم المدينة ، وتغطي شهرته تل أبيب القريبة ، ومسجد البحر ، بالإضافة إلى ميناء الصيادين الذي توقفنا عنده لبعض الوقت ، قبل أن نتجول داخل أزقة القلعة التي يبدو أنه جرى ترميم الكثير من بيوتها وممراتها الداخلية .

عند نهاية سلّم حجري سبقتنا إليها جنين ، ثمة بوابة حديدية زرقاء ، تغلق مساحة لا يزيد عرضها على المتر ، بينما يجبر ارتفاعها رجلا متوسط الطول على الانحناء . حين وصلتها جنين ، صاحت : «وصلنا .» نظرت وجولي إلى حيث وصلنا . كان رجل أبيض البشرة ، يبدو في العقد الخامس من عمره ، طويل القامة ، يحتفظ بكثير من وسامة شبابه ، وبرشاقة تشبه ابتسامته التي وضعها على شفتية على عجل ، يتهيأ لاستقبالنا خلف البوابة الزرقاء . أو هكذا بدا . وتأكدت من ذلك سريعا ، حين خاطبتنا جنين باسمه : «هذا مارك .» وعرفتنا على الرجل الغريب الذي ظهر فجأة في طريقنا إلى بيتها :

«مارك روزنبلوم . . مليونير يهودي ، اشترى الحارة الصغيرة التي سترونها بعد قليل ، وكتب ع بابها (ملك خاص) .»

«فعلا امْبَيِّن عليه!»

عقبتُ مازحا .

تدخل الرجل وهو يفتح البوابة الحديدية ، ويرحّب بنا كمن يحاول إصلاح خطأ معرفي :

«Welcome guys لا تصدقوا . . أنا مليونير بموهبتي الفنية .»

صافحنا مارك الذي قدّم نفسه على أنه فنان تشكيلي ونحات وروائي أيضا . وقادنا إلى ساحة صغيرة ، بدت لي تفاصيلها مألوفة بعض الشيء . أرضية من الحجر الصخري ، لا شكل هندسيا لها . أطرافها متعرجة ، ويحيط بها عدد من البيوت القديمة من مستوى طابقين ، أشار مارك إلى أحدها وقال : «تعالوا أريكم بيتي الصغير من الداخل . . هيا هيا . . إنه مدهش وسيعجبكم كثيرا .»

اقتربت من جنين وسألتها : «طب وين بيتك إنتِ؟!»

ردت : «ما تِستَعجلِش يا ابن عمّي . . بعد شوية باَخدكم عليه .»

توقف مارك وتوقفنا معه . أشار إلى شقق في طوابق علوية وأخرى

سفلية ، قال إن فنانين رسامين ونحاتين وتشكيليين يقيمون فيها ، وإن المكان يخصّه وقد حوله إلى منطقة سكنية يقيم فيها مبدعون .

قلت لي متوقعا نكدا عاجلا : «يبدو أن هؤلاء الناس اقتسموا قلعة يافا فيما بينهم!»

تابع مارك : «في الواقع ، هذه منطقة سكنية ، تقيم فيها بعض العائلات ، واحدة هنا – وأشار إلى شقة علوية– وعائلة أخرى هنا . هذه الوحدة تستخدم كغاليري ، معرض صغير . .أي شخص يرغب في الإقامة هنا يجب أن يكون فنانا . . إنها (Colony) مستعمرة لفنانين .»

«هل تقصد أن هذه مستوطنة؟» قاطعته .

استدرك : «أنا آسف ، وددت القول كوميونيتي (Community) تجمعا لفنانين .»

«طبعا جميعهم يهود . . هل يستطيع شخص مثلي الإقامة في شقة صغيرة في هذا المجمع؟ أم ينبغي أن أكون مليونيرا لكي أحصل عليها؟»

«ليس مطلوبا منك أن تكون مليونيرا لكي تسكن هنا .»

تجولنا ثلاثتنا برفقة مارك في المكان الذي بدا مدهشا فعلا ، جعل جولي تؤوئو مرتين : «أووو .» قبل أن ننتقل إلى شقته التي وضع لها بابا أثريا جميلا ، قال إنه ظل سنوات يبحث عن واحد بمواصفاته الفنية ، إلى أن عثر عليه في رحلة له إلى الهند وأحضره من هناك .

داخل الشقة التي تتكون من غرفة واحدة فسيحة ، نسبيا ، وزع مارك عددا من أعماله الفنية المدهشة ، ثريا معدنية معلّقة في السقف ، ومنحوتات وتشكيليات أخرى معدنية غرائبية . مفاتيح قديمة كبيرة صدئة ألقيت بلمسة فنية على حافة مصطبة حجرية قرب سرير النوم . وبينما تتجول أنظارنا على ما يعرضه المكان عليها ، راح مارك يوزع علينا الكثير من المعلومات والشروحات حول المكان ومحتوياته . رحت أتفحص المكان

ولديّ شعور غريب يرافقني منذ عبرنا الساحة الصغيرة أسفل البيت . لقد سبق لي أن زرت المكان وتجولّت فيه . يا إلهي هل جننت؟ أين وقع ذلك كله؟ هل زرت هذا المكان حقا؟ هل أحلم؟ أنا لا أحلم أبدا . . لقد كنت هنا . أيكون البيت لجنين وباسم وليس لمارك؟ أيكون ثلاثتهم تواطؤوا على خداعي أنا بالذات وليس جولي التي لن يثير لديها البيت أكثر من إعجاب مؤقت تنساه بعد عودتنا إلى لندن؟ الساحة تشبه الساحة التي وصفتها جنين في روايتها «فلسطيني تيس» من نافذة البيت المطلة عليها ، حيث كان باسم يقف أمامها ، ويتأمل جارته التشكيلية العجوز ، بت-تسيون . وهنا في البيت الذي يقول مارك إنه بيته ، ثمة سرير في موضع سرير الزوجين . وذاك هو الممر المؤدي إلى المطبخ . ثم . . يا إلهي هذا غير ممكن! أليست تلك النافذة الصغيرة التي يطل علينا منها جزء من رصيف الميناء الخشبي ، هي التي سمّاها باسم نُفيذة في رواية جنين؟ أليس هذا هو كمبيوترها الذي كتبت عليه الرواية ، وهذه طاولتها؟

التفتُّ بحدة إلى جنين وصفعت بنظراتي صمتها على خديعة بتٌّ متأكدا منها : «جنين . . أني شفت هالغرفة قبل هيك!»

قلت بشكل واثق وبعبارة قاطعة . ورحت ألملم انفعالاتها عن ملامحها :

«مفاجأة مش هيك؟» عقّبت . وأضافت :

«هدا بيت مارك فعلا يا وليد . أني ساكنة في مدينة ثانية بنروح عليها إن ضل معنا وقت . بصراحة أني استعرت البيت عشان أسَكّن فيه جنين وباسم .»

تبعتُ نظراتها ، وتذكرت باسم يلقي بملابسه على السرير . وشاهدتها تستمتع بتقوس ساقيه ، وتتمنى وجبة حب «تيك أوي» ، ولا تحصل عليها . ابتسمت سرا . بينما تابعت هي :

«وهاديك هيّ النفيذه اللي بتتفرج ع الموج وبتمزح معه ليل انهار .

وهدا مكتبي . يا ما سقط راسي عليه من كتر النعاس واني سهرانة أكتب الرواية .»

تدخل مارك وسط دهشتي وحيرة جولي بما تسمعه ، وقال : «أنا تعرفت إلى جنين قبل سنتين تقريبا . كانت تتجول في القلعة والتقيتها مصادفة ودعوتها إلى بيتي . أعجبها كثيرا . زارته ثلاث مرات بعد ذلك ، وحفظت تفاصيله .»

وأضافت جنين بالإنجليزية : «لقد ساعدني ذلك كثيرا في العثور على مكان مناسب أوطّن فيه شخصياتي . إنه يناسب كل ما تصورته عن شخصيتي باسم وجنين .»

في تلك اللحظة شعرت بي داخل شقة في رواية . أعجبني ما شعرت به . فمشيت إلى النفيذة ، وجلست على الكرسي المجاور لها حيث كان يجلس باسم ، ورحت أتأمّل المراكب الصغيرة النائمة في الميناء ، ومن خلفها الموج اليافاوي الهادي . وسمعت مارك يقول : «هل ترغب في الانتقال للعيش هنا؟ إن كنت راغبا ، سأساعدك في ذلك .»

سألت نفسي : هل هذا عرض آخر أم تحد؟

«هل ترغب في الاقامة هنا فعلا؟» كرر السؤال .

«مستر مارك ، الأمر أولا وأخيرا يتعلق بالسلطات الإسرائيلية . فكوني فلسطيني الأصل ، يجعل حصولي على حق الاقامة معقدا . وكوني بريطاني الجنسية لا يساعد كثيرا في تسهيل الأمر .»

«أنا لن أحل المشكلة الفلسطينية الإسرائيلية ، أنا مارك أسألك : هل ترغب في الانتقال للعيش هنا في يافا؟ تجلس هنا ، وتراقب البحر وتكتب ، تفعل بشكل حقيقي ، ما فعلته جنين في روايتها .»

ولما لم أعطه جوابا ، تابع يقول : «لن تشتري البيت أو تتملكه ، ولكنك تستطيع الحصول على حق العيش فيه ما دمت فنانا . البيت ملك للكنيسة ، والكنيسة لا تستطيع إخراجك منه أيضا ، في الواقع ، لا يمكن

254

تطويب البيت ، ولكن يمكن شراء حق العيش فيه لتسع وتسعين سنة ، فلا أحد منّا يمتلك أيا من هذه البيوت أصلا .»

شكرت مارك على استقبالنا ، وعلى عرضه وخرجت .

في الطريق إلى مطعم السمك الشهير «العجوز والبحر» ، سوف أسأل جنين عن أخبار الباسمين : باسم الرواية ، وباسم الحقيقي . ستقول لي ، إن باسم في الرواية ، يترك جنين ويرحل عن البلاد عائدا إلى الولايات المتحدة . ترافقه زوجته إلى المطار لتمضي معه آخر لحظاته في البلاد . يتعانقان طويلا ، ويتباعدان قليلا ما يفسح في المجال لمرور كلمات باسم الأخيرة إليها ، قبل أن يختفي من حياتها إلي الأبد :

« اسمعي يا جنينتي . رح اقول لك اياها بِلمْشَبْرَح .هذا المجتمع مش ناضج للتعايش ، لا بدّو ايانا انروح لعندو ، ولا حابب ييجي لعنا أبدا . .إذا غيّرتي رأيك بتعرفي وين اتلاقيني .»

ثم استدار ومشى إلى أن ابتلعه المطار .

أما زوجها الحقيقي باسم ، فستقول بشيء من الارتياح الإجباري ، إنه يعمل منذ فترة مدرسا في جامعة بير زيت ، ووضعه جيد . لكنه رفض الاستقرار في يافا . وكان يقول لها قبل أن ينتقل للعيش في رام الله : «أنا حبي في يافا ، بس أحلامي في بير زيت . وأنا كنت أقول له ، أنا حبي في بير زيت وأحلامي يافاوية .»

صمتت قليلا لكنها لم تحب صمتها ، فتجاوزته لتقول : «من يوم ما راح باسم من هون ، صار زواجنا ترانزيت . مرّة بيجي لعندي ومرّة بروح لعنده . .صارت حياتنا (تيك أوي) .»

***

كنت مشغولا بفصل شوكة سمك صغيرة ورفيعة عن لحمها في أثناء تناولنا طعام الغداء في مطعم «العجوز والبحر» على شاطئ يافا ، حين اقترب منّي مدير المطعم ، أبو زكي ، وهمس لي ، بأنه ترك في ركن جميل

من المطعم ، طاولة محجوزة لا يسمح لأحد بالجلوس إليها ، قال إنها لكاتب فلسطيني مغترب صديق مشترك على موقع التواصل الاجتماعي ، فيس بوك ، وإنها ستبقى تنتظره إلى أن يتمكن من المجيء إلى البلاد وزيارة المطعم . وقد أعطى تعليماته إلى العاملين جميعا ، باستبدال شرشف الطاولة يوميا ، ووضع باقة ورد جديدة . تركت ما بيدي ورحت أستمع بدهشة لما يقوله الرجل الذي أكّد أن الطاولة ستبقى في انتظار صاحبها إلى أن يراه هو والعاملون معه في المطعم جالسا إليها يتأمل البحر الذي حل به العمر كله . في حينه سيرسل مجموعة صيادين إلى عرض البحر ، ويعدّ له المازات إلى أن يعود الصيادون بأسماك تليق بعودته . أمطرته من بين شهقات جولي وجنين الغرائبية التي ارتفعت في المكان ، نظرات ساخرة ، واتّهمته مازحا بالاستهبال . أمسكني أبو زكي من ذراعي اليمنى وأنهضني . تركت المائدة ، ولم أكد أخطو خطوتين ، حتى لحقت بي جولي وتبعتها جنين . سار بنا الرجل إلى طاولة في الركن الأيسر من واجهة المطعم ، نتفرج على البحر وتمازج موجه . وقفت والمرأتان حول أبو زكي ، ننظر بذهول إلى طاولة توسطتها مزهرية تضم باقة ورد ، أمامها قطعة خزفية هرمية بيضاء ، لخبطت مشاعرنا بما قرأناه عليها :

حجز خاص

بالكاتب الفلسطيني خالد عيسى

שמור

לסופר הפלסטיני חאלד עיסא

Reserved

for

Palestinian writer Khaled Issa

طلبت من نادل في المطعم ، أن يلتقط لنا بهاتفي الجوّال ، صورة جماعية حول طاولة خالد عيسى ففعل . وسارعت بنشرها على صفحتي

في «فيس بوك» بينما نعود جميعا إلى طاولتنا ، ونكمل غداءنا .

حين انتهينا من تناول الطعام صحت بصوت وصل إلى خالد عيسى في السويد ، ولم يسمعه أحد سواي .

والتفت إلى جنين التي كانت ترتشف قهوتها ، وسألتها عن مكان إقامتها الفعلي بعد أن عرفت أن ما في قلعة يافا القديمة كان بيتا لها في روايتها ، وأن الساكن الحقيقي كان غريب اسمه مارك روزنيلوم . فقالت إنها تقيم في شقة مستأجرة في شارع يافا ، وصفتها بأنها قريبة من البحر . مساحتها معقوله . تدخلها الشمس معظم النهار ، من جهتيها الشرقية صباحا ومن الغربية مساء . لها شرفة تطل على شارع خلفي ، تظللها أوراق شجرة ضخمة باسقة . وقالت إنها بفضل ذلك ، صارت تسكن في شارعين ، وتنتمي إلى حارتين . وتستطيع مراقبة المارة صباحا من النافذة الشرقية ، وتمضي أمسيات جميلة في الشرفة المطلة على البحر .

كان قد تبقى على موعد عودتنا بالقطار إلى حيفا ، ما يكفي من الوقت ، لطرح أسئلتي المؤجلة حول رواية جنين ، «فلسطيني تيس» ، خصوصا ذلك المشهد الذي بقي معلّقا على التوقعات ، عندما خرج «باقي هناك» من البيت ، يحمل يافطتين علّق عليهما صورتين ، واحدة من مذابح دير ياسين والثانية من مذابح جرت لليهود في كييف ، وقتها قال لحسنية إنه سيذهب إلى ميدان «رابين» - كان يسمى ميدان «ملوك إسرائيل» ، قبل أن يغتال اليميني المتطرف يغئال عمير إسحق رابين سنة 1995- تاركا قلب زوجته حسنية ، يرتجف مثل عيدان الملوخية التي بين أصابعها ، كما كتبت جنين في روايتها .

وضعت جنين فنجان القهوة جانبا ، وتحدثت بالإنجليزية لكي تتمكن جولي من متابعة ما تقول ، فقد عزلتها حواراتنا بالعربية بما يكفي عن تفاصيل كثيرة قيلت حتى الآن .

قالت جنين :

سأخبركما أولا ، عن محمود دهمان أبي ، الذي رافقتكَ أنت يا وليد سيرته منذ كنت طفلا صغيرا ، كما أخبرتني في أول مرّة التقينا فيها في بيتك في لندن . ثم نتحدث عن المشهد الذي أشرت إليه في الرواية .

قبل رحيلة بيومين فقط ، كنت سافرت إلى عمّان لحضور زفاف اسدود ، ابنة شقيقتي بيسان ، وأحضرت له معي فيديو ليتفرّج على الفرح الذي لم يتمكن من السفر للمشاركة فيه والاحتفاء بزواج حفيدته ، بسبب تزايد وطأة المرض عليه . ومع أنه كان غير قادر على الجلوس على الكنبة في مواجهة التلفزيون أكثر من ربع ساعة ، فقد شاهد الفيديو كله الذي استغرق عرضه ساعة كاملة . كان يبتسم وهو يشير بيده تتبعها نظراته ، إلى بعض من حضر الفرح من الأشقاء والأقرباء . وفجأة تذكّر غزة ، وسألني : «ليش يابّ غزة ما حَضَرت فِرح بنت اختها؟ مهي راحت زيارة ع غزة ، وكان بامكانها تسافر من الدمام لَعمان وتحضر الفرح .»

أجبته : «يابا غزة ما كانت عارفة موعد الفرح ، لأن عريس بنت بنتك أجّله مرتين . بعدين راحت غزة دوغري ع غزة ، وبطّل فيها تطلع لا من معبر رفح ولا من معبر بيت حانون . غزة يابا ضاعت في غزة .»

هز رأسه وقال بحسرة ، كانت الأخيرة في حياته : «يا ريتني ما خلّيت غزة سنة النكبة في غزة . .يا ريتني جبتها معي هي وأمها .»

ثم طلب منّي أن آخذ بيده وأساعده على النهوض ، ثم أوصله إلى غرفته ليتمدد في سريره .

كانت وفاته صعبه وقاسية عليه وعليّ . بناته كلهن بعيدات عنه ، وأولاده موزّعون في البلاد وخارجها ، حتى فلسطين أكبرنا ، غاب عن اللحظة التي فارقنا فيها أبي . كان قد خرج منذ الصباح يبحث عن عمل . مسكين فلسطين حاله يشبه حال زوجي باسم ، وربما أعقد . كان كلما وجد عملا وتقدّم بطلب للحصول عليه ، تلقى رفضا بسبب اسمه . وفي إحدى المرّات قال له المسؤول علنا وبكل وقاحة : «حبيبي غيّر اسمك وارجع .»

مسحت جنين قطرات دمع تسللت إلى عينيها ، ومسحتُ أنا وجولي سحابة حزن مرت بملامحنا . ثم مدت جنين يدها إلى حقيبتها ، وأخرجت بضع أوراق ، اختارت من بينها واحدة ، وقالت : هذا هو المشهد الأخير الذي رسمته لـ«باقي هناك» .

لكنها لم تقرأ من الأوراق التي أخرجتها ، بل وضعتها جانبا لتقول : «دعني أنهي أيضا جانبا من لغز آخر يا وليد . إنه يهم قرائي في الواقع .»

أنصت إليها من دون مقاطعة ، فتابعت : «بتتذكّر أنه باقي هناك لـمّا أخذ اللوحتين وكان بدّو يطلع ، وعند الباب حس بالمفتاح ثقيل في جيبته ، ركن اللوحتين ع جنب ، ورِجع ع غرفته؟!»

أكدت لها بأنني أتذكّر ، فتابعت : حَط «باقي هناك» المفتاح في درج مكتبه . بعد ما اتوفى فُتِت ع مكتبه لقيت الدرج مفتوح . سحبته . لقيت فيه دفتر مذكراته . وفوقه ورقة مكتوب عليها : خلّو كل الناس تقراها . وافْهِمِت عليه . وأنا بصدد نشر مذكرات أبي الحقيقي ، محمود دهمان . ورح ينشرلي اياها صاحبك سلمان جابر في حيفا . اني بعت له مخطوط المذكرات على أية حال .

ثم التفتتْ إلى جولي تعتذر منها وتقول : «مضطرة أقرأ المشهد الخاص بنهاية روايتي بالعربية ، وأتمنى ان يلخصه لك وليد لاحقا بالإنجليزية» .
هزت جولي رأسها موافقة ، وفعلتُ مثلها . وراحت جنين تقرأ :

«خرج (باقي هناك) يحمل اليافطتين ، وذهب باتجاه (ميدان رابين) . وحين وصل ، وقف باليافطتين مرفوعتين بين يديه عاليا ، قرب منصة الخطابة ، وكان في الميدان أكثر من نصف مليون إسرائيلي ، يقيمون مهرجانا لتجمع قوى يمينية متطرفة ، احتفالا بفوز حزب يميني متشدد في الانتخابات النيابية . ثم راح يغني الانترناسيونال (النشيد الأممي)

في تحد أخرق لتجمع من المسعورين .

انطلقت فجأة رصاصة . تدافع المحتشدون وهم يصرخون بفزع : عرفيم

عرفيم . يراكمون الصراخ فوق الصراخ ويفرون في كل الاتجاهات . في تلك اللحظة سقط «باقي هناك» أرضا ودمه يغطي يافطتين خشبيتين محطمتين إلى جانبه .

مات محمود دهمان ، الرجل الذي كان أبي ولعب دوره في الرواية . أذكى رجل عرفته في حياتي ، وأكثر الفلسطينيين تياسة في الرواية . الرجل الذي رفض الهجرة من البلاد سنة 1948 في الواقع وفي الرواية ، على الرغم من الحرائق والدمار والموت والخوف والقتل الذي انتشر كعاصفة خريفية هوجاء راحت تحصد كل شيء . سقط تحت أقدام الإسرائيليين المتدافعين خوفا من وهم عاشت عليه أحزابهم وسياسيوهم ، من اليمين واليسار ، وعاشوا عليه . مات وهو يعلن لهم بالصوت والصورة انسانيته عارية من أي شوائب يلصقها بها البشر .

لكن «باقي هناك» لم يمت في الحقيقة . بل كنت أنا أتمرّن على مشهد ختامي للرواية ، مشهد موت محتمل ، في ظل صعود اليمين الإسرائيلي إلى السلطة ، وزحف البلاد المتسارع نحو اليمين المتطرف وكراهية كل ما هو عربي . فقد نهض «باقي هناك» من موته الافتراضي ، وحمل يافطتيه وغادر الساحة التي أنهت مهرجانها بسعير يميني حاقد . ومشى بعيدا عن ما خلّفه المشاركون من يافطات ممزقة ، وأعقاب سجائر ، وعلب كرتونية فارغة ، وشظايا زجاجات مرطبات ، وشعارات ، وهتافات تركها رافعوها في الميدان الإسرائيلي الأكبر في البلاد ، وغادروا .

مشى «باقي هناك» عائدا بيافطتيه اللتين لم ينظر إليهما أحد . تمشّى برفقة صوته يردد معه النشيد الأممي ويعده بأن يعودوا معا :

بجموع قويـة   هبوا لاح الظفر
غدُ الأمميــة   يوحد البشـــر

هتفت ، وساعدتني جولي على الهتاف ، على الرغم من أنها لن تكون
قد فهمت الكثير مما سمعته :

«My good Jinin . .what a beautiful legendary end!»

«الله الله يا جنين . . ما أجمل هذه النهاية الأسطورية .»

اليوم العاشر

أنهى وليد وجولي معاملات السفر في مطار بن غوريون في اللد ، وقبل أن يجلسا إلى طاولة في قاعة الانتظار الدائرية الفسيحة ، ينتظران الإعلان عن بدء الدخول إلى البوابة الرقم C-9 ، طلب وليد فنجاني قهوة له ولجولي ، وجلسا يحتسيانهما كل على وقع ما جرى خلال الأيام التسعة الماضية التي يكتمل يومها العاشر بعد وصولهما إلى لندن مساء .

وليد أحمد دهمان

عاد إلى نفسه يسألها ويستمزجها على وقع أقدام الفتيات الاثيوبيات العاملات في المطار : «هل نشتري قطعة أرض في حارة دهمان كانت لنا أصلا؟!» استبعد هو ونفسه أن تبيعهما شركة «عميدار» الإسرائيلية للإسكان ، أرضا يعتبرها أغلب اليهود هبة من رب العالمين . عطاء من إله وظّفوه مديرا لشركة بيع أراضي وعقارات كانت ملكا لفلسطينيين أغراب . لكن نفسه اعترفت له أيضا ، بأن اقتراح جولي أربكه وأثار دهشته وحرّك فضوله ، ودفعه إلى طرح أسئلة كثيرة محيّرة : هل يعود بعد هذا العمر سائحا ، يذهب من حين إلى آخر ، إلى مسراد هبنيم (وزارة الداخلية) ، مثل قريبته جنين التي ظلّت تكابد لسنوات حتى وهي تحمل الجنسية الإسرائيلية ، من أجل الحصول لزوجها باسم ، على إذن بالإقامة في بلده؟ هل يذهب وليد ليطلب تصريحا بالإقامة له ولزوجته في بلده؟ وأين

262

يقيمان؟ في عكا التي كانت نتف ذكريات لملمت جولي حقائقها القديمة من أحلام والدتها ، وحقائقها الراهنة من زيارتهما التي يضعان نهايتها الآن؟ أم في مسقط رأسه المجدل عسقلان ، التي فتح فيها عينيه حين نزل من بطن أمه وأغمضهما ، مرغما ، ولم يفتحهما ثانية عليها إلا بعد اثنين وستين عاما ، ليجدها شظايا مدينة كانت قبل خمسة آلاف عام ، زهرة مدائن الكنعانيين؟ وماذا عن حيفا التي يجنّن مجرد ذكر اسمها كل الفلسطينيين؟ حيفا التي نظر سلمان إلى بحرها من نافذة مطعم «كالامارِس» المعلق في السماء ، ورآها تستريح هادئة في خليجها ، وموج البحر يغسل قدمي كرملها . أليست حيفا هي التي جعلته يصرخ باسمها بجنون ، حتى لمّ حوله وحولنا أنظار الموجودين : ولَكْ آآآآآآخ آخ ع هلبلاد ، ولَكْ ما بعرِف كيف ضيعناها!؟ ورد عليه كثيرون في المطعم ، رجالا ونساء بصوت واحد حتى ارتج الجبل وصاح معهم : لك آآآخ آخ وميت آخ .»

أنت محقّة يا لودا . «خَيفا»ك أنت وحِيفا جميل ، أو «هَيفا» جولي وحيفاي ، أو حِيفا سلمان وعايدة ، «بتوخد العقل» كما قال جميل وهو ينظر بعيدا إلى البحر من أمام منزله في منطقة الكبابير . حيفا «بتوخد العقل» وحدائق البهائيين معلقة على صدرها مثل عناقيد الفرح . «بتوخد العقل» والمقاهي والمطاعم العربية تطرّز صدر شارع أبو النواس في حي الألمانية ، تمشّى بين تفاصيله فيروز ، وأم كلثوم ، وحليم ، وعمرو دياب ، ونانسي عجرم ، وعشاق المساء والسهر العربي المستحدث والقديم . «حيفا بتوخد العقل» ، حتى حين قصفها حزب الله ، وأصاب أحد صواريخه مبنى جريدة «الاتحاد» الحيفاوية ، وقتل صاروخ آخر أربعة من أبنائها الفلسطينيين . حيفا فعلا يا لودا ، ويا جميل ، ويا عايدة ويا سلمان ، ويا جولي ويا أنا ، جننت كل الفلسطينيين .

جولي جون ليتل هاوس

راحت ترتشف قهوتها وتحاكم نفسها على إخفائها حقيقة ما جرى في بيت جدها مانويل اردكيان ، عندما ذهبت لوضع رماد والدتها هناك . تستعيد تفاصيل الحكاية المرّة وتتدرب سرا على سردها قبل أن تقرر وضعها أمام وليد ، حالما تقلع الطائرة ، أو تغلق عليها قلبها ليبقى قلبه هو مطمئنا إلى الأبد :

«حين وصلتُ الدرجة العاشرة للسلم الحديدي الذي يصعد إلى البيت ، توقفت . تلفّتُّ خلفي . كانت فاطمة لم تزل هناك ، تنتظرني أسفل السلم . هكذا ظننت . صعدتُ خطوة خطوة على وقع أجراس الكنائس تطلق رنينا جنائزيا غريبا . تابعتُ الصعود إلى أن بلغت الدرجة الأخيرة . وقفت قبالة باب البيت مباشرة . توقفت أجراس الكنائس عن الرنين . أحسستُ بصمتها يخنقني . سمعت دقات قلبي . قلقت وخفت . التفتُ خلفي ثانية . لمحت فاطمة تدقّ الهواء بقبضتها وتختفي . فهمت إشارتها . استدرت وطرقت الباب بقبضتي . بعد ثوان ، فتح الباب القديم ذو الضلفتين . وفوجئت بسيدة تبدو في العقد السادس من عمرها ، تسده بذراعيها . شرحت لها بالإنجليزية ، بكلمات قليلة هدف زيارتي . قالت كلاما لم أفهمه ، لكني شعرت بلسعات نبراته قاسية . ثم ظهر رجل من خلفها ، يكبرها بعقد من السنين على الأقل . يضع على عينيه نظارتين سميكتين . قال لها كلاما يشبه التساؤل . قلّبتُ نظري بينهما أتوسّل أيا منهما يفهمني شيئا مما يقولان ، من دون جدوى . اعتراني خجل وخوف وتوتر للحظات . أنزلت المرأة ذراعيها عن حافتي الباب ، وتراجعت قليلا إلى وراء . تقدم الرجل . أخذ مكانها وسألني بإنجليزية ركيكة عما أريد . شرحت له أسباب زيارتي . انتفض وقال بالعبرية : لولولولولو (لا) رافضا طلبي . ثم نونونوَ بالإنجليزية : «نونونونو .» رجوته :

«يا سيدي . . لن تزعجكم روح أمي أبدا . إسمعني . . إنها تنصت إلينا الآن .»

«لولولولولولو .»

ثم نظر الرجل إلى الهيكل الزجاجي كمن ينظر إلى روح شريرة خرجت من ظلمة ويريد طردها ، وصرخ :

«لا نقبل غرباء في بيتنا . . هيا هيا . . إنصرفي .»

لم أنصرف . تسمرت قدماي عند عتبة الباب بلا إرادة منّي . اندفع الرجل نحوي وهجم عليّ واختطف التمثال من بين يديّ . طوّح به ثم قذفه من فوق رأسي وصفق الباب في وجهي بقوة . ارتفع التمثال بضعة أمتار في الهواء وسقط . سمعت صوت تهشّمه على درجات السلم . غطيت فمي بكفيّ أكتم صراخا في داخلي بينما كان جسدي يرتعش . عادت أجراس الكنائس تدق مجدّدا . راقبت رماد جسد أمي يصعد إلى الفضاء في سحابات صغيرة متفرقة ، راحت تختفي في سماء المدينة . رأيت شال الحرير يتأرجح في الهواء صاعدا ويعلق بحبل غسيل على الطابق الثاني في المبنى المجاور . تلفّتُ حولي كالمجنونة ، بينما أهبط درجات على السلم ثم أعود وأصعدها ، إلى أن عثرت على السلسال ملقى على إحدى الدرجات ، مغبّرا برماد أمي ، وقد تدلى نصفه في الهواء . التقطه وهبَطتُ مسرعة ، وأنا في حال من القلق والاضطراب .

وضعت فنجان قهوتها فارغا على الطاولة . أغمضت عينيها للحظات لكي تسمع صوتها الداخلي الذي يشبه نبض الضمير : ما الذي سأستفيده إن رويت لوليد هذه الحكاية ؟ لقد أرادت الراحلة إيفانا لبعض جسدها أن يعود ، سواء بقي في تمثال خزفي جميل يشبهها ، كما حلمت قبل أن تتوقف عن الحلم ، أو تبدد في فضاء المدينة ، كما حدث فعلا ، وتوزّع على حاراتها . وقد تكون قد تشكلت منه غيمة بعد أن غادرت ساحة عصفور ، أخذتها ريح خفيفة ، وجابت بها عموم البلاد . في النهاية

عادت إيفانا إلى عكا .

أراحها ذلك . ابتسمت لنفسها . ثم حملت ابتسامتها إلى وليد وسألته :

هل اتخذت قرارا بخصوص ما اقترحته عليك قبل دخولنا إلى المطار أو فكّرت فيه؟

وضع وليد فنجان القهوة على الطاولة . نظر إلى عيني جولي لثوان . همّ بأن يقول شيئاً ، فقاطعه نداء يعلن عن فتح البوابة رقم C-9 للمسافرين على الخطوط الجوية البريطانية ، الرحلة رقم 559 إلى لندن .

نهض الزوجان وفي فميهما نقاش . حمل كل منهما حقيبته اليدوية الصغيرة ، وأمسكا بأيدي بعضهما . التفت وليد إلى جولي وقال : «لقد اتخذت قرارا مناسبا .»

وأوأت جولي : «Wow» .

«نناقشه حين نصل .»

أضاف ، وتابعا طريقهما إلى البوابة .